KB100797

마지막은 다정하게

III

마지막은
다정하게
수레국화꽃말 장편소설
III
D&C
BOOKS

목 차

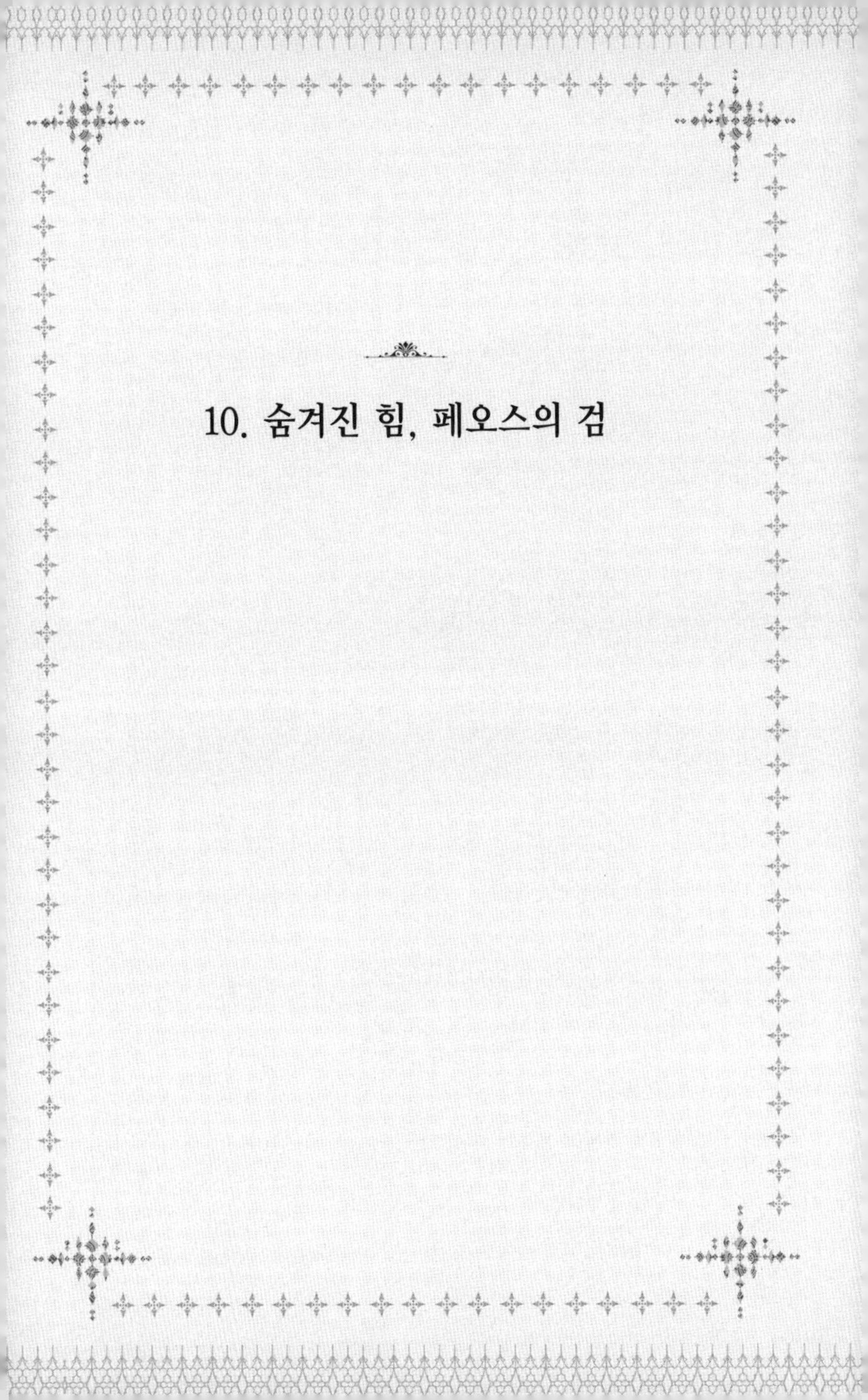

10. 숨겨진 힘, 페오스의 검

10. 숨겨진 힘, 페오스의 검

벨라는 갇혀 있는 방 창가에서 서성였다.

'레이디 벨라, 저와 결혼하시겠습니까? 그러면 황태자 전하의 안전을 보장하지요.'

벨라는 티베리가 했던 말을 곱씹어 보았다.

'페로하트 황가에 은밀히 전령을 보냈습니다. 당신들의 황태자가 여기 볼모로 잡혀 있다고 말입니다. 오르티우스 요새 및 오르젠 평원의 소유권이 플란네르에 있다는 사실을 인정하면 순순히 황태자를 돌려보내 드린다고 했더니 흔쾌히 오케이 하셨다고 들었습니다.'

황태자에게 도움 되는 일과 티베리에게 도움 되는 일을 동시에 할 수 있다고 생각한 것이 큰 오산이었나 보다. 티베리의 탐욕은 생각했던 것보다 컸으며, 그의 목표는 아버지의 인정을 받는 것이 아니라, 벨라를 차지하는 거였다. 벨라는 처음부터 그가 자신을 도울 생각이 없었다는 사실을 깨달았다.

'보니까 레이디 아르티드는 자신의 고용인들을 살뜰하게 아끼더군. 참 고운 심성의 소유자이지. 얼마나 좋아, 착하지, 예쁘지, 재산도 막대하지. 이런 여자를 놓치는 것이 더 이상한 것이 아닐까? 어떠십니까? '네'라는 대답이 나올 때까지 고용인을 하나하나씩 죽여 보는 것도 재밌지 않겠습니까?'

벨라는 입술을 질끈 깨물었다.

티베리가 루카스의 목에 총구를 겨누던 순간이 떠올랐다. 그리고 황태자가 어깨에 총을 맞고 선혈을 뿌리던 장면도 눈앞을 스쳐 갔다.

다시금 생각해 봐도 오싹한 순간이었다.

"정말 죽이는 줄 알았어."

손바닥에 땀이 흥건하게 젖어 왔다.

벨라는 자신의 고용인들을 무사히 페로하트로 돌려보내주는 조건으로 이 저택에 제 발로 들어왔다. 다친 황태자는 생명엔 지장이 없었지만, 볼모라 따로 끌려갔고, 루카스는 고용인들이 페로하트행 배를 타는 것을 무사히 확인한 후에 돌아오겠다며 벨라와 헤어졌다.

지금은 온전히 벨라 혼자 남아 있었다.

'전하를 감쌌던 그 화염의 정체는 대체 뭘까?'

그건 아무도 설명할 수 없는 현상이었다. 칼리아스는 따로 끌려가기 전까지도 자신의 손을 바라보며 자신이 왜 화염에 휩싸였는지 이해해 보려고 애썼다. 그러나 이해는커

녕, 불티 하나 다시 일어나지 않았다.

모두가 본 착시 현상이라고 하기엔, 칼리아스 주변에 있던 군인 중 두 명이 심한 화상을 입고 치료받다가 죽었다고 들었다.

머리 터지게 곱씹어 봤자 결론 나지 않는 일이었다. 벨라는 고개를 저으며 화제를 돌려 지금 이 감금 상태에 대해 생각했다.

죽 쒀서 개 준다는 말이 딱 이 짝이었다.

개!

순간 벨라는 푸딩의 안부가 걱정되었다. 꼼꼼한 루카스니까 푸딩도 무사히 배편에 돌려보냈으리라고 믿는 수밖에 없었다.

바깥이 소란스러웠다. 방에 갇힌 이후로 밖으로 나와 보지 못해 바깥소식이 궁금하던 차였다.

벨라가 갇힌 방 앞을 지키던 군인이 "무엇 때문에 그러나?"라고 물었고, 곧이어 들린 소리는 "웬 개 한 마리가 난입해서 이리 뛰고 저리 뛰고 있지 뭔가. 대체 어디로 들어온 것인지 알 수가 없어."라는 말이었다.

벨라는 얼른 창밖을 내다보았다. 머리 하나도 빠져나가지 못할 작은 창문이라 정원이 다 보이는 것은 아니었다.

"저 개 잡아! 잡아!" 하는 소리와 사람들이 우르르 달려가는 소리가 잇달아 들려왔다.

저 멀리서 컹컹 소리가 들렸다. 개 짖는 소리를 들은 벨라의 눈이 휘둥그레졌다. 그리고 입에 손가락을 넣어 삐익 하고 날카로운 휘파람 소리를 냈다.

벨라의 휘파람에 경쾌하게 대답하듯 컹컹 짖는 소리는 가까워져 왔다.

"푸딩!"

벨라는 다급하게 손을 젓다가 문을 두들겼다.

"밖에 저 개 좀 들여보내 줘요! 내 가족 같은 개예요!"

"티베리 님의 허락 없이 아무것도 들어오거나 나갈 수 없습니다."

돌아오는 대답에 벨라는 화가 나서 문을 주먹으로 쾅 하고 내리쳤다가 순간 좋은 생각이 떠올랐다.

"티베리 돌아오기 전에 저 개 털끝 하나 다치기만 해 봐! 저 개가 얼마나 비싼 개인 줄 알아요? 페로하트에서도 내로라하는 품종견이라고요!"

벨라는 일부러 모두가 듣게 큰 소리로 외쳤다.

"저 품종 한 마리는 당신네 한 군단 월급 다 합쳐도 못 사! 종견으로 쓰려고 웃돈 주고 간신히 구한 개인데 종견 가치 떨어뜨리기만 해 봐요! 티베리에게 말해서 반드시 피해 보상 받아 낼 거야!"

배에 힘을 빡 주고 소리 질렀다.

"내가 누군지 알죠? 곧 티베리의 부인이 될 사람인 것!"

바깥이 한동안 소란스럽더니 문이 열렸다.

"저 개가 좀처럼 안 잡히는데 그렇다고 멀리 도망가지도 않습니다. 아르티드 영애께서 한번 불러 보시겠습니까?"

비싼 품종견이라는 말이 통한 모양이었다.

벨라는 갇힌 후 처음으로 정원을 밟아 보았다.

삐이이익!

벨라의 휘파람 소리에 타다닥 반가운 발소리가 재빨리 들려왔다.

"푸딩!"

벨라는 자신에게 온몸으로 돌진해 오는 푸딩을 덥석 끌어안았다.

"세상에! 꼴이 이게 뭐야!"

벨라는 하수구라도 들어갔다 나온 듯한 푸딩의 모습에 혀를 내둘렀지만 그래도 포옹을 풀지 않았다. 푸딩은 온몸을 흔들어 대면서 벨라에게 격한 반가움을 표시했고 벨라의 얼굴을 쉴 새 없이 핥았다.

"날 찾아서 그 먼 데서 혼자 여기까지 왔니? 다른 사람들은 어떻게 하고 왔니!"

분명 리체와 고용인들은 페로하트행 배에 태워졌을 텐데 푸딩만 여기에 남아 있다는 게 이상했다. 하지만 지금은 반가움이 먼저였다.

푸딩이 벨라의 말에 대답할 수 있을 리는 없었지만, 그녀는 푸딩을 연신 쓰다듬으며 목을 끌어안았다.

루카스와 칼리아스의 행방도 알 수 없는 상황이었다.

루카스는 고용인들이 배를 타고 돌아가는 것을 확인한 후에 벨라 곁으로 돌아오겠다고 했지만, 그 이후로 루카스의 소식도 끊어졌다.

그러니 푸딩이 어찌 지냈을지는 더더욱 알 수 없었다. 녀석의 몰골을 보니 썩 좋은 상황은 아니었던 듯했다.

푸딩은 그저 좋단다. 코끝이 찡해져서 벨라는 녀석을 말없이 끌어안고 있다가 군인들을 향해 화를 버럭 내었다.

"티베리 불러 줘요! 대체 내 개를 어찌 취급했길래 이 꼴을 하고 있는지 책임을 따져 묻겠어요!"

티베리가 그곳에 도착했을 때는 해가 저물어 가고 있을 때였다. 그가 올 때까지 벨라는 군인들에게 들으라고 비싼 개 타령을 할머니가 잔소리하듯 반복하며 뜨거운 물을 받아 푸딩을 목욕시켰다.

티베리가 들어섰을 때 벨라는 목욕을 마친 푸딩을 커다란 수건으로 닦아 주고 있었다.

"호오! 그때 그 바보 개로군요, 레이디!"

문틀에 삐딱하게 기대어 느른한 미소를 짓는 그를 보며 벨라는 차갑게 말했다.

"바보 개 아니라니까요!"

"아무나 보고 꼬리 치는데 바보 개가 아니면 무엇이겠습니까?"

티베리의 말에 벨라는 콧방귀를 뀌었다.

"바보라면 저를 보러 여기까지 찾아오겠어요?"

티베리는 벨라를 보며 기분 좋게 웃었다.

"계속 침묵 시위 하더니 개 한 마리 덕에 침묵이 풀렸군요. 좋습니다, 레이디."

"이 개는 가족이나 마찬가지예요! 거리를 혼자 돌아다니게 놔두다니, 큰일이라도 났으면 어쩔 뻔했어요? 함부로 대하면 날 업신여기는 것으로 받아들이겠어요."

벨라가 따지는데도 티베리는 그저 싱글싱글 웃을 뿐이었다.

"내 말이 웃겨요?"

"아닙니다, 레이디. 화내는 모습마저도 제 취향이라 설레서 그렇습니다."

"제가 아니라 제 재산이 취향이겠죠."

"레이디의 모든 것이 다 제 취향에 들어맞는다고 해 두죠."

티베리의 진한 초록색 눈이 어둡게 반짝였다.

벨라는 그럴 줄 알았다는 표정으로 입을 열었다.

"제가 황태자 전하를 사랑한다는 사실을 알면서도요?"

티베리는 눈을 갸름하게 떴다.

"저를 사랑하게 만들겠습니다만?"

예상했던 대답을 티베리가 했다. 벨라는 천연덕스럽게 눈빛을 반짝이며 말했다.

"말로만? 이 집 안에 스타더스트 제품이 하나도 안 보이네요? 저에 대해 관심이 많은 거 맞아요? 돈만 쏙 빼먹고 버리려는 거 아니에요? 그런 사람은 당신 아니어도 무수히 많습니다."

티베리는 눈썹을 늘어뜨리며 짐짓 슬픈 표정을 지었다.

"레이디, 저는 본디 한 여인에게 매이고 싶지 않았던 자유로운 영혼입니다. 그런 저를 사로잡은 레이디의 입에서 불신의 뜻을 담은 말이 나오는 것이 슬픕니다."

티베리는 심장에 대못이 박히는 시늉을 하며 벨라에게 웃어 보였다.

벨라는 전혀 지지 않고 말했다.

“말로만 그러지 말고, 집 안에 스타더스트 화장품을 채워 넣으라고요. 이 집에는 끔찍한 향을 풍기는 로션조차 제대로 갖춰져 있지 않더군요. 올리브 오일이나 맨살에 바르라는 건가요? 늘 제가 사용하던 애용품들이 이곳에 없으니 얼마나 짜증 나는지 아세요?”

벨라는 미간을 찡그려 보였다.

“내 백옥 같은 피부를 곱게 가꾸어 주는 기초 화장품 3종 세트와 거품 입욕제, 샴푸와 린스, 그리고 향수까지. 기본도 갖춰져 있지 않은 방에 나를 밀어 넣어 두고 당신을 사랑하길 바라는 거예요?”

벨라의 말에 티베리가 껄껄 웃었다. 누가 버터 덩어리 아니랄까 봐 웃음소리도 느끼했다.

“당신의 사랑을 받으려면 이 방에 스타더스트 화장품부터 채워 넣으라?”

벨라는 하녀가 가져온 제품들을 트집 잡았다.

“내가 원한 건 이게 아니라고요! 스타더스트 화장품 안 써봤어요? 이건 초창기 제품이고, 이다음에 또 그다음 버전, 세 번째 리뉴얼 제품 말이에요. 그게 더 향이 지속적인 거 알아요?”

벨라의 생트집에 하녀가 억울하다는 듯 말했다.

“이건 스타더스트 플란네르 지부 본점에서 가져온 거라고요.”

"본점에서 가져왔는데 왜 이런 걸 가져온 거예요? 거기에도 신제품이 있을 텐데."

벨라가 언성을 높이자 하녀가 얼굴을 붉히며 대답했다.

"플란네르 지부 본점에는 이것들뿐이라고요."

"지부장이 재고 관리도 제대로 하지 않나요? 초창기 제품이면 만든 지가 언제인 제품인데……!"

벨라의 말에 하녀가 억울하다는 듯 말했다.

"페로하트와 전면전 중인데 신제품을 들여올 수 있을 리가 없잖아요!"

말하고 나서 하녀는 얼른 자신의 입을 가렸다. 그러나 이미 내뱉은 말은 다시 주워 담을 수 없었다.

"전면전?"

벨라는 중얼거리듯 말했다. 하녀는 얼굴이 새빨개져서 그녀의 시선을 피했다.

"말해 봐요. 지금 페로하트와 플란네르가 전쟁 중인가요?"

하녀는 벨라의 말에 선뜻 대답하지 못하고 우물거렸다.

"황태자 전하를 볼모로 잡고 있어서 오르티우스 요새와 오르젠 평원은 플란네르가 그대로 갖기로 한 것 아니었어요? 그런데 왜……?"

하녀는 벨라의 눈치를 보다가 고개를 저으며 말했다.

"거기 말고, 바다에서 싸워요. 그래서 뱃길이 끊긴 지 좀 되었어요. 그러니까 신제품은 못 구하는 줄 아세요."

하녀는 그 자리를 후다닥 빠져나갔다.

문이 쾅 닫히는 소리를 들으며 벨라는 어지러운 머릿속을 정리하려고 노력했다.

기어코 페로하트—플란네르전이 벌어진 모양이었다. 디노르센 전투는 막았으나 전쟁이란 운명은 피해 갈 수 없었던가 보다.

벨라는 두 손을 움켜쥐었다가 비볐다가 다시 깍지를 꼈다 하며 초조하게 방을 서성였다.

방문을 박박 발로 긁어 대는 소리가 들렸다.

문밖에서 들리는 익숙한 낑낑 소리.

"어쭈구리. 당연히 들어가는 거로 아네? 이 개 쉬키."

방문 밖의 보초 목소리가 들려왔다.

"놔둬. 그 개 잘못 건드리면 또 아르티드 영애가 티베리 님에게 잔소리 퍼부어 댄다고. 그 개는 제멋대로 하게 놔둬."

"티베리 대령님께서 명령하셨잖아. 이 방으로 아무도 드나들지 못하게 하라고."

"아서라. 그 개 무슨 에너지가 그렇게 뻗쳐 나는지, 방에 가둬 두면 닥치는 대로 갉고 말썽이 심하니까 그냥 풀어놔. 문에 밴 오줌 자국이 아직도 선명하잖냐. 아르티드 영애는 저 지랄 맞은 개를 뭐 하러 그리 아끼시나 모르겠다. 내가 보기엔 민폐 견인데."

"야, 입에 문 거 뭐야, 이리 내!"

깽 하는 소리가 잠시 들렸다.

"웬 구두를 물고 왔냐? 혹시 이거 구두 주인 누구인지 알아?"

그 말과 함께 방문이 열리고 푸딩이 꼬리 치며 들어왔다.

또 하수구를 드나들었는지 몰골이 엉망이었다.

벨라는 녀석을 보며 피식 웃었다.

“그리젤리서 산으로 들로 마음껏 뛰놀며 살다가 이런 데 갇혀 지내려니 너도 갑갑하지? 네 마음 나도 잘 알아.”

벨라는 냄새에도 아랑곳하지 않고 녀석을 끌어안았다.

“아이고, 고린내야.”

말은 그러면서도 벨라는 사랑스럽게 녀석의 목에 고개를 파묻었다. 벨라는 푸딩의 귀에 작은 목소리로 속삭였다.

“오늘도 땅굴 잘 파다 왔니? 곳곳에 은밀한 개구멍 많이 뚫어 줘.”

푸딩은 잠시 벨라에게 반가운 척을 하다가 다시 방문을 긁어 댔다.

“방금 들어와 놓고 어딜 또 나가게?”

벨라는 푸딩에게 물었다. 그러나 푸딩은 제자리를 한 바퀴 뱅글뱅글 돌고는 주저앉아 방문을 발로 긁다가 다시 제자리를 뱅글뱅글 돌며 방문을 애절하게 바라보았다.

나가고 싶다는 뜻이었다.

방문이 잠겨 있는 것은 아니었다. 단지 보초들이 못 나가게 막고 서 있을 뿐. 벨라는 방문을 열어 푸딩이 원하는 대로 해 주었다. 푸딩이 밖으로 나가자마자 소란이 벌어졌다.

“어? 그 구두 도로 물고 왔잖아? 야 이 시퀴야, 어디서 이런 걸 물어와서 그래? 버렸는데 또 주워 왔냐?”

벨라는 방문 밖을 빼꼼 내다보았다.

푸딩이 신난다고 문틈으로 쏙 들어왔다.

“푸딩, 이게 대체 뭐야?”

벨라는 푸딩이 문 것을 확인했다. 남자 구두 한 짝이었다. 순간 벨라는 눈을 비비고 다시 그 구두를 바라보았다.

'이건 루카스의 구두가 아닌가?'

벨라는 그 구두를 멍하니 바라보았다.

외부로부터 차단되어 지내다 보니 바깥소식은 전혀 알 수 없었다. 그나마 하녀가 실수로 흘린 페로하트—플란네르 전쟁 이야기라도 알게 되어 다행이었다.

회귀해서 알게 된 모든 지식이 쓸모없었다. 벨라가 아는 세상은 페로하트 내의 이야기였고 이것이 플란네르로 확대된 이후로 이제는 평범한 다른 사람들처럼 앞날을 예측하기 힘들었다.

'설마, 변을 당한 것은 아니겠지?'

생각만 해도 입술이 바르르 떨렸다.

투둑…….

벨라는 자신의 눈에서 저도 모르게 떨어진 눈물에 스스로 깜짝 놀랐다.

자꾸 불길한 생각이 들었다.

'그럴 리 없어, 그럴 만한 이유도 없고. 괜한 걱정일 거야.'

스스로에게 그렇게 되뇌었다. 그러나 시작된 두려움은 꼬리에 꼬리를 물었다.

절망에 젖어 보지 않은 사람은 모른다. 그 트라우마가 얼마나 집요한지, 애써 괜찮은 척하려 해도 한겨울의 습기처럼 스미어 온다는 것을. 그 처절한 생채기는 살짝만 건드려도 다시 곪아 터졌다.

쿨한 거? 담담한 거?

그런 걸 몰라서 상처가 덧나는 게 아니다.

서른 살이 될 때까지 절망만 하고 살았다.

진짜 절망은 온몸에 찌들어 영혼을 잔인하게 짓밟는다.

절망을 이기고 못 이기고를 떠나 그 절망을 다시 맞닥뜨리면 먼저 사고 회로가 멈추고 만다.

이제 와 모든 것을 다시 손에 쥔 지금, 그것들을 다시 잃는다는 것은 상상만으로도 심장을 멎게 하는 것만 같았다.

'나는 아르티드가의 올슨이야. 어깨부터 꼿꼿하게 펴자.'

다그치듯 자신 속의 어둠에게 말했다.

'나는 약하지 않아, 나는 강해.'

기도문을 외우듯 속으로 반복해 외치고 또 외쳤다.

짧은 순간에 회귀 후 지난날들이 주마등처럼 스쳐 갔다.

늘 곁에 루카스가 있었다. 그 이전의 삶에서도 그는 벨라가 손 내밀면 닿을 위치에 항상 있었다. 그와 같이 지낸 수많은 일상의 사소한 장면들이 한꺼번에 물 밀듯 밀려왔다.

루카스가 없는 삶.

차디찬 그랑블루 강물 아래 다시금 끝없이 추락하는 기분이 들었다. 처음 열네 살로 회귀하여 눈을 떴던 순간이 떠올랐다. 임사 체험의 한 장면인 줄로만 알았던 루카스와의 첫 대면. 가슴 벅차게 그가 반가웠던 그 순간.

'아니야. 루카스는 괜찮을 거야. 고용인들이 무사히 떠나는 것을 보고 돌아온다고 했어. 결코, 나를 떠나지 않아.'

벨라는 몸을 부르르 떨다가 저도 모르게 두 손에 꼭 쥔 구두 한 짝을 바라보았다. 구두는 푸딩의 침으로 범벅이 되어 있으나 여전히 먼지 한 톨 없이 반들반들하게 광채를 뿜고 있었다. 오랫동안 신어도 늘 새 신발처럼 잘 손질한 구두였다. 그의 성격상 구두에 주름 가는 것도 참기 힘들어했으니 당연한 결과.

'울면서 할 생각은 아닌데, 언제 봐도 루카스의 구두는 새것 같아. 도대체 어떻게 광을 내길래 이런 광이 나지?'

벨라는 피식 웃으며 눈물을 닦았다.

'내 구두는 루카스가 신경 써 주지 않으니 바로 먼지가 내려앉아서 탁해졌는데.'

순간 벨라의 눈이 커졌다.

그리고 구두를 이리저리 돌려 보았다. 푸딩의 침 외에는 그 어떤 이물질도 묻어 있지 않은 루카스의 구두를 보며 벨라는 탄성을 내질렀다.

'푸딩이 루카스 구두를 신고 있던 채로 벗겨 왔나 봐.'

벨라는 무릎을 '탁' 쳤다.

관리하지 않은 구두는 금방 광택을 잃었다. 특히나 루카스가 죽었다면 이렇게 칼 같은 광을 낼 사람도 없었다.

'루카스는 무사해! 게다가 이 근방에 있어!'

벨라는 창밖을 열심히 내다보았다. 그리고 뒤돌아 푸딩을 덥석 끌어안았다.

"고마워 푸딩! 넌 정말 천재야!"

벨라는 연신 푸딩의 털을 비비며 기뻐했다. 그러고는 자신의 구두 한 짝을 푸딩에게 주었다.

"가. 푸딩. 이거 루카스 줘."

벨라의 말귀를 알아들은 건지 푸딩은 신난다고 벨라의 신발을 물고 문밖으로 쏜살같이 달려 나갔다.

원체 사람에 대한 경계가 없어서 아무 사람이나 반기는 게 문제일 뿐, 푸딩은 제법 똑똑한 축에 속해서 벨라가 가르친 명령어들을 제법 잘 알아들었다.

루카스의 구두에 대고 장난치느라 푸딩에게 이런저런 심부름을 시킨 게 한두 번이 아니었다. 그때마다 푸딩은 벨라가 원하는 대로 잘 움직여 주었다. 장난에 있어서 푸딩은 벨라와 환상의 짝꿍이었다. 그런 녀석의 능력이 빛을 발하는 순간이었다.

푸딩은 루카스의 나머지 구두 한쪽을 물고 돌아왔다. 마찬가지로 먼지 한 톨 없는 새것 같은 헌 구두였다.

온전한 구두 한 켤레를 손에 넣은 벨라는 그 구두를 가슴에 끌어안고 제자리에서 두어 바퀴 뱅글뱅글 돌았다. 루카스가 그리 멀지 않은 곳에 있다는 생각에 가슴이 터질 듯 벅차올랐다.

벨라의 구두도 아마 루카스의 손에 넘어갔을 터, 그 구두를 보며 그도 안심하기를 바랐다.

"으악!"

바깥에서 보초의 비명이 들려왔다.

"왜 그래? 무슨 일인가?"

"저 바보 개가 싸 놓은 똥을 밟았습니다!"

"저렇게 한 무더기 쌓아 놨는데 그걸 못 봤나?"

"그러게 우리 개 자주 외출하게 놔두라고요! 당신들이 자꾸 산책 못 하게 하니까 그러죠! 원래 집 안에서는 볼일 전혀 보지 않는 개였다고요! 산책만 제대로 하면 알아서 밖에다 잘 싸는데 왜 가둬 놓고 그래요! 자유롭게 놔둬요!"

벨라는 방문 밖의 보초들에게 빽액 소리 질렀다.

"이 개 정말 비싼 종견이라고 말했죠? 이 개 털끝 하나라도 건드려 봐요! 개 몸값 단단히 받아 낼 테니."

푸딩이라도 자유로이 왔다 갔다 할 수 있어서 다행이었다. 푸딩을 통해 루카스와 연락이 닿기만이라도 한다면 무언가 수가 날 듯했다.

벨라는 마치 마법의 탑에 갇힌 공주를 구하는 기사가 된 기분으로 주먹을 불끈 쥐었다.

'내 손에 소총 한 자루만 있었어 봐. 다 죽었어!'

벨라는 방을 둘러보았다. 이 방을 꾸민 사람이 누구든 그 센스는 최악이었다. 그야말로 핑크 레이스로 가득한 방이었다. 게다가 이불엔 할머니 방에나 있을 법한 잔꽃 무늬가 있고, 할머니가 짠 것 같은 러그 따위가 알록달록한 원색을 뽐내며 놓여 있었다.

벨라는 성질껏 그 분홍의 물건들에 총을 난사하는 상상을 하며 혼자 하하하 웃었다. 그 맨 마지막 쏴 버릴 인간은 티베리였다.

'감히 날 건드려!'

언제 좌절했냐는 듯 벨라는 하늘이라도 빠갤 듯 전의에 불타올랐다.

상처는 털면 그만이다. 의지에 상관없이 조건 반사처럼 수시로 덧나더라도 마음의 맷집을 키운 지금, 기분이 전환되자 오히려 오기가 솟아올랐다.

벨라는 티베리가 오기를 기다렸다. 하루에 한 번씩은 꼭 와서 안부를 전하는 그였다.

"사랑하는 나의 레이디, 내가 오기를 기다리느라 야윈 것 같군요."

느물거리며 예의 기름진 미소를 짓는 흑장발의 남자가 다가오자 벽이 하나 다가서는 것만 같았다.

"기다리고 있었죠."

벨라의 말에 티베리는 반가운 기색을 내보였다.

"정말 저를 기다리신 겁니까, 레이디?"

"나와 결혼하고 싶다면서 아직도 레이디예요? 개나 소나 다 레이디라고 부르면서 저도 그 흔해 빠진 여자 중 하나인가 봅니다?"

벨라는 퉁명스레 말했다. 그러자 티베리는 미간을 찡그리며 안타까운 표정을 지었다.

"그럴 리가요. 섭섭합니다. 이 가슴속에는 이제 레이디뿐입니다. 제 오랜 방황의 끝은 오직 레이디입니다."

벨라는 반박하듯 말했다.

"시끄러워요. 행동은 전혀 그렇지도 않으면서 사탕발림만 하지 마세요. 적어도 결혼 상대라면 평생 같이 지내야 할 텐데 이렇게 홀대하다니. 어차피 버려질 거라면 당신도 제 재산 못 가져요. 페로하트에 있는 내 재산을 무슨 수로 동의 없이 가져오시려고?"

티베리는 벨라의 손을 잡고 손등에 정중히 입 맞추며 미소 지었다.

"레이디, 저 정도의 지위라면 굳이 레이디의 재산을 탐내지 않고도 레이디와 급이 비슷한 집안의 여식을 아내로 맞이할 수 있습니다. 레이디께서 제게 사과학을 가르치신 순간부터 저의 심장은 레이디의 것이었습니다만?"

벨라는 코웃음을 치며 말했다.

"그렇다면 벨라라고 불러요. 말끝마다 레이디, 레이디 하지 마요. 내 이름은 벨라라고요!"

티베리는 그 말에 씨익 웃었다.

"벨라. 감히 제가 그 이름을 불러도 되는 건가요?"

"결혼할 거라고 제 의사에 상관없이 정해 놓고는 도리어 계속 내외하실래요? 단순한 호칭에서부터도 앞뒤가 맞지 않잖아요?"

"호오……!"

벨라의 말에 티베리의 눈이 커졌다.

"티베리, 적어도 나를 결혼 상대로 보고 있다면 이 끔찍한 분홍 장식들부터 빼 줘요."

"아, 그 정도야 기꺼이."

티베리가 눈웃음을 지으며 말했다.

"그리고 스타더스트 제품의 초창기 버전밖에 구할 수 없는 상황이거들랑, 그 제품들을 만들 재료나 좀 가져다줘요! 나는 그 회사의 소유주라고요. 그 화장품의 레시피는 제 손을 거치지 않은 것이 하나도 없습니다. 단지 지금 페로하트와 플란네르가 교전 중이어서 가져올 수 없다는 이유로 이 지린내 나는 좁은 공간에서 참고 살 수는 없어요."

벨라가 내뱉은 말에 티베리의 눈이 가늘어졌다.

"교전 중인 것은 누가 흘렸습니까?"

벨라는 문밖의 사색이 된 하녀의 표정을 힐끔 바라보았다. 그러고는 입을 열었다.

"페로하트와 선전 포고를 했던 마당에 그냥 무위로 돌아갔을 리는 없고, 스타더스트 플란네르점에 장사할 물품이 안 들어오는 상황이면 눈치가 빤하다고 생각하지 않아요?"

벨라의 말에 티베리는 킥킥 웃음을 터뜨렸다.

"아아. 내가 이래서 당신을 사랑할 수밖에 없다니까. 이렇게 재치 넘치는 아기 참새 같으니라고."

벨라는 그의 느끼한 말을 못 들은 척하며 말을 이어 갔다.

"그러니 필요한 재료 적어 줄 테니 알아봐 줘요. 이 집 안에는 향기가 필요해요."

"그야, 벨라 당신의 가.족.처.럼 소중한 개님께서 풍기는 향기 아닙니까? 그 개님께서 말썽 피우느라 집안 물건 해 먹은 것이 얼마나 되는데 미안한 마음도 없습니까?"

티베리의 말에 벨라는 미간을 찡그렸다.

"그 녀석은 한 번도 갇혀 지낸 적이 없어요. 그리젤리에서는 말썽 한 번 피우지 않던 착한 녀석인데 당신들이 맘대로 나가지 못하게 하니 그러는 것뿐이에요."

벨라는 적반하장으로 따졌다.

"개 안 키워 보셨어요? 원래 개들은 자신의 잠잘 자리에는 볼일을 보지 않아요. 산책해서 해결할 볼일을 산책을 못하게 하여 집 안에 싼다고 뭐라 하는 게 나쁜 거예요. 그리고 아무리 내가 그 녀석을 예뻐한다 해도 곳곳에 밴 지린내는 별개예요. 그건 그 자리를 잘 청소하고 적절한 향수를 뿌리면 될 일이에요."

벨라는 강조하듯 말했다.

"재료만 줘요. 내가 만들어서 진정한 향기가 무언지 보여드릴 테니. 그 향수 한 번 쓰고 나면 다른 향수는 쓰기도 싫어질걸요?"

티베리가 벨라를 흘겨보며 웃었다.

"그 재료로 폭탄이라도 만드시려는 것은 아닙니까?"

"그렇게 의심이 들면 스타더스트 플란네르 연구실에 잠깐 가게 해 주든가요. 거기에 필요한 비커랑 재료랑 시약이 다 있는데 잠깐만 다녀오면 온갖 화장품 다 만들어서 여기 사람들에게 실컷 돌릴게요. 자신 있어요. 내 제품에 그런 자신감도 없으면 장사를 어떻게 하겠어요?"

티베리가 미심쩍다는 표정을 짓자 벨라는 일부러 짜증을 내었다.

"아 그럼 이 지린내에 익숙해지시든지요."

티베리는 벨라를 외출시키는 대신, 스타더스트 플란네르 시점의 실험실에 있던 도구들과 기본 재료들을 옮겨다 주었다.

"자, 이거예요. 보세요."

벨라는 마치 고대의 연금술사처럼 알코올과 향료 따위를 섞어 근사한 향수를 만들었다. 그리고 벨라는 그 향수를 자신의 손목에 칙 뿌린 후 비벼서 목덜미에 살짝 덧발랐다.

벨라의 몸에서 은은하고 달콤한 향내가 풍겼다. 티베리는 그 냄새를 맡으며 음미하듯 눈을 감았다. 벨라는 자신의 목덜미로 다가오는 티베리의 코를 힘껏 뒤로 밀었다.

"플란네르 지점에는 에센스가 이것뿐이어서 이 계열의 향만 섞을 수 있었어요. 지금 내게 필요한 것은 페퍼민트 향이에요. 박하 잎 좀 구해다 주세요. 거기서 에센스 오일을 추출하는 건 직접 할 수 있으니까 청량한 느낌을 낼 수 있을 거예요."

벨라는 저택에서 하녀들이 긁어 모아온 잼 병에 로션을 듬뿍 퍼 넣어 바구니에 담아 내밀었다.

"이 저택 고용인들에게 이것 좀 나누어 주세요. 무슨 저택의 고용인들이 부랑자들 피부처럼 푸석푸석하고 메말랐나요? 이 로션 발라 봐요. 신제품 레시피대로 만들어서 고보습 효과가 있어요. 한 번만 발라도 피부가 촉촉하고 물광이

날걸요?"

문밖으로 하녀들이 저마다 밀려와 차마 안으로 들어오지는 못하고 기대에 가득 찬 눈빛으로 바구니를 바라보고 있었다.

티베리는 눈을 가늘게 뜨며 말했다.

"혹시 말입니다, 벨라. 이 로션에 무슨 약품이라도 들어 있어서 고용인들이 탈 나면 어쩌지요? 당연히 그런 의심도 해 볼 수 있지 않겠습니까?"

역시나 조심성이 많은 성격이라 쉽게 넘어오지 않을 것을 예상은 하고 있었다.

벨라는 천연덕스럽게 말했다.

"자, 그럼 이 병에 든 로션을 전부 저 혼자 찍어 발라 보겠어요. 제가 이상이 생기는지 아닌지 지켜보시든가요."

벨라는 약속하다는 듯 말했다.

"실망이에요, 티베리. 나를 아내로 맞이하고 싶다면서, 나와 결혼하면 스타더스트의 경영자가 된다는 생각을 한 번도 안 해 봤어요? 그리젤리 사람들은 스타더스트 화장품을 푹푹 퍼다 마음껏 써요. 가까운 사람들부터 만족시키고 이 제품에 자긍심을 느껴야 회사도 잘된다고요. 본인들도 안 바르는 화장품, 과연 누가 쓸까요?"

벨라는 화장품을 쓰레기통에 버리려는 듯 쓰레기통 위에 바구니를 얹었다. 밖에서 지켜보던 하녀들이 아까워하며 발을 동동 굴렀다.

벨라는 그런 눈치를 느끼면서도 모르는 척 코끝을 세우며 티베리에게 말했다.

"전에도 느꼈지만, 티베리, 현재의 일 말고 10년, 20년 후의 계획도 생각해 보라고요. 오늘 살고 인생이 끝인가요? 나는요, 화장품에 혼을 내건 사람이에요. 스타더스트를 세계 제일의 화장품 회사로 만들 겁니다. 그 꿈을 반드시 이룰 거라고요. 나와 결혼하고 싶다면 그 점을 기억해 둬요. 나는 앞으로도 더 많은 성공과 돈을 거머쥐게 될 거라고요. 그러니까 그에 맞는 대접을 해 주세요."

티베리의 눈이 반짝거렸다.

"호오, 그렇습니까, 벨라?"

벨라는 위험한 눈빛을 보였다.

"내 옆자리에 파트너로 누가 설지는 내 의지로 어찌 되지 않는다 해도, 내 분야에서만큼은 세계 최고의 자리에 설 거예요. 그것이 내겐 더 중요하다고요. 여기에 날 가두는 것까진 좋은데, 내게 화장품을 빼앗지는 말아 주세요. 이건 경고예요."

티베리의 눈 역시 위험하게 빛났다.

"정말 이전에 본 적 없는 특별한 여성이라니까요, 벨라 엘아르티드 영애. 그래서 더더욱 당신이 탐이 납니다."

티베리는 다시 벨라의 손을 끌어당겨 손등에 느릿하게 입을 맞췄다.

벨라는 그 손을 얼른 빼며 티베리에게 로션을 내밀었다.

"일단 티베리, 당신부터 로션 좀 발라 봐요. 피부가 상어 가죽 같잖아요."

티베리가 총 맞은 사슴 같은 눈망울로 벨라를 바라보며 슬픈 표정을 지었다.

"사…… 상어 가죽……."

"피부 케어 받아 본 적 없죠? 어휴. 로션은 바르시나요?"

벨라는 따져 묻듯 티베리에게 말했다.

"플란네르의 군인은 거친 피부를 오히려 자랑으로 여깁니다."

티베리는 애써 여유로운 표정을 지으며 대답했다. 그러나 벨라는 그의 위아래를 훑어보며 말했다.

"그 자랑이 조금 지나면 또래보다 폭 삭아 보이는 노안으로 돌아오죠."

"하아, 아르티드 영애, 말마다 모두 잔인하군요. 하지만 군인이 번들거리는 피부인 것도 어색하지 않습니까?"

티베리의 말에 벨라는 입을 비죽였다.

"번들거리다뇨. 이봐요. 스타더스트 화장품을 써 본 적도 없지, 아무리 남자고 군인이어도 자기 관리는 해야죠. 거칠고 늘어진 피부는 자기 관리의 실패를 직접 보여 주는 거라고요."

"자기 관리는 나름 철저히 하고 있습니다만?"

티베리의 말에 벨라는 콧방귀를 뀌었다.

"변명하지 말고, 당신의 고용인 중에 피부 나쁜 사람 셋만 보내요. 내 화장품의 위력을 당신에게 직접 실감시켜 드릴 테니. 나를 아내로 맞이하고 싶다면, 나의 화장품도 믿어요."

벨라의 말에 티베리는 어처구니가 없는지 큰 소리로 웃었다. 그러나 싫은 표정은 아니었다.

"굳이 그럴 필요 없는데."

티베리의 말에 벨라는 미간을 찡그렸다.

"내게는 필요해요. 화장 기술이 한 번 익히면 끝인 줄 알아요? 나는 매일 새로운 아이디어를 생각하고, 새로운 피부 관리법을 떠올립니다. 나를 여기서 푹 썩히지 마세요. 내 능력을 끊임없이 갈고닦을 기회를 달란 말이에요."

티베리의 하녀들이 벨라를 바라보는 눈빛이 달라졌다. 그녀가 샘플이라며 써 보라고 주는 것들을 서로 못 받아 가서 안달이었다.

덕분에 저택 내에서의 움직임이 조금은 자유로워져서 저택 안을 돌아다닐 수는 있었다. 벨라는 화장품에 환장한 것처럼 굴었다. 그 외 나머지는 전혀 관심이 없는 것처럼.

그러면서도 마음속으로는 볼모로 잡힌 사람들의 안부를 알아내기 위해 온몸의 감각을 총동원했다.

연이은 화장품 선물로 하녀들의 경계심이 조금은 풀어졌을 때 티베리에게 부탁해서 호텔에서 쓰던 물품들을 가져다 달라고 말했다. 황태자가 썼던 물건 하나라도 건지기 위해서였다.

"푸딩. 이 냄새 나는 거 가져와. 알았지?"

벨라는 황태자의 양말을 집어 푸딩의 코에 가져다 댔다.

말뜻을 알아들을 리는 없지만, 루카스의 신발을 물어 온 것도 따지고 보면 이렇게 냄새를 자주 맡게 해서 익숙해지게 한 덕분이었다.

하지만 푸딩은 자꾸만 루카스의 양말이며 신발만 주워 오고 황태자의 것은 물어 오지 못했다.

벨라는 입술을 깨물었다.

여기서 황태자가 쉽게 죽어서는 안 되었다. 그에게 이 세상에 대한 중요한 숙명이 짊어져 있다면 더더군다나 죽어서는 안 되었다.

과거의 삶에서 사람들이 황태자를 그리워했던 것은 단순히 전대에서 나타나지 않았던 푸른 머리카락의 유전적 형질 때문만은 아니었다.

초대 황제의 검술 실력은 가히 전설에 가까운 것이었지만 황태자의 검술 실력 역시 발군이어서 제국의 세 기둥이라는 귀족들의 후계자에 비견해 절대 뒤지지 않았다.

증조할아버지 격인 전전대 선황제의 검술이 매우 뛰어났다고 하는데 황태자의 실력이 거기에 비교되곤 했다.

게다가 모나스 판테온 대학도 스스로 입학시험을 치러 그 해의 차석 자리를 정정당당하게 차지했다.

무엇이든 솔선수범했고, 불의를 못 참아 하는 성격 덕에 국민들의 사랑을 한몸에 받고 있었다.

그런 그가 죽으면 페로하트 국민들의 정신적인 충격이 얼마나 클지는 이미 겪어 보아서 잘 알고 있었다.

'분명 오르젠 평원을 영원히 얻는 조건으로 황태자를 돌려

보내 주겠다고 들은 것 같은데…….'

푸딩이 그의 물건을 가져오지 못하는 것을 보면 그가 죽은 것인지, 페로하트로 돌아간 것인지, 어딘가에 갇혀 있는지 가늠하기 어려웠다.

벨라는 또다시 황태자가 화염에 휩싸였던 순간을 떠올렸다.

'옛날이야기 속 주인공도 아니고…… 어떻게 사람이 화염을 일으키지?'

벨라는 언젠가 빅터 선생이 읽어 주었던 페로하트의 건국 신화를 떠올렸다.

세상이 온통 혼돈 속에 휩싸여 지금은 존재하지 않는 수많은 사악한 존재들이 호시탐탐 인간의 목숨을 노리던 시대.

신의 계시를 받은 한 청년이 들고일어나 그 악한 존재들을 봉인했다.

그 청년의 이름은 페오스.

그가 받은 신의 권능으로 그가 휘두르는 검은 형체가 없어서 손바닥에서 검을 뽑아서 썼다.

그 검은 마치 불기둥과도 같았는데 사악한 존재를 베어 다시는 재생되지 못하게 만들었기에 그의 앞에서 온갖 어둠의 자식들은 벌벌 떨었다.

그 장면은 페테르니타스 궁전 벽화로 남아 있었는데 세월이 지남에 따라 낡아 지금은 희미해서 거의 확인하기 어렵다고 적혀 있었다.

그 그림책에 실려 있던 페오스 초대 황제는 손잡이가 금속이고 칼날은 불꽃처럼 들쭉날쭉한 형태의 검을 들고 머리

셋 달린 용과 싸우고 있었다.

하지만 그가 썼다는 그 전설의 성검은 현재 남아 있지 않고 오로지 이야기 속에서만 존재했다.

슈르츠가, 알레바인가, 티프리스가에서도 대대로 가보로 초대 가주가 썼던 검이 전해져 내려오는 것에 비하면 이상한 일이었다.

대신 몇백 년이 흐른 후 당시의 황제가 의전용으로 황제의 검을 제작한 것이 그 가보를 대신하여 전해지고 있었다.

벨라는 초대 황제의 검이 불기둥과도 같았다는 것에 신경이 쓰였다.

'카나이브 황가에서 마법사가 배출되었다는 전설은 못 들어 봤는데. 대체 칼리아스 전하의 몸을 감쌌던 그 화염은 무엇일까?'

똑똑 문 두드리는 소리에 벨라는 정신을 차렸다.

"아르티드 영애, 티베리 님의 소개로 왔습니다."

벨라가 부탁했던, 피부가 소나무 껍질 같은 사람 세 명이 쭈뼛거리며 안으로 들어왔다.

"아, 어서 와요."

열린 문틈으로 저택의 하녀들이 무슨 일을 하려나 하는 듯한 호기심 어린 눈빛으로 들여다보고 있었다.

벨라는 준비한 세 개의 침상에 그들을 안내하고 자신이 하려는 일을 설명했다.

"지금 페로하트와 플란네르가 교전 중이라면서요. 제 화장품 회사가 페로하트를 떠올리게 한다고 반감이 일고 있다는 의견에 따라 플란네르 자체 상표를 달고 신규 론칭하기로 했어요."

벨라는 싱긋 웃어 보였다.

"제가 페로하트에서 거두었던 성공의 비결을 여기서도 아낌없이 나누어 주면서 플란네르에 맞춘 현지 맞춤 전략을 따르려고 합니다. 여러분이 그 시작이에요."

벨라는 손뼉을 두어 번 짝짝 치더니 밖에서 구경하는 하녀들에게 말했다.

"화장 기술을 제게 배우고 싶은 사람은 들어와도 좋아요."

아직 하녀들은 눈치만 보고 있었다.

"저는 페로하트에 있을 때도 메이크업 아티스트들을 따로 교육해서 그들에게 사업을 할 수 있는 기반을 닦아 주었어요. 이 중에서 열심히 하는 사람 있으면 제 화장품 회사에서 일할 수 있도록 티베리 님께 말씀드릴게요. 물론 급여는 빵빵하게."

벨라는 일부러 급여라는 단어를 힘주어 말했다.

"저는 원래부터가 인심이 후한 사람이거든요. 아시죠? 제 가문이 얼마나 통 크고 돈 팍팍 쓰는 집안인지 소문으로 익히 아실 거예요."

그 말에 하녀들이 귀가 솔깃한 모양이었다.

"물론, 공짜는 없어요. 저는 통 크게 쓴 만큼, 통 크게 돌려받기를 원합니다. 열심히 안 할 거면 발도 디디지 마세요. 전 자선 사업 하느라 당신들을 가르치려는 것이 아니라서 적극적인 의지가 없는 사람은 안 키워요. 물론 뭉그적거리는 사람은 단번에 아웃시킵니다."

벨라의 말에 하녀들이 우르르 안으로 들어왔다.

벨라는 루카스가 사 두었던 확대경을 꺼내 피부가 엉망인 사람의 피부를 보여 주고, 딱 얼굴의 절반만 화장품을 듬뿍 발라 가며 얼굴에 경락 마사지를 하는 모습을 보여 주었다.

그리고 사용 전과 사용 후의 모습을 확실히 비교해 가며 기술을 가르쳐 주는 척, 화장품 광고를 실컷 했다.

그 시연회가 끝나 갈 즈음엔 하녀들이 자신의 일 년 치 월급을 탈탈 털어 벨라의 화장품을 종류별로 다 사들인 후였다.

"나중에 교육 완료하면 하나씩은 선물로 드린다 해도……."

벨라는 일부러 새초롬하게 시선을 내리깔았다. 그러나 소나무 껍질 같던 피부가 촉촉한 물광 피부로 둔갑하는 과정을 목격한 하녀들은 한사코 고개를 저었다.

"아니에요. 당장 오늘부터 쓸 거예요."

"교육받으면서 틈틈이 익힌 기술을 복습하는 기분으로 제 얼굴부터 가꿀래요."

하녀들이 눈빛을 반짝이며 제각기 말했다. 벨라는 슬그머니 준비해 둔 계약서를 내밀었다.

"자, 여기에 서명해 주세요. 제가 가르친 기술을 다른 사람에게는 전수하지 않겠다는 서약? 저는 이 테크닉을 체계적으로 가르칠 것이고, 대충 눈대중이나 어깨너머 흉내로 따라 하는 것은 원치 않아요."

벨라는 하녀들이 정신 차리지 못하도록 계속 말을 이어 갔다.

"화장 기술도 전문 기술입니다. 우리는 자기 기술에 자부심을 가져야 해요. 우리는 전문가가 될 거니까요. 정 배우고 싶다면 제가 인증하는 강사 자격을 따시면 됩니다. 그 계약서는 이것이에요. 저는 페로하트에서도 그렇게 하고 있어요."

계약서에 데어 봤던 벨라였다. 신경 써서 읽지 않으면 안 될 구절이 끼어 있었다. 이 사기에 가까운 구절을 벨라에게 뼈저리게 가르쳐 준 놈이 벤자민이었다.

하나의 계약서만 봐서는 잘 모르는데, 두 개의 계약서에 서명하는 순간, 그들은 벨라가 내건 강사 자격증을 얻기 위해서 벨라가 원하는 일들을 해야 했다.

벨라에게 플란네르의 최신 신문 기사를 가져와야 하는 것은 물론, 벨라의 외출을 그들이 책임지고 도와야만 그들은 강좌의 뒷부분을 더 들을 수 있었다.

또한 그들의 이름으로 된 플란네르의 은행 통장을 차명계좌로 이용할 수 있게 해 주는 셈이었다.

하녀들에게 화장품 판매 관련 수익금을 주는 통장인 척, 벨라가 몰래 쓸 수 있는 자금줄이 확보되는 순간이었다.

'벤자민, 그 쓰레기가 가르쳐 준 수법을 내가 쓰네.'

벨라는 입 안이 씁쓸해졌지만, 그래도 겉으로는 연신 상냥하게 웃었다.

'어차피 나는 저들에게 직접적인 피해를 끼칠 일은 하지 않아. 다만 내가 여기 갇힌 거 자체가 나쁜 거야. 날 여기에 가둬 두다니, 티베리 이 나쁜 놈!'

아직 황태자와 루카스를 어찌 구해서 페로하트로 돌아갈

지 구체적인 계획은 세우지 못했지만, 마냥 갇혀 있지만은 않겠다는 각오를 불태웠다.

"한 가지 주의 사항이 있어요."

벨라는 하녀들을 주목시켰다.

"아무래도 당신들은 티베리 님의 고용인이니, 당신들이 메이크업 아티스트가 되어 독립해 버리면 아무래도 싫지 않겠어요?"

그들의 마음을 충분히 이해하는 척 벨라는 고개를 끄덕이며 말했다.

"그래서 강사 자격은 아직 티베리 님께 말씀드리지 않을 예정이에요. 나중에 분위기가 무르익으면 강사를 따로 준비해 두었다고 하며 당신들을 승격시킬 거니까 그때까지 둘 중 이 한 가지 계약서는 우리끼리의 비밀로 하기로 해요."

벨라는 역시나 벤자민에게 배웠던 수법대로 하녀들에게 말했다.

한창 하녀들에게 시범을 보이는데 외출했던 푸딩이 검불을 잔뜩 묻힌 채 돌아와 벨라에게 꼬리를 쳤다. 벨라는 그런 푸딩을 보며 서둘러 그날의 강좌를 마치고 푸딩을 씻기러 가는 척했다.

"도와드릴까요?"

티베리가 붙여 놓은 감시역의 하녀가 벨라에게 물었다. 그러자 푸딩이 이를 드러내며 물어 버릴 듯한 태도를 보였다. 물릴까 겁이 난 하녀는 얼른 뒤로 물러섰다.

"필요하신 거 있으면 가져다드릴게요. 히익!"

하녀가 수건이라도 가져온다며 자리를 비운 사이 벨라는 남들 몰래 작은 소리로 푸딩을 칭찬했다.

"잘한다, 푸딩!"

아무나 보고 꼬리 치고 반기는 푸딩이지만 아무나 다 주인으로 여기는 것은 아니었다. 벨라와 잘 지낼 사람, 잘 지내지 않을 사람을 정하면 기가 막히게 눈치를 채고 자신의 행동도 달리했다. 푸딩은 벨라의 칭찬에 신이 나서 꼬리가 보이지 않도록 마구 흔들어 댔다.

푸딩이 가까이 있으니 얼마나 위로가 되는지 모를 일이었다.

씻기고 푸딩과 조금 놀아 주었다. 벨라가 혼자서 가져다 준 저녁을 먹는 동안 푸딩도 발치에서 제 밥그릇을 싹싹 비웠다. 그리고 잘 때가 되자 당연하다는 듯 푸딩은 벨라의 발치에 가서 그 큰 덩치를 뉘었다.

하녀가 불을 끄고 벨라가 자는 것을 확인하고 간 후에 벨라는 조용히 품에 숨겨 두었던 것을 꺼냈다. 아주 작게 접힌 쪽지였다. 달빛에 의지해 벨라는 숨죽여 쪽지를 읽었다.

[전하는 로덴항 서쪽 첨탑에. 스타더스트 플란네르 지사를 고유 브랜드화 작업 중, 베링필드 접촉.]

작은 쪽지에 빼곡하게 적힌 글씨를 벨라는 소중한 듯 읽고 또 읽었다. 그러고는 가슴에 소중히 가져다 대었다.

루카스의 단정한 필체가 눈물 나게 반가웠다.

칼리아스가 갇혀 있다는 로덴항의 서쪽 첨탑이 어딘지는 모르지만, 루카스가 잘 알고 있으리란 생각에 그래도 마음이 어느 정도 놓였다. 티베리는 루카스를 새 화장품 사업에 보낸 모양이었다.

벨라는 티베리를 열심히 설득했었다.

'페로하트와 플란네르가 서로 교전 중인데 굳이 페로하트에서 시작한 화장품 회사라는 것을 사람들에게 알릴 필요는 없지 않겠어요? 이참에 스타더스트 플란네르 지점을 독자 브랜드로 키우고 싶어요. 기존에 있던 회사를 이미지만 바꾸는 거니까 티베리, 도와줘요.'

사실 그 말을 할 때 뻔히 알았다. 루카스만큼 스타더스트 플란네르 지점에 대해 잘 아는 이도 없었고, 경력에서도 뒤지지 않는다는 것을 말이다.

예상대로 그 일을 루카스에게 시킨 모양이었다.

그런데 베링필드가 언급되자 벨라는 미간을 찡그렸다.

플란네르에 도착하자마자 내빼서 벤자민의 강연에 따라다니던 그 배신의 아이콘이 루카스에게 접촉했다니! 그런데 금속 탄피를 보유하고 있다는 건 또 무슨 의미인지 머릿속이 복잡해지기 시작했다.

몇 번이고 다시 읽고서 벨라는 조용히 그 종이를 성냥불에 태우고 재마저 남기지 않았다. 그리고 다시 자려고 누웠더니 슬며시 서운한 기분이 들었다.

쪽지가 워낙 작아서 쓸 공간이 별로 없긴 했지만, 그 흔한

'보고 싶다'라거나, '잘 지내나?' 따위의 말 한마디 없다는 게 왠지 언짢았다.

'항상 너무 반듯해.'

벨라는 입을 삐죽거렸다.

'이제 내 생일도 얼마 남지 않았는데, 이러다 티베리가 진짜로 그날 결혼하자 하면 어쩌지? 충분히 그러고도 남을 인간이라…….'

서러워지자 어느새 잠은 달아나 버리고 우두커니 천장만 바라보게 되었다. 이제 와 양을 센다고 해서 잠이 올 것 같지는 않아서 하녀가 티베리 몰래 가져온 신문의 기사를 떠올렸다.

우려했던 디노르센 전투는 일어나지 않았지만, 해상에서 전투가 벌어져 버렸다. 그 도화선은 벨라가 유람선을 타고 오는 동안 들른 바 있는 휴양지, 카르카스 섬이었다. 이전의 신문 기사를 보지 못해 자세한 것은 모르겠지만, 여태 승패를 내지 못하고 지지부진하게 대치 중인 듯했다.

'그럴 만도 하지. 함포 사거리는 페로하트가 월등하게 좋으니 플란네르로서는 가까이 접근해서 궤멸하고 싶은 생각은 없겠지.'

다만, 재상 마르쿠스가 정치 외교의 달인인지 주변국을 선동해 페로하트를 고립시키는 정책을 취하고 있었다. 그간 쌓인 불만이 많았는지 주변국이 모조리 플란네르의 편을 들었다는 것이 인상 깊었다.

'마르쿠스의 정치력 때문일까, 아니면 이미 플란네르가 이

길 거라고 판단하고 투자한 투기 자금의 힘일까?'

복잡한 국제 정세 따위, 읽기는 읽어 보는데 골치만 아프고 이해는 잘 안 되었다.

하지만 어쩌랴. 머리 아프다고 피하면 언젠가 또 누군가에 의해 기습을 당할까 봐서라도 열심히 공부해야 할 내용이었다.

공부, 공부……. 쩝.

벨라는 쓰디쓰게 입맛을 다셨다. 제 주인이 이리저리 뒤척이자 불편했던지 푸딩은 자다 말고 벨라의 옆자리로 파고들었다. 그러고는 벨라의 목에 앞다리를 턱 얹더니 커다랗고 축축한 혀로 벨라의 얼굴을 정통으로 핥았다.

"으엑!"

푸딩의 침 테러에 벨라는 베고 있던 베개를 들어 푸딩의 혀를 막았다. 푸딩은 베개를 피해 보려고 이리저리 고개를 돌렸다. 벨라는 그때를 틈타 녀석이 고개를 돌리지 못하게 두 팔로 꽉 껴안고 누웠다.

"깽!"

숨 막히는지 푸딩은 몸부림을 치다가 이내 굴복하고 조용히 두 발에 고개를 얹고 얌전히 엎드렸다. 벨라는 그제야 녀석을 붙든 팔을 풀었다.

침대를 데우는 따뜻한 털 뭉치.

벨라는 푸딩이 너무나 좋았다.

'너와 함께할 수 있어서 다행이야.'

스타더스트 플란네르 지부 간판이 내려지고, 새 브랜드의 간판이 걸렸다. 그 모든 것을 팔짱 끼고 지켜보고 있는 것은 티베리였다.

새 브랜드의 이름은 플란네르의 말로 '만개'에 해당하는 단어였다. 꽃봉오리가 피어난다는 뜻의 '만개'는 페로하트어로 하면 그다지 특별할 것 없는 단어지만 플란네르에서는 신선하게 받아들였다. 지나가던 여인들이 한 번씩은 간판을 쳐다보았다.

화장품 회사를 새롭게 고쳐 열면서 정작 벨라의 모습은 보이지 않았다. 하지만 새로이 부임한 사장 페피노보다 더 바쁜 루카스의 모습은 인파 사이로 자주 보였다.

티베리와 신임 사장의 눈이 마주치자 페피노는 웃으며 티베리에게 다가왔다.

"티베리 님, 신경 써 주셔서 감사합니다. 소개해 주신 자는 정말 능력이 출중합니다. 회사 관련 법률 관계도 변호사만큼이나 해박하게 잘 알고, 자질구레한 것들도 시키기 전에 알아서 싹 처리하더군요. 이참에 아예 제 비서로 배정해 주심은 어떻겠습니까?"

루카스를 가리키는 그의 말에 티베리는 피식 웃었다.

"그야, 내가 인질로 잡고 있는 주인의 안전을 위해서 협조하는 것일 뿐, 페피노 당신이 비서로 부릴 만한 사람은 아닐 겁니다. 꼭 생긴 게 '주인을 문 개'를 닮았잖습니까?"

페피노는 그 말에 같이 웃었다.

"하기야 페로하트 신분증이 없었더라면 그 개의 유령이라 해도 믿었겠습니다. 하지만 일 하나는 밤낮 만큼 잘합니다. 왜 주변에 저만한 고용인이 없는지 한탄스럽습니다."

티베리는 손사래를 치며 말했다.

"훗, 아무리 능력자라 해도 감시를 느슨하게 하지 마십시오. 바실리 공작도 일 잘하는 제피르에게 전권을 쥐여 주었다가 목이 잘렸으니, 저자도 언제 검은 속내를 드러낼지 모릅니다."

개업식 겸 연회를 벌일 행사장에 개 한 마리가 슬금슬금 다가왔다.

"에구머니! 뉘 집 개야?"

접시 따위를 테이블에 가지런히 진열하던 여인이 자신의 다리를 스치고 지나가는 큼직한 개의 모습에 화들짝 놀랐다. 그 개는 요리조리 잘도 피해서 루카스를 향해 꼬리 치며 다가갔다.

루카스는 플래카드를 어디에 걸지에 대해 인부들에게 지시하던 중에 낯익은 헥헥 소리에 뒤를 돌아보았다. 눈이 마주치자마자 푸딩은 귀를 뒤로 젖히고 반가워 어찌할 줄 모르겠다는 듯 루카스의 주변을 뱅글뱅글 돌았다.

루카스는 꼬리로 먼지를 일으키고 있는 푸딩에게 앉으라는 명령을 한 뒤 자신의 바짓단에 붙은 푸딩의 털을 한 가닥

한 가닥 모두 떼어 냈다.

"잠깐!"

티베리가 루카스의 곁에 다가왔다.

"그 개가 혹시 숨긴 것이 있는지 확인부터 합시다."

티베리의 말에 루카스는 뒤로 물러섰다. 푸딩은 티베리가 자신을 더듬자 루카스를 애절하게 쳐다보았지만, 루카스는 잠자코 있었다.

티베리는 이리저리 꼼꼼하게 살펴본 후, 푸딩 목에 두른 가죽 밴드에 숨긴 것이 아무것도 없음을 확인한 후 몸을 일으켰다.

푸딩은 벌떡 일어나 루카스의 다리 뒤로 숨었다. 바짓단에 다시 들러붙은 푸딩의 노랗고 가느다란 털에 루카스는 미간을 찡그렸다.

한창 개업식 준비로 테이블 세팅이며 곡을 연주할 악단의 배치며 여러 가지 일을 처리하느라 바쁜 루카스에게 누군가가 손수건 접은 것을 내밀었다.

"땀이라도 닦고 일하십시오."

루카스는 조용히 그 손을 쳐다보았다.

"어서요. 땀 닦는 데 내 수건 남의 수건이 어디 있습니까?"

과이야였다. 그는 넉살 좋게 능글능글하게 웃으며 루카스에게 손수건을 다시 내밀었다.

루카스는 땀도 흘리지 않았고, 남의 수건은 거의 만지지도 않았다. 과이야는 그 사실을 모르는 사람처럼 천연덕스럽게 손수건 받기를 재촉했다.

"오랜만이군요. 이렇게 뻔뻔하게 나타나실 줄은 몰랐습니다만."

루카스는 그 손수건을 받아 들었다. 그리고 손수건에 만져지는 원통형 물건에 잠시 멈칫했다가 태연스럽게 손수건으로 땀을 닦고 품에 넣었다.

"왜 이것을 제게 주십니까?"

루카스의 말에 과이야는 눈웃음을 치며 비굴한 표정을 지었다.

"벤자민 님께서 한번 뵙기를 청하시더군요. 그 심부름 온 김에, 노선을 갈아타려고요. 왜 말도 없이 사라졌었는지 자초지종을 들어 보시면 이해하실 수 있을 겁니다. 창고지기 친구에게 얻어 온다던 것도 드렸으니 저는 약속을 지켰습니다. 제가 비록 중간에 딴 길로 새긴 했어도 장담한 것은 꼭 지킵니다."

그 와중에도 루카스에게 여러 사람이 다가와 다음 지시는 무엇이냐고 물었다. 루카스는 순서대로 일감을 주며 과이야에게 시선을 돌렸다.

"저를 보자고 한 이유가 무엇입니까?"

루카스의 말에 과이야는 연신 굽신거리며 대답했다.

"저는 이제 떠납니다. 칼데이라 공국행 열차를 타고 갈 거거든요. 마침 열차표 한 장이 남는데 함께 가시겠습니까?"

루카스는 대답 대신 뭐 그런 쓸데없는 것을 물어보느냐는 듯한 표정으로 그를 쳐다보았다. 과이야는 머쓱한지 다시 비굴하게 웃으며 입을 열었다.

"실은 벤자민 님도 플란네르를 떠나고 싶다 하십니다만, 워낙 소문도 나쁘게 나고 아직 풀어야 할 일이 남아서 함께 못 갑니다. 그래서 긴히 만나 뵙길 원하시더군요."

과이야는 그 말을 하며 목소리를 낮추었다.

"제가 드린 것에는 샬리드 님 쪽으로 풀린 특정 기호가 쓰여 있어서 그걸 폭로하면 샬리드 님도 무사하지 못할 겁니다."

"그러니까, 이것을 굳이 제게 건네는 이유를 모르겠습니다."

루카스의 말에 과이야는 그저 헤헤 웃을 뿐이었다.

"그야, 아르티드가의 후견인님께서 적당한 순간 쓰시라고 드리는 제 마음의 선물입니다. 나중에 그리젤리에서 다시 뵙겠습니다."

그 말을 마친 과이야는 서둘러 자리를 떴다.

루카스는 과이야가 사라진 후에도 그쪽을 한참 동안 응시했다.

페로하트와 플란네르의 교전 사실이 알려지면서 각국이 그간 플란네르와 맺은 비밀 협약에 따라 페로하트로부터 등을 돌리는 바람에 여기서 당장 육로를 통해 페로하트로 갈 방법은 없었다.

바다에서 교전 중이니 배도 띄울 수 없었다. 대신 중립국인 칼데이라 공국으로 가면 페로하트행 열차를 탈 수 있었다.

과이야는 이렇게 열차라도 탈 수 있지만, 벤자민이 플란네르를 떠날 수 없는 숨겨진 사정이 무엇일까 하는 생각에 루카스는 미간을 찡그렸다.

개업식 준비를 대부분 마친 후 루카스는 잠시 쉬는 척 푸딩을 끌고 으슥한 곳으로 갔다. 그리고 그곳에서 나올 때는 손에 벨라가 보낸 쪽지를 꼭 쥐고 있었다.

[잘 지냄. 티베리 돈 탕진 놀이 중.

화장품 팔아 차명 계좌.

모야 모 백화점 안내원에게 소냐는 하녀 이름.

실컷 쓰세요. 인심 쓴다. 보고 싶어.]

늘 냉정한 그였지만 이번만은 손이 떨렸다. 벨라가 갇힌 곳을 몰라 불안한 마음도 잠시, 오히려 자신을 위로하는 듯한 쪽지에 루카스의 마음 한편이 따끔따끔한 느낌이 들었다.

보.고.싶.어.

그 글자에 담긴 짧지만 다정한 마음이 루카스의 마음을 따뜻하게 했다.

'저도 보고 싶습니다. 벨라 아가씨.'

루카스는 떠올리고 싶지 않았던 과거의 일이 저도 모르게 떠올라 멍한 시선을 하늘로 향했다.

유학 중 들은 청천벽력 같은 부고 소식.

다비드 엘 아르티드 후작이 독살당했다는 내용이었다. 읽자마자 주변에 있던 기숙사 동기생들이 루카스에게 걱정스럽게 다가와서 물었다.

"얼굴이 왜 그렇게 파래? 무슨 일이야?"

루카스는 대답 대신 그대로 뛰쳐나가 페로하트행 배를 탔다. 그야말로 하늘이 무너지는 것만 같았다.

진정한 어른이 무엇인지 보여 준다던 그였다. 그리고 그는 자신이 한 말을 지켰다.

사실 태어난 이래로 딱히 더 살고 싶다고 생각한 적도 없었다. 그저 세상에 강제로 떨어져 나왔으니 마지못해 숨 쉬고 살아갈 뿐이었다. 아무런 하고 싶은 것도 없었고, 장래희망 따위도 없었다.

영재니 뭐니 누군가가 치켜세워도 그다지 자랑스러웠던 적도 없었다.

'그래서 뭐? 영재인데 그게 당신에게 무슨 상관이며 그 사실이 내게 무슨 의미가 있지? 정작 나는 시키니까 시킨 대로 했을 뿐인데.'

잘 외우는 능력도, 숫자에 대해 타고난 감각도 루카스 자신에게는 그저 남들이 필요로 하는 재능일 뿐이었다.

살고 싶어서 아르티드 후작이 내미는 손을 잡았다. 그가 제대로 후원해 준다면서 빠른 대학 진학도 도와주었고 유학도 보내 주었다. 하지만 그 역시 그의 기대에 부응하고 싶어서 따랐을 뿐, 사실 자신은 그게 무슨 쓸모가 있는가 하는 회의감에 허우적거렸다.

성적 떨어지는 것이 싫어서 악착같이 공부할 때도 성적이 자신에게 큰 의미가 있어서가 아니라, 유일하게 그를 가치 있게 봐 주던 아르티드 후작이 실망할까 봐 했다.

사람들이 존속 살해를 저지른 흉악범이라 손가락질할 때

온몸으로 끌어안아 그 비난의 화살을 함께 견뎌 주었던 아르티드 후작이 기뻐했으면 좋겠다는 그 마음뿐이었다.

그런 그가 독살당했다는 소식을 들었을 때 루카스는 세상이 까매지는 듯한 충격을 맛보았다.

그가 죽고 없는 세상에서는 공부를 열심히 할 필요도 없었고, 사람들에게 인정을 받아야 할 필요도 없었다.

단지, 아무도 자신을 원하지 않는 세상에 홀로 남겨진 듯한 충격만이 다가왔다.

지금껏 노력한 그 모든 것이 허무 속에 깊게 침몰해 내려갔다.

더, 그 웃는 얼굴을 볼 수 없다는 사실이 루카스의 가슴을 미어지게 했다.

어떻게 우는 건지도 잊어버렸던 루카스가 할 수 있는 일이라곤 그저 침묵 속에 허무 속으로 빨려 들어가는 것뿐이었다.

그런 루카스의 고막을 때린 것은 찢어질 듯한 괴성이었다.

아르티드 후작의 장례식장에서 멍하니 아르티드 후작의 관만 바라보고 있던 루카스는 그 괴성 쪽으로 고개를 돌렸다.

"벨라 아가씨! 정신 차리세요! 아가씨!"

유모 낸시와 주치의 피터 브라운 박사가 괴성을 내지르며 허우적거리고 있는 어린 벨라를 저지하느라 안간힘을 쓰고 있었다.

항상 자신을 안아 주던 아버지가 관 속에 있다는 것을 도저히 용납할 수 없다는 듯한 몸부림이었다.

실어증에 걸린 이후 말다운 말을 한 적이 없는 벨라였다. 그런데 제 아버지를 관에 가둬 놨다고 온몸으로 저항하며 울부짖고 있었다. 말하고 싶은데 입에서 튀어나오는 것이 온통 괴성뿐인 벨라는 괴력을 발휘해 낸시를 뿌리쳤지만, 이윽고 여러 고용인에 의해 저지를 당했다.

"아빠아아아!"

순간 벨라의 입에서 처음으로 말다운 말이 튀어나왔다.

"아빠! 누가 우리 아빠를 꺼내 줘요! 왜 우리 아빠를 저기다 가둬 놨어! 안 돼!"

기어코 온몸을 틀어 고용인들을 뿌리친 벨라가 관을 뒤집어엎을 듯 달려가 죽은 제 아비의 차디찬 시신에 매달렸다. 곧 고용인들이 몰려와 그런 벨라를 떼어 내려고 애썼다.

"아빠아아아! 아빠아아아!"

눈앞에서 엄마가 죽는 모습을 본 충격에 말문을 닫았던 벨라가 아이러니하게도 아르티드 후작의 죽음 앞에서 말문을 트자 지켜보고 있던 고용인들의 눈에 저마다 눈물이 터져 나왔다.

"차라리 나도 같이 묻어 줘! 관에 함께 누울래!"

다들 우느라 더는 벨라를 저지하지 못했다.

"나도 데려가! 같이 가요, 아빠!"

간신히 떼어 낸 후에도 울며 다시 관을 향해 몸부림치던 벨라가 탈진해서 쓰러지고 말았다. 사람들이 울면서 달려가 그런 벨라를 끌어안고 들것에 실어 데리고 나갔다. 그저 슬픔 속에 묵묵히 서 있던 루카스의 곁을 벨라가 스쳐 지나갔다.

하얗게 질려 기절한 벨라의 얼굴이 루카스의 시야에 스쳐 갔다.

참으로 가녀리고 애처로운 얼굴이었다. 그 모습에 마음 한편이 저렸다.

'루카, 내게 만약 무슨 일이 생기면 네가 벨라의 후견인이 되어 주겠니?'

마지막으로 아르티드 후작을 만났을 때 그는 마치 자기 죽음을 예감이라도 한 것처럼 루카스에게 말했다.

'지난번에도 말씀드렸지만, 저는 아르티드가의 양자가 될 자격도 없으며 감히 벨라 아가씨의 후견인이 될 능력도 없습니다. 저보다 더 유능한 사람이 훨씬 더 많습니다. 왜 그 분들에게 부탁하지 않고 제게 아가씨를 맡기려 하십니까?'

그 말을 할 때 루카스는 여전히 허무에 깊게 휩싸여 있었다.

제 앞날도 어찌하지 못하겠는데 그런 자신이 어찌 벨라의 후견인이 되겠는가.

'그리고 후작님께 무슨 일이 생기다뇨, 그런 생각은 절대로 하지 마십시오. 후작님은 늘 지금처럼 건강하신 모습으로 오래오래 벨라 아가씨 곁에 있어 주셔야 할 분 아닙니까?'

루카스의 말에 다비드는 희미하게 웃었다.

'그래도, 사람에게는 늘 만약이란 것이 있다. 정말로 그런 일은 벌어지지 않길 바라지만, 만약 내게 무슨 일이 생긴다면 나를 아끼듯 벨라를 아껴 주겠느냐? 나는 네가 벨라의 후견인이 되어 준다면 설령 내게 무슨 일이 생기더라도 마음 편히 눈감을 수 있을 것 같구나.'

루카스는 그때 그 말을 떠올리며 눈물을 흘렸다. 쉴 새 없이 눈물이 뺨을 타고 흘러내렸다.

아르티드 후작의 관에 가까이 다가간 루카스는 눈을 감고 눈물만 계속해 흘렸다.

'후작님, 당신이 아니었다면 살아 있지도 못했을 목숨, 저의 살아가는 의미는 모두 벨라 아가씨에게 걸겠습니다.'

루카스는 이를 악물며 다짐했다.

'벨라 아가씨를 걱정하느라 당신의 영혼이 고단하게 떠돌지 않도록, 저의 모든 것을 다해 아가씨를 지키겠습니다. 부디 영면에 드시옵소서.'

말만 하지 못했을 뿐, 비교적 얌전하게 지내던 벨라였다. 그러나 아르티드 후작의 죽음을 받아들일 수 없었는지 벨라는 그 뒤로 난폭해졌다.

닥치는 대로 물건을 집어 던지고, 갈아입을 옷을 찢고, 유리창을 깨고, 밤새 비명을 질러 대고…….

그럴 때마다 고용인들은 너 나 할 것 없이 울었다. 심지어 가장 냉정해야 할 메이드장 브렌다마저 눈가가 붉어져 연신 손수건으로 눈가를 닦기 바빴다.

모두에게 지독한 허무가 밀려왔고 깊은 슬픔이 어깨를 짓눌러 왔다.

이럴 때, 누군가 하나는 쓴소리를 해야 했다.

벨라가 먹을 음식을 먼저 맛보던 하녀가 피를 토하며 쓰러졌다. 그 일을 계기로 루카스는 악역을 자처하며 누가 자신을 비난하든 말든 자신이 신뢰할 수 있는 사람만 끌어모아 그리젤리로 거처를 옮겼다.

뒤도 돌아보지 않고 냉정하게 팔을 걷어붙이고 살아온 나날이었다. 그 시간을 생각해 보면 어떻게 지나갔는지도 희미했다. 정신 차려 보니 지금 이 순간인 것만 같았다.

허무할 시간이 없었다. 어떻게든 살아 내야 했다. 벨라를 위해서. 그것이 루카스에게 초인적인 힘을 발휘하게 했다.

루카스는 손바닥에 숨긴 쪽지를 다시 쳐다보았다.

[보.고.싶.어.]

벨라가 꼭꼭 눌러쓴 네 글자가 루카스의 눈시울을 뜨겁게 하고 있었다.

벨라는 티베리와 함께 연극을 관람하고 근처 레스토랑에서 식사했다. 겉으로 보기에는 다정한 한 쌍이 데이트하는 것 같았으나 가까이서 들여다보면 오가는 대화는 살벌했다.

"제가 플란네르 음식을 잘 못 먹는 거 알면서 굳이 전통 음식점으로만 저를 데려오시는 이유가 뭔가요?"

벨라는 통째로 구워진 돼지고기 덩어리를 우아하게 나이프로 썰었다. 잘 익은 돼지 껍질이 비곗살과 함께 물컹거리며 찢어졌다. 껍데기는 바삭하고 속엔 육즙이 꽉 차 부드럽고 촉촉하던 샐리의 통돼지 구이가 생각나 잠시 손을 멈추었다가 이내 다시 힘주어 썰었다.

"이제 저의 아내로서 살아가려면, 싫든 좋든 플란네르식에 익숙해지셔야 합니다."

티베리는 벨라가 보란 듯, 손으로 고기를 쭉 찢어 자신의 접시에 덜고 플란네르 전통 밀전병을 펼쳐 놓고서 거기에 돌돌 말아 손으로 직접 들고 먹었다. 벨라는 여전히 우아하게 고기 따로 입에 넣고 다 음미한 후에 밀전병도 나이프로 잘라서 포크로 찍어 먹었다.

"플란네르에서는 조미료가 소금뿐인가 봅니다?"

벨라는 상냥하게 웃으며 말했다.

"후추도 있습니다. 하하."

티베리는 전혀 굴하지 않고 웃으며 손으로 음식을 집어 먹었다.

"플란네르에서는 재료 고유의 맛을 살려 내는 것을 최고로 치지요. 각종 향신료, 당장 냄새는 좋겠지만, 고기 본연의 그 맛과 향은 향신료에 묻혀 버리지요. 이게 바로 플란네르 정신입니다. 일체의 군더더기 없이 본질에 집중하는 것."

벨라는 소스랍시고 주어진 레몬즙에 소금 뿌린 것을 보며 미간을 살짝 찡그렸다.

"황태자 전하는 지금 어디에 계신 거죠? 그분이 계신 곳을 아는 사람이 마르쿠스 각하와 티베리 당신뿐이라면서요."

그러자 티베리는 플란네르의 전통 발효 음료로 목을 축이고는 미소 지었다.

"그건 또 누가 귀띔해 주었습니까?"

"당신이 보좌관과 하는 이야기를 본의 아니게 들었어요.

들으라고 큰 소리로 말한 것 아니었나요?"

벨라의 말에 티베리는 그저 웃을 뿐이었다.

"그분을 풀어 주기로 약속했잖아요."

"승자는 뭐든 마음대로 할 수 있는 법입니다."

티베리의 말에 벨라는 똑같이 미소 지으며 말했다.

"그럼 제 성격도 잘 아시겠네요. 저 같은 유형은 고집쟁이라 한 번 마음을 정하면 도통 바꾸려 들지를 않죠. 바람둥이라더니 여자 마음이라곤 도통 모른다니까요."

벨라는 곧 미소를 싹 지우며 눈빛을 날카롭게 빛냈다.

"그분은 놓아줘요. 내가 당신과 결혼한다면 그분은 손대지 않기로 했잖아요. 약속이 휴지 조각이라면, 페로하트의 내 재산, 절대로 당신이 못 가져요. 차라리 자선 사업차 기부하겠어요."

"하하, 풀어 주면 될 거 아닙니까? 풀어 준다 했지 언제 풀어 준다고까지는 약속하지 않았습니다만?"

벨라는 티베리를 쏘아보았지만, 티베리는 음료를 홀짝거리며 웃을 뿐이었다. 벨라는 한숨을 내쉬었다.

"뭐, 기어코 당신 뜻대로 할 거면, 결혼식이라도 내가 꿈꾸던 방식대로 하게 해 줘요."

"뭡니까? 그 소원이?"

"페로하트를 향한 항구에서 성대하게 결혼식을 치러 주세요. 들어 보니 로덴항 경치가 그렇게 좋다면서요? 거대한 항구라 지나가는 배들이 보고 소문내기도 딱 좋을 텐데 로덴항 전체를 빌려 화려한 결혼을 하고 싶어요. 군대의 축포

소리도 들으면서요."

벨라의 말에 티베리의 눈이 가늘어졌다. 그럴 만도 했다. 로덴항 서쪽 첨탑에 칼리아스가 갇혀 있다고 루카스가 쪽지로 전해 왔기 때문이었다.

티베리에 의해 벨라의 외부 접촉은 거의 차단되어 있고, 벨라가 수족처럼 부리는 하녀들도 실은 다 티베리의 명령에 의해 움직이는 자들이었다. 벨라가 황태자 있는 곳을 콕 집어 결혼식장으로 삼자 하니 충분히 의심할 만했다.

하지만, 벨라는 그 하녀들이 가장 배우고 싶어 하는 것을 가르쳐 주는 선생이나 마찬가지였다. 벨라의 눈에 들기 위해 겉으로는 티베리의 명령을 따랐지만, 티 날 것 같지 않은 여러 분야에서는 벨라가 구해 달라 하는 것을 구해 주고 화장품 판 돈을 대신 저금해 달라는 심부름을 착실히 실행하고 있었다.

그 정도쯤은 티베리가 나중에 알아도 자신들에게 해가 되지 않을 것 같다는 생각을 했겠지만, 그들이 열심히 저금한 돈은 루카스가 가져다 쓰고 있었다.

벨라는 티베리의 의심을 벗어나기 위해 천연덕스럽게 표정 하나 바꾸지 않으며 말을 이어 나갔다.

"아시다시피 전 황태자 전하와 열렬한 사랑을 했어요. 그걸 알고도 당신은 저를 아내로 삼고 싶어 하지만, 이 남자 저 남자 홀리고 다니는 요물단지라도 되는 양 모르는 사람들의 입방아에 오르내릴지도 몰라요. 이미 흥미 위주 신문 기사에 당신과 저, 뭐라고 오르내리는지 봐서 아시잖아요?

그래서 기왕 당신과 결혼할 수밖에 없다면 기분 좋게 결혼하고 싶네요."

벨라는 포크로 찍은 고기를 우아하게 입에 넣었다.

"모두가 인정하는 듯한 결혼을, 외국 선박이 가장 많이 다니는 로덴항 앞에서 보란 듯이 하고 싶다고요. 그리고 기왕이면 군인에게 시집가는 만큼, 사열 받으면서 화려하게 치르게 해 줘요. 플란네르의 군사들이 티베리의 아내, 나 벨라에게 무릎 꿇어 영광을 표시하는 모습을 보고 싶다고요."

벨라의 말에 티베리는 하하 큰 소리로 웃었다.

"참 재밌는 레이디라니까, 이렇게 독특한 허영심은 생전 처음 봅니다."

벨라는 눈썹 하나 까딱하지 않고 대꾸했다.

"제가 보석을 욕심냈어요, 드레스를 욕심냈어요? 저처럼 돈이 안 드는 데이트 상대는 처음 아닌가요? 결혼식 때 떠받들어 결혼하는 모습을 연출해 달라. 고작 그거 하나인데 무리인가요?"

벨라의 말에 티베리는 입꼬리를 씨익 끌어 올렸다.

"군인들이 개개인의 사병도 아니고, 무려 플란네르 정예병들인데 그들을 사열시키고 축포를 쏘고 당신 앞에 무릎 꿇게 해 달라?"

벨라는 떫은 미소를 지었다.

"사열 받고 싶어서 황태자와 사귀었다고 하면 믿어 주실래요? 사열식에서 경례 받아 보는 게 제 꿈이었어요. 그 꿈을 당신이 이루어 준다면 저로서도 이 결혼 꽤 만족스럽게 할 거 같은데요?"

티베리는 푸하하 하고 웃었다.

"정확히 말하자면 제가 아니라 당신과 나, 우리 부부에게 무릎 꿇어 달라는 것이죠. 군대 사열이라면 포르위네 성에 가서도 받을 수 있어요. 저는 당연히 그럴 자격을 가졌어요. 원래도 받을 수 있는 사열, 플란네르군이라 해서 특별히 다를 것 있나요?"

벨라는 어깨를 으쓱해 보였다.

"우리는 존재 자체로 무한한 상업적 가치를 가지고 있어요. 그렇게 해서 저는 더욱더 유명세를 얻어서 제 사업을 주목받도록 할 거예요."

벨라는 진지하게 말했다.

"전 여기서나 듣도 보도 못한 신출내기이지, 페로하트에 돌아가면 한 지역의 영주가 될 몸이에요. 그런 자격을 가지고 있다. 그것을 플란네르 사람들은 잘 모르니까 난 꼭 사열받고 싶어요. 결혼식 하나도 상업적으로 알뜰하게 벌이자는 건데, 그게 뭐 어때서요?"

벨라의 말에 티베리는 눈웃음을 지었다.

"어이쿠! 그게 알뜰한 겁니까? 엄청난 야심이로군요. 레이디 벨라. 여태껏 타인의 견제를 피해 눈가림하고 살던 저를 하루아침에 눈에 띄게 만드실 겁니까?"

"제가 바라는 게 바로 당신이 눈에 확 띄는 거라니까요! 이미 당신에겐 그럴 만한 힘도 있고, 이제 저의 재산은 당신의 등에 날개가 되어 드릴 거고요."

미묘한 노림수가 있는 요청이었다.

티베리는 제4 보병 연대의 지휘관이었다. 로덴항은 해군의 통솔을 받는 지역인데 육군이 거기서 행진하고 축포도 쏘고 의장 행렬을 꾸린다는 것이 꽤 복잡한 상황을 일으킬 터였다.

게다가 로덴항은 마르쿠스의 백전 노병들이 자리 잡고 있는 곳이었다. 새파랗게 젊은 아들이, 그것도 육군의 지휘관이 파릇한 육군 부대를 이끌고 와서 사사로운 결혼식을 벌이고 사열까지 해서 경례를 받는다는 것은 백전 노병들의 심기를 크게 거스를 만한 일이었다.

그러다 보면 서로 불필요한 신경전을 벌이느라 빈틈이 생길 확률이 높아질 거라 생각했다.

그저 라울린에게 사격이나 배웠을 뿐, 군대에 대한 지식이 별로 없는 벨라였으나 사열이 지니는 의미는 알고 있었다.

그것은 지휘관이 자신의 지위를 과시하기 위한 행동. 열 맞춰진 군대가 자신이 섬기는 지휘관을 향해 존경과 복종의 의미로 취하는 예식이었다.

마르쿠스의 정예병들 앞에서 티베리의 군사들이 사열한다…….

대놓고 두 세력이 싸워라, 바라는 마음이 탄로 날까 봐 벨라도 말하면서 입가가 떨려 왔지만 그런 내색을 하지 않으려고 애썼다.

아마도 티베리가 웃으면서도 선뜻 대답하지 못하는 이유도 마찬가지였을 터였다.

하지만 벨라는 이럴 때 그의 자존심을 확 뒤집어엎어 줄 말을 알고 있었다.

"황태자 전하보다 더 나은 당신에게 시집간다는 것을 과시해 주세요."

늘 버터 미소이던 티베리의 눈가에 미세한 경련이 일어났다.

여기서 그럴 수 없다는 말을 하자니 황태자 전하보다 못한 그라는 소리를 듣기는 싫고, 항구에서 군대까지 동원해 결혼하자니 후폭풍을 수습하기 힘들 것 같고…… 그는 지금 진퇴양난의 상황일 것이 분명했다.

"그렇게만 해 주신다면, 전 포리나 영지를 통째로 당신의 발아래 엎드리게 해 주겠어요."

티베리는 한동안 말이 없었다. 벨라는 초조해 가슴이 콩닥콩닥 뛰었지만, 표정으로는 그저 방긋 웃을 뿐이었다.

"그렇게 하지, 뭐."

티베리는 시원스레 말하며 미소 지었다.

'하지만 지금 머릿속이 복잡하게 돌아가겠지.'

벨라는 마음속으로 '잘했어!'라고 외쳤다. 루카스에게 이 상황을 빨리 알려야만 했다.

레스토랑에서 식사를 마친 후, 번화가를 산책하고, 새로 만들어진 공원 길을 구경하고 돌아오며 티베리는 걸음을 멈추어 섰다.

"성년식을 돈 아깝다고 치르지 않는다니 괜찮겠습니까? 레이디 벨라."

벨라는 피식 웃었다.

"그야, 여기가 페로하트라면 성대하게 치렀겠죠. 하지만 여긴 플란네르잖아요?"

벨라는 보랏빛 눈동자를 반짝이며 대답했다.

"당신이 저를 여기저기 끌고 다니며 일깨워 주려고 했던 플란네르의 정신. 소박하고 실속 차리는 것 아니었나요?"

벨라는 눈을 갸름하게 뜨며 말했다.

"보아하니 플란네르에선 성년식에 큰돈 쓰지도 않던데, 굳이 저를 위해 성년식에 돈 쓰지 마요. 거기에 쓸 거면 차라리 현금으로 주거나 알 굵은 최고급 반지로 줘요."

차마 입 밖으로 내지 못한 말을 벨라는 속으로 혼자 중얼거렸다.

'네놈에게 받은 성년식 축하는 달갑지 않거든?'

순간 티베리는 벨라의 허리를 끌어안아 자신의 품으로 끌어당겼다. 그의 탄탄한 가슴이 셔츠 너머로 느껴져 벨라는 벗어나려고 고개를 틀었다.

"거참 이상합니다, 레이디. 저는 낭만에 취해 나름 삶을 즐기며 살아왔습니다마는, 정작 결혼할 상대를 만나서는 낭만과 거리가 멀게 본론 이야기만 하게 되는군요."

어쩐지 어울리지 않게 초롱초롱 빛나는 놈의 눈동자가 심상찮았다.

"이게 다 레이디에게 제가 깊게 빠져들어서라는 것을 알아주셨으면 좋겠군요."

왠지 분위기를 까는 것이, 프러포즈라도 하려는 건가 하는 생각이 불현듯 벨라의 머릿속을 스쳤다.

그가 벨라의 허리를 끌어안은 반대편 손으로 품에서 반지를 꺼내 들었다.

아기 주먹만 한 다이아몬드가 달린 반지였다. 벨라는 알 굵은 반지나 달라 했던 자신의 입을 한 대 때리고 싶었다. 할머니나 낄 것 같은 그 뭉툭하고 커다란 반지는 아무리 비싸다 하더라도 한순간도 끼고 있기 창피할 것 같았다. 그러나 티베리의 눈빛은 그윽했다.

"나의 하나뿐인 꽃사슴, 첫 만남부터 운명을 느꼈다면 믿으시겠습니까?"

벨라는 속으로 어금니를 꽉 깨물었다. 농담이 아니고 진심으로 하는 말 같아서 토할 것 같았다.

가뜩이나 가만있어도 느끼한 그가 긴 장발을 풀어 헤치고 벨라의 허리를 끌어안은 채 나의 꽃사슴을 귓가에 속삭이고 있었다.

귓바퀴에 두드러기가 나는 듯한 충동에 벨라는 귀를 벅벅 문지르고 싶었다.

하지만 티베리의 눈빛은 열렬하고도 뜨거워서 세상의 모든 버터를 흐물흐물하게 녹일 듯했다.

그의 버터기름에 퐁듀가 되는 기분으로 벨라는 진저리를 쳤다. 그러나 그는 벨라가 자신의 품을 벗어나지 못하도록 끌어안으며 벨라의 손에 그 엄청난 반지를 끼웠다.

반지는 심지어 벨라의 손가락보다 조금 작아서 빡빡했다. 그쯤은 아무렇지도 않다는 듯, 두툼한 다이아몬드에 느릿하게 키스를 남긴 후 억지로 끼워 넣었다.

벨라는 아파서 손을 빼려고 했으나 티베리는 그 손을 오히려 더 세게 끌어당겼다. 녀석의 입술이 느릿느릿 달팽이가 지나가듯 벨라의 손등에서 손목으로 스쳐 갔다.

언제 받아도 기분 더러워지는 입맞춤이었다. 손톱 끝과 손톱의 시작 부위에서 손가락 마디, 손가락 사이의 접힌 살까지 빠짐없이 입 맞춰 오는 티베리 때문에 벨라는 발가락까지 곱아드는 기분이었다.

순간 티베리는 반대편 팔로 벨라의 허리를 감아 젖혔다. 그러고는 탐욕에 짙게 물든 초록색 눈으로 벨라의 눈을 지그시 바라보았다.

"당신을 내 곁에 두기 위해서라면 이 정도쯤은 아무렇지도 않습니다. 평생 내 품에 가둬 버리겠습니다."

티베리는 한쪽 눈을 찡긋했다.

"이깟 다이아몬드로 그대를 내 것으로 할 수 있다면 다이아몬드로 옷을 지어 꽁꽁 싸매 주겠어. 벨라, 나의 사랑. 내 영혼의 약탈자."

순간 왠지 그가 기습 키스라도 감행할 것 같은 예감이 들어 눈을 질끈 감고 젖혀진 허리를 힘껏 앞으로 숙였다.

눈앞에 별이 번쩍 튀었다. 정신을 차리고 보니 머리로 티베리의 코를 들이받은 후였다.

"앗! 죄송해요! 그저 몸을 일으키려다가……."

벨라는 뻔한 변명을 하며 티베리의 얼굴을 쳐다보았다.

"정말 죄송해요! 코피 터뜨리려는 건 아니었어요!

"그러니까, 우리 둘이 손을 잡아야 한다?"

떫은 표정으로 샬리드가 말했다. 아크란 역시 불쾌한 표정이기는 마찬가지였다.

"손잡기 싫으시면 마십시오. 충고도 들을 준비가 된 사람에게 하는 법입니다. 두 분이 정 싫으시다는데 강요할 생각 없습니다."

벤자민은 날카로운 눈빛으로 두 사람을 쳐다보았다.

"아시다시피, 저는 플란네르를 떠날 기회가 있었습니다. 하지만 이렇게 남은 것은 순전히 두 분을 위해서입니다. 저는 어렵게 섭외해 온 화학자 라보쉬 남작도 당신들을 위해 넘겼지 않습니까? 애써 확보한 인광석 광산, 두 분이 사이좋게 공동으로 가지시면 됩니다. 제가 깔아드린 판에서 재미도 보셨겠다, 두 분이 협력하면 통신 사업쯤이야, 그보다 더한 사업을 벌여서라도 목돈을 만질 수 있다는 것을 깨닫지 않았습니까?"

그의 말에 아크란과 샬리드는 서로를 바라보며 마른침을 꼴깍 삼켰다.

"동업이란 좋은 것입니다. 서로에게 없는 것이 보완될 때 얼마나 상승효과가 나겠습니까?"

벤자민은 적당히 운을 띄운 후 본론으로 들어갔다.

"그러니, 이제 슬슬 제 부탁을 들어주셔야 하지 않겠습니까?"
샬리드는 조금 망설이는 듯하다가 조심스레 입을 열었다.
"그래서, 페로하트의 황태자를 죽여 달라?"
"네. 반드시."
벤자민은 싸늘한 표정으로 미소를 지었다.
"그래야 페로하트는 내부에서부터 무너지게 될 겁니다."
"황태자는 지금 아버지의 감시하에 구금되어 있는데 무슨 수로 그를 제거하나?"
아크란이 투덜거리며 말했다.
"빈손으로 페로하트로 돌아가란 말씀입니까? 제가 순순히 '네' 할 것 같습니까?"
벤자민이 입꼬리를 비죽 끌어 올리며 말했다.
"저는 죽을 때 죽더라도 혼자 죽지는 않습니다. 명심하십시오. 그리고 두 분은 티베리를 견제하기 전까지는 계속해서 동맹을 맺어야 합니다. 두 분이 분열할수록 이익을 보는 쪽은 티베리입니다."
"수행원도 몇 명 되지 않기에 별 볼 일 없는 여행객인 줄 알았더니 그 여자가 그렇게 갑부일 줄이야."
샬리드는 아깝다는 듯 입맛을 다셨다. 그 모습을 보며 벤자민은 싱긋 웃었다.
"차라리 이참에 황태자도 죽여 버리고, 티베리의 소행으로 몰아가심은 어떠하십니까? 그리고 그 여자는 알아서 갖고 싶으신 분이 가져가시고 그 여자의 재산은 나눠 가지시든가요."

샬리드는 벤자민을 똑바로 쳐다보았다.

"그렇게 갑부인 여자가 선전 포고한 적국에 무작정 뛰어들다니, 황태자도 그렇고 그 여자도 그렇고 페로하트 사람들은 머리가 어떻게 된 것 아닌가? 인질이 되어 주려고 온 것이 아닌 이상에야 이렇게 쉽게 잡히다니, 오히려 그게 더 미심쩍을 지경이다."

벤자민은 그저 말없이 씨익 웃어 보였다.

"월월."

푸딩이 고개를 쳐들고 외쳤다. 화장품 회사 관련 일로 바쁘게 일하다 말고 루카스는 고개를 들어 푸딩이 있는 쪽을 쳐다보았다.

"버틀러 씨, 또 저 개가 신발에 볼일을 푸짐하게 질러 놓았습니다. 어쩔까요?"

루카스는 손을 들어 자신이 치우겠다는 뜻을 전했다.

"제 주인님의 개이니 제가 알아서 처리하겠습니다. 다른 분들은 하던 일 하십시오."

칼 주름이 잡힌 정장 차림의 루카스는 꼿꼿한 자세로 문제의 신발을 삽으로 떠내서 밖으로 나갔다. 그리고 으슥한 풀숲에 구덩이를 파고 푸딩의 배설물을 처리했다. 늘 루카스를 감시하던 사람들도 그저 그가 하는 일을 보며 그러려니 하고 대수롭지 않게 여겼다.

루카스는 가볍게 한숨을 내쉰 후, 김이 모락모락 나는 그것 사이에서 작은 구슬 같은 것을 하나 찾아내어 재빨리 치웠다. 그리고 구덩이를 파묻은 후 주변을 정리하는 척, 장갑 낀 손으로 그 구슬을 집어 손수건에 감쌌다.

벨라의 머리끈에 달린 구슬 장식이었다. 그것은 가운데를 돌리면 반원형으로 분리되는데 그 안에 아주 작게 접어 넣은 쪽지가 들어 있었다.

벨라가 열심히 만우절 장난을 푸딩에게 훈련시킨 결과로, 푸딩은 벨라가 명령하면 루카스의 신발에 볼일을 봤다. 플란네르에 와서까지 이어지는 저지레에 루카스는 진심 짜증이 났으나 치우다가 낯익은 머리끈 장식을 발견하고 혹시나 해 꺼내 보니 벨라의 쪽지가 들어 있었다.

그의 인내심의 극한을 건드리는 의사소통법이었으나 그 덕분에 티베리의 의심을 피해 갈 수 있었다. 누가 생각했으랴. 이 더러운 비밀 쪽지를.

루카스는 고개를 절레절레 저으며 손을 박박 씻고 사무실로 돌아갔다. 그런데 맞은편에서 걸어오던 사람이 일부러 루카스에게 부딪쳐 왔다.

순간적으로 일어난 일에 루카스는 눈을 크게 떴다. 스쳐 지나간 사람이 자신의 손에 작은 쪽지를 주고 사라졌기 때문이었다.

[휴전을 원함.]

누가 보낸 것인지 알 수 없는 글이었다. 그보다도 루카스는 벨라가 보낸 쪽지가 더 신경 쓰였다.

[티베리의 청혼, 로덴항에서 티베리 소속 부대의 사열을 받으며 결혼식, 그날 포격 요청할 것. 결혼식 준비부터 도주 준비까지 모두 부탁.]

참으로 무모한 아가씨였다. 페로하트 측에 은밀히 연통을 보내 로덴항을 포격하라고 요청하라니 자칫 잘못하다가는 황태자도 벨라도 비명횡사하는 수가 있었다.

마침 과이야가 칼데이라 공국을 거쳐 페로하트로 넘어갔기에 그를 통해 황제께 보고할 수 있었다. 황제는 대로하여 당장이라도 로덴항을 공격하고 싶어 했지만, 황태자의 안전한 구출을 위해 기회를 조율하던 중이었다.

물론, 감시가 너무 심해 연락하고자 한다 해서 벨라에게 연락하고 싶을 때 바로 연락할 수 있는 것도 아니었다.

그런데 벨라는 자신이 티베리와 결혼하게 되는 날, 로덴항에 포격을 해 달라는 요청을 해 왔다.

티베리는 벨라와 루카스가 함께 있으면 반드시 도망칠 것이라 생각했는지 벨라를 꼭꼭 숨겨 두고 외부에 노출하지 않았다. 결혼식이 끝난 후에나 루카스의 접견을 허락하겠다는 입장이었다.

루카스는 미간을 찡그렸다.

그녀의 후견인이 된 이후, 이토록 오랫동안 떨어져 있어 본 적이 없었다. 아침에 눈을 떠 밤에 잠이 들기까지 일상에서 벨라가 빠진 그 텅 비고 공허한 느낌은 참으로 낯선 것이었다.

무모한 계획이라고 벨라를 말리고 싶었다.

푸딩이 가는 방향을 짐작해 벨라가 어디에 갇혀 있는지 대충 알 것도 같았으나 쪽지도 겨우 주고받는 상황에서 벨라를 뜯어말릴 방법도 없었다. 잠시 심호흡을 하며 침묵 속에 빠져 있던 그는 고개를 저었다.

'나는, 아가씨께서 무엇을 선택하시든, 그것이 이루어지도록 도와야 한다. 그분이 어느 방향을 선택하시든, 함께 간다.'

그리고 사무실로 돌아와 화장품 회사 사장 페피노에게 말했다.

"티베리 님께 전해 주십시오. 아가씨의 결혼식은 제 손을 반드시 거쳐야 합니다. 연회에 쓰일 사소한 접시 하나까지, 예식을 치르는 데 필요한 모든 물품은 곧 아르티드가의 가주가 되실 벨라 아가씨의 자존심 문제이기도 합니다. 저는 본디 아르티드가의 집사입니다. 그 점 잊지 마시고 아가씨에 관한 준비는 모두 저를 시키십시오."

칼리아스는 자신의 손을 펼쳐 보았다. 아무렇지도 않은 평범한 손이었다. 그런데 이 손이 왜 그런 말썽을 일으켰는지 도통 이해할 수 없었다.

티베리에 의해 마르쿠스에게 넘겨진 이후 다시 온몸에 화염이 휩싸이는 일은 없었다. 그러나 자신의 곁에 가까이 있었던 병사 둘이 심한 화상으로 죽었다는 소식도 들었고, 이후로도 칼리아스가 머물던 곳에 있던 물건들이 아무런 이유 없이 불타 재가 되는 사건은 몇 번 있었다.

덕분에 칼리아스가 갇힌 곳에는 탈 만한 물건이 아무것도 주어지지 않았다.

"일국의 황태자에게 지나친 것이 아니냐!"

칼리아스는 철창을 흔들었다.

"플란네르에는 담요 한 장도 없는 건가? 최소한 덮을 것은 주어야 할 것 아닌가!"

칼리아스의 말에 철창 앞을 지나던 병사가 말했다.

"나무로 된 문도 태워 버릴까 봐 돌과 쇠로만 된 곳에 가둔 거 보면 모르시오? 도대체 무슨 화약을 쓰는지는 모르겠습니다만, 먼저 그 숨겨 둔 폭발물이나 포기한 후에 요구하시죠?"

아무리 칼리아스의 몸을 수색해도 성냥 하나 나오지 않았고, 검사 결과 딱히 다른 사람들과의 차이점이 없었다.

다만 칼리아스가 갇힌 곳마다 일어나는 의문의 자연 발화 사건 때문에 그는 사방이 훤히 내려다보이는 첨탑 꼭대기에 갇혀 있었다.

아무리 요구해도 듣는 척도 하지 않는 병사들 때문에 마음 상한 칼리아스는 돌로 된 차디찬 침상에 벌렁 누워 팔베개했다.

자신이 생각해도 이상한 현상이었다. 자연 발화는 칼리아스의 의지와는 무관했다. 그저 앉아 있다가 일어나 보니 앉아 있던 의자에 불이 붙어 있다든가, 덮고 자던 담요가 새까만 재가 되어 있다든가 하는 일이 자꾸만 일어났다.

누군가 저주라도 한 것인가?

칼리아스는 옛이야기 속 신기한 현상들을 떠올리다가 자신이 생각해도 어처구니가 없어서 너털웃음을 터뜨렸다. 칼리아스를 감시하던 병사들도 칼리아스 주변에서 자꾸만 일어나는 괴이한 현상 때문에 가까이 다가오는 것조차 꺼렸다.

도대체 논리적으로 설명이 되질 않는다?

미신이란 타파해야 한다고 배워 온 칼리아스였다. 옛날 사람들은 자연 현상을 그저 신의 섭리 내지는 신비한 마법의 힘으로 여겨서 이유를 알기보다 그저 경배하고 금기로 여기며 두려워했다고 들었다. 그로 인해 발생한 수많은 폐단을, 이제는 과학과 이성의 힘으로 극복해 가야 한다고 생각했다.

그래서, 황후 비비안이 황제의 정부인 줄리에타의 아기를 저주해 죽게 만들었다는 누명의 진실을 철저하게 밝혀내야겠다고 다짐해 왔던 칼리아스였다. 자신의 어머니가 미신에 의해 그렇게 참수당했으므로, 미신이 달가울 리가 없었다.

어머니의 자리를 대신 꿰차고 황후가 된 줄리에타를 겉으로는 어마마마라고 부르며 복종하는 척했지만 칼리아스의 가슴속엔 언제나 불길이 타오르고 있었다. 미신과 함께 타파해야 할 무리 중 하나가 바로 줄리에타 황후라고 생각했다.

그런데, 논리적으로 설명할 수 없는 괴이한 일의 당사자가 되자 칼리아스의 머릿속은 복잡해졌다.

바깥이 소란스러웠다. 칼리아스는 벌떡 일어나 항구 쪽이 내려다보이는 방향에 다가가 섰다. 창문이 있어야 할 자리에는 그저 쇠창살만 박혀 있어서 항구에서 벌어지는 모든 소음이 고스란히 첨탑으로 들려왔다.

어차피 질문해도 병사들은 무슨 지시라도 받았는지 칼리아스의 질문에 제대로 된 답을 해 주지 않았다. 무언가 군대가 열 맞춰 행진하고 경례하는 연습을 하고 있었다.

"지휘관이 방문하는 건가?"

칼리아스는 의아한 눈으로 플란네르 군인들의 모습을 쭉 내려다보았다. 무언가 평소 보던 풍경과 다른 느낌이었다. 사열식이라도 연습하는 듯했다.

"재수 없는 놈."

칼리아스를 감시하던 병사 하나가 말을 내뱉었다. 칼리아스는 자신에게 욕한 것인 줄 알고 뒤를 노려보았다.

"제 아비가 재상이지 자기가 재상인가?"

"하여간에, 자기 구역도 아닌 데서 사사로이 이 짓거리를 해도 되는지 몰라."

자신에게 하는 험담이 아닌 것을 깨달은 칼리아스는 고개를 돌려 군대의 행진 훈련을 지켜보았다.

"결혼할 것이면 얌전히 자기 집에서나 할 것이지 항구가 언제부터 놀이터였지?"

병사의 말에 칼리아스가 끼어들었다.

"누가 결혼한다는 건가?"

칼리아스를 쳐다본 병사들이 킥킥거리고 웃었다.

"그러고 보니 제대로 약 올리겠는데?"

"전 애인이 다른 남자랑 결혼하는 장면을 고스란히 보여 주겠다는 속셈이었나 보네."

"황태자에겐 손댈 수가 없으니 미치게라도 해 주겠다는 걸까?"

불길한 예감이 칼리아스의 머릿속을 스쳐 갔다.

"혹시 그 결혼식이란 것이?"

병사들은 여전히 무시하듯 칼리아스의 말을 듣고도 대답하지 않았다.

아무래도 표정을 보아하니 티베리와 벨라의 결혼식인 모양이었다.

"으아악!"

칼리아스는 괴성을 지르며 창가의 쇠창살을 움켜쥐고 마구 흔들었다. 그러나 쇠창살은 꿈쩍도 하지 않았다.

이제 와 후회한들 늦었다. 여자 하나에 정신이 팔려서 자신의 본분도 잊고 제멋대로 굴다가 여기서 저들의 도발에 넘어가 꼴사나운 모습을 보여야 할 운명이 가혹했다.

'아악! 이것이야말로 진정한 흑역사다! 역사에 우스꽝스러운 황태자로 남아 두고두고 놀림거리가 되겠구나!'

속으로 벨라에게 온갖 원망을 쏟아 내었다.

'차라리, 오르티우스 요새를 탈환하다가 전사한다면 명예롭기나 하지, 벨라! 너는 왜 나에게 그런 허튼소리를 해서 나를 이런 상황에 몰아넣었나!'

비참한 기분이 들었다.

'예언한다는 것들의 요망한 속셈을 그간 숱하게 보아 놓고 이렇게 쉽게도 속아 넘어간 나는 대체 무엇인가!'

칼리아스는 지나치게 흥분했다.

'나를 이렇게 만들어 놓고 너는 다른 남자와 결혼하는 꼴을 내게 보이고 싶나? 네게 홀리지 말았어야…….'

쇠창살에 매달리던 칼리아스는 순간 앞으로 쑥 넘어갈 뻔했다. 쥐고 있던 쇠창살이 고무줄처럼 늘어나 버린 거였다. 식겁한 칼리아스는 발끝에 힘을 주어 간신히 허리 너머가 창밖으로 빠질 뻔한 것을 막을 수 있었다.

눈이 왕방울만 해진 칼리아스는 눈만 두어 번 깜빡이다가 자신이 쥐고 있던 쇠창살을 양옆으로 벌려 보았다. 엿가락 휘듯 벌어졌다. 뜻밖의 상황에 그 어떤 생각도 할 수가 없었다.

"앗! 뜨거워!"

칼리아스는 쇠창살을 잡았던 손을 놓쳤다.

"무슨 일이야?"

병사들이 칼리아스를 향해 소리쳤다.

"아…… 아무것도 아니다."

칼리아스는 병사들에게 고개를 저어 보이고는 놀란 가슴을 진정시키기 위해 심호흡을 했다. 분명 눈앞에 보이는 쇠창살은 붉게 달궈진 채 뜨거운 열기를 품고 있었다.

'또 자연 발화 현상인가?'

칼리아스는 조심스레 아까 잡았던 쇠창살을 다시 만져 보았다. 언제 휘었냐는 듯 쇠창살은 멀쩡했다.

'내가 헛것을 본 걸까?'

칼리아스는 혼자 중얼거리며 자신의 손을 쳐다보았다.

분명 손가락이 데어 물집이 잡혀 있었다.

'내게 혹시 불을 불러내는 능력이 있는지도?'

칼리아스는 심호흡을 다시 하고 조심스레 두 손으로 쇠창살을 다시 잡았다. 아까의 열기가 아직도 남아 있었다.

세상에서 가장 진지한 표정으로 칼리아스는 힘껏 쇠창살을 늘이려고 애썼다.

쇠창살은 감감무소식이었다.

얼굴이 새빨개지도록 쇠창살을 잡아 늘이던 칼리아스는 깊은 한숨을 토해 내며 고개를 떨궜다.

이 쓸데없는 능력은 도무지 어찌 사용하는지, 언제 발동이 되는지 알 수가 없었다.

다만 짐작이 가는 것은 벨라 때문에 목 뒤를 잡고 싶을 때 자신도 모르는 사이 욱하고 발동하는 것 같았다.

순간 저 멀리서 개 짖는 소리가 요란하게 들려왔다.

칼리아스는 그 소리가 들려오는 방향을 쳐다보았다. 그리고 멀리서 자신이 있는 방향을 향해 힘차게 짖어 대고 있는 푸딩의 모습을 발견했다. 칼리아스는 정신이 번쩍 들었다.

누군가 자신을 구하러 온 것인가 하는 생각에 손을 힘껏 저으며 여기라고 소리 질렀지만 이내 푸딩의 모습은 시야에서 사라졌다.

칼리아스는 눈을 비벼 보았다. 다시 보아도 푸딩은 없었다. 헛것을 보았나 하는 생각에 맥이 탁 풀렸다. 실망하다 못해 헛웃음이 나왔다. 그깟 개 한 마리가 보고 싶어 환상을 본 것도 아니고, 이제 별 구차한 모습까지 다 보인다고 생각했다.

항상 혼자인 기분이었다. 황량한 벌판에 서서 온갖 사나운 바람을 홀로 맞으며 앞으로 나아가려고 안간힘을 써 온 것만 같았다. 열심히 노력했는데 돌아보니 제자리걸음인 듯한 허무함이 가슴속에 밀려왔다.

사람들의 기대가 무거웠다. 신의 축복을 받아 태어난 성스러운 혈통에게 실은 따뜻한 온기 하나 내어 주는 사람이 없었다. 얼어 버린 차가운 손에 입김을 연신 불어 넣는 기분으로 버텨 내 왔다. 언젠가, 이 외로움의 끝에는 따뜻한 봄날이 있을 거라고 마음 한구석 조심스레 바랐다.

그런데 그 끝은 결국 무언가?

다시 또 홀로 남아 버려진 듯한 기분에 칼리아스는 고개를 숙였다.

이 구질구질한 감정에 지지 않으려고 이를 악물었다.

빈틈을 보이기 싫어.

자신을 감싼 부정적인 감정들을 날려 버리려는 듯 칼리아스는 한사코 고개를 저었다.

그때였다. 개 짖는 소리가 매우 가까이서 들렸다. 칼리아스는 눈을 크게 뜨고 자신이 갇힌 첨탑 아래를 내려다보았다. 그곳에는 푸딩이 자신을 향해 꼬리 치며 우렁차게 짖어 대고 있었다.

칼리아스는 반가움에 눈시울이 뜨거워지는 기분이었다.

개 한 마리가 이렇게 반가울 수가!

푸딩은 분명 칼리아스를 바라보며 껑충 뛰고 제자리를 빙빙 돌며 자신의 존재를 알리려고 애쓰고 있었다.

"저 개 뭐야!"

"우리 군견이 아니다! 잡아!"

병사들이 한 박자 늦게 개를 발견하고 달려오자 순간 푸딩은 섰던 자리 근처로 마치 땅으로 꺼지듯 쏙 하고 사라졌다.

군인들이 달려왔다가 개가 없자 당황해서 주변 수풀을 뒤지기 시작했다.

마치 숨바꼭질을 하듯, 개 짖는 소리가 저 멀리서 들렸다.

"뭐지? 저 개 순간 이동이라도 했나?"

병사 하나가 먼 거리에서 제 주인인 듯한 사람에게 달려가는 개를 보고 어처구니가 없어서 소리쳤다.

"여기 수풀 사이에 낡은 하수구가 있습니다! 여기로 빠져나간 모양입니다!"

"이게 왜 이 자리에 있어?"

"옛날에 지은 것들을 부수지 않고 고쳐 지어서 그렇습니다. 첨탑에서 버리는 하수가 이쪽으로 흘러나가는 모양입니다."

"그래?"

병사들의 대화가 칼리아스의 귀에 쏙쏙 들어왔다. 이 첨탑의 쇠창살을 다시 벌릴 수만 있다면, 벽을 타고 내려가 그 하수구를 통해 눈에 띄지 않고 이동 가능하다는 이야기였다.

칼리아스는 푸딩이 알려 준 뜻밖의 정보에 감탄했다. 그리고 다시 푸딩이 있는 방향을 쳐다보았다. 푸딩을 데려간 사람을 보니 언뜻 보기에 생김새가 루카스처럼 보였다.

칼리아스는 눈을 크게 뜨고 그쪽을 뚫어지게 바라보았다.

그쪽도 칼리아스를 멀리서나마 알아보았는지 멈춰 서서 바라보고 있었다.

"여긴 민간인 출입 제한 구역이다! 신분과 목적을 밝혀라!"

병사가 다가오자 루카스는 통행증을 보였다.

"티베리 님과 결혼할 아르티드 영애의 집사입니다. 결혼식 진행 문제로 실무차 방문했습니다."

병사는 루카스의 통행증을 한참 쳐다보다가 지나가도 좋다는 신호를 보냈다.

루카스는 천천히 푸딩을 끌고 일하는 척 항구 곳곳을 돌아보았다.

푸딩이 온갖 지저분한 것을 묻히고 해맑게 웃고 있었지만, 루카스는 푸딩을 나무라지 않았다. 그래도 신경이 쓰였는지 루카스는 품에서 수건을 꺼내 녀석의 몸에 묻은 것을 닦아 주었다.

하수구 드나드는 것을 좋아하는 녀석 덕에 대충 이곳에 있는 하수구 몇 개는 파악해 둔 후였다.

루카스는 시선을 돌려 항구 쪽을 바라보았다. 원래 로덴 항은 페로하트와 교역을 하는 첫 번째 관문으로 페로하트와 최단 거리에 있는 항구였다. 여기서 배를 타면 큰 힘을 들이지 않고도 해류를 타고 페로하트로 갈 수 있었다.

문제는 배를 구하는 것. 모두 마르쿠스의 통제하에 놓여 있고 현재는 페로하트와 바다에서 산발적인 교전 중이었기에 여기서 밀항을 한다는 것은 무리였다.

루카스는 얼마 전 은밀하게 벤자민을 만났던 일을 떠올렸다.

'아크란 님께서 배를 한 척 준비해 주시기로 하셨습니다. 만약 거기서 탈출할 거라면 함께 타고 가시는 건 어떻겠습니까?'

벤자민은 싱긋 웃으며 말했다. 루카스는 미간을 찡그린 채 그가 하는 말을 잠자코 듣고 있다가 입을 열었다.

'무언가 앞뒤가 맞지 않는다는 생각이 듭니다.'

'대체 무엇이요? 말씀해 보십시오.'

벤자민은 무엇을 물어도 자신 있다는 듯한 표정이었다.

'굳이 플란네르까지 와서 통신 사업 다단계로 이득을 챙기다가, 샬리드 측에 붙었다가 아크란 측에 붙었다 하며 이젠 제게 손잡기를 권하시니 당신의 속내를 도통 알 수 없습니다. 지금 이 제안도 과연 진실일지……."

루카스의 말에 벤자민은 그저 웃을 뿐이었다.

'믿기 싫으면 믿지 마십시오. 저는 그 배 혼자 타고 가도 됩니다.'

벤자민은 표정을 바꾸며 말했다.

'상황이란 늘 바뀌는 겁니다. 원래 샬리드 님과 거래했지만, 워낙 샬리드 님의 그릇이 작아서 작은 위기에도 저를 버리려 하시기에, 아크란 님에게 손을 내밀었을 뿐, 우리의 가장 큰 적은 티베리 님 아니겠습니까?'

그는 늘 궤변에 능했다.

'적의 적은 친구라는 옛말이 있습니다. 여기서 가장 위험한 인물은 티베리입니다. 당신의 주인께서도 미래에 대한 꿈을 꾸실 테니 아실 테지만 페로하트의 국운을 좌지우지할 야심 많은 인물이죠."

루카스는 무표정한 얼굴로 벤자민이 하는 말을 잠자코 들었다.

'여기서 티베리를 확실하게 밟아 놓아야 페로하트가 안전해집니다. 저는 샬리드와 아크란이 서로 짜고 황태자 전하를 죽이려는 계획을 세웠다는 정보를 입수했습니다.'

벤자민의 표정으로는 그 말이 참인지 거짓인지 알아차리기 힘들었다.

'그들이 전하를 살해하고 티베리에게 누명을 씌우려는 계획을 하고 있다는데, 가장 효과적일 때가 티베리와 아르티드 영애가 결혼하는 날일 거로 생각합니다.'

꽤 그럴싸하게 들리는 말이었다.

'여기는 마르쿠스 님의 허락 없이 사사로이 드나들 수 있는 곳이 아니지만, 결혼식 당일에는 황태자 전하를 암살할 자를 보내기에 적당할 겁니다.'

루카스는 벤자민의 말에 관심을 보였다.

'과이야 베링필드 씨로부터 당신들이 플란네르의 금속 탄피를 탐낸다는 말을 듣고 그 귀한 금속 탄피를 당신들에게 보냈습니다. 그 물건을 제가 직접 들고 페로하트로 가면 큰 돈을 벌 일인데 그렇게 하지 않았단 말입니다.'

벤자민의 말에 루카스는 차분한 목소리로 질문했다.

'그러니까 그 호의가 믿어지지 않는다는 말입니다. 프로스트 영식께서는 인류애가 그리 특출난 분이 아니신 줄은 잘 압니다. 제게 무엇을 바라시는 겁니까?'

'금속 탄피 값을 보상해 주시거나, 뱃삯을 후하게 쳐 주시면 됩니다. 워낙 재산도 많은 집안이니 그쯤은 아주 작은 부담일 거 아닙니까?'

벤자민의 눈빛이 반짝거렸다.

'거절한다면?'

루카스가 차갑게 말하자 벤자민은 입꼬리를 비죽 끌어 올렸다.

'반출 금지 품목을 당신이 가지고 있다고 고발하면 됩니다.'

그의 미소는 야비해 보였다.

"굳이 하루 먼저 항구에 들어와 결혼식 예행연습을 할 필요야 없지 않습니까, 레이디?"

티베리의 의심스러운 시선이 벨라에게 와 닿았다.

"사열까지 시키는데 정작 제가 실수할 수는 없죠. 저는 완벽한 결혼식을 원해요. 피할 수 없으면 즐겨야죠. 안 그래요?"

벨라는 끝까지 우겼다.

"항구 내 사원에 예식 준비는 모두 마치게 했습니다."

루카스가 들어와서 정중히 인사했다. 벨라와 루카스의 시선이 마주쳤다. 루카스는 모르는 척 표정을 감췄다.

"알았어. 루카스 자네는 이만 나가 봐. 이 방에는 나를 제외한 그 어느 남자도 발 들여서는 안 돼."

티베리는 자신의 개인 비서 부리듯 루카스에게 추가 업무를 이것저것 지시했다. 루카스는 공손히 인사를 다시 한 후 뒤돌아 밖으로 나갔다.

정말 오랜만에 다시 보는 루카스였다. 벨라는 그가 무사하다는 것을 확인하고 속으로 안도의 한숨을 내쉬었다.

티베리가 나가자마자 벨라는 자신의 시중을 드는 하녀에게 말했다.

"듣자 하니 저쪽 첨탑에 황태자 전하께서 갇혀 계신다지? 너도 알다시피 내가 전에는 황태자의 연인이었잖아. 그분께서 갇혀 계시니 내 마음이 편하지가 않아. 그간 드시는 것도 부실했을 텐데 좋아하시던 음식이나마 보내고 싶은데. 부탁 들어주겠어?"

벨라의 말에 하녀는 난처한 표정을 지었다.

"티베리 님께서 아시면 저는 죽어요."

벨라는 고개를 저었다.

"내 입이 얼마나 무거운지 겪어 봤지? 페로하트와 플란네르가 교전 중이라는 사실을 네가 실수로 털어놓았을 때도 티베리 님께 말하지 않고 내 추측인 것으로 덮었잖아. 고마움의 표시로 다른 사람에게는 가르쳐 주지 않은 화장 기술 한 가지를 너에게만 가르쳐 줄게. 음식인데 뭐 어때?"

하녀는 못 이기겠다는 듯 미소 지으며 고개를 끄덕였다.
벨라는 애절한 표정을 지으며 하녀에게 부탁을 추가했다.
"그리고, 황태자 전하께 다른 남자와 결혼해서 미안하다는 편지 한 장만 전해 주면 안 될까?"
그 말에 하녀는 고개를 저었다.
"음식까지는 어찌하겠는데 편지까지는 무리예요! 저 정말 큰일 나요!"
벨라는 슬픈 목소리로 대답했다.
"비밀 편지도 아니고 이별 편지인데 그것도 안 돼? 한때 사랑했던 사람인데 내가 처한 상황이 너무 비극적이지 않니? 그래서 부탁한 건데. 할 수 없지 그럼. 이 일을 대신해 줄 사람 있으면 그 사람에게 그 기술을 가르쳐 주고 따로 내 특제 향수 레시피 한 가지 더 줄게. 그리고 심부름 값도 두둑하게. 누가 할래?"
그러자 하녀는 정색하며 말했다.
"제게 부탁하셨잖아요. 간곡히 부탁하시니까 어쩔 수 없이 해 드리는 거예요."
"정말?"
벨라는 기다렸다는 듯 음식 바구니와 편지 한 장을 내밀었다. 그 하녀는 벨라가 내미는 것을 받아 들고 종종걸음으로 나갔다.
"저희는 안 가르쳐 주실 거예요?"
다른 하녀들이 벨라에게 나지막하게 속삭였다.
"각자 특기 분야는 하나씩 달라야 경쟁력이 있지. 너희들에게는 나중에 따로 다른 걸 가르쳐 줄게."

벨라는 한껏 웃어 보였다. 하녀들은 각자 벨라에게 간식을 가져다주고 음료도 가져다주며 벨라의 기분을 맞췄다. 거의 수족처럼 부리게 된 이들이었지만 그래도 티베리의 하녀들이기 때문에 전적으로 믿지는 않았다.

벨라는 티베리의 고용인들을 이끌고 예행연습을 위해 행진했다. 평소 티베리의 평판이 그다지 좋지 않았던 탓인지 웨딩드레스 차림의 벨라가 보란 듯 헬렐레하며 항구 안을 휘젓고 다니자 기존에 있던 마르쿠스 병사들의 눈초리가 점점 더 가늘어졌다.

하지만 벨라는 그렇게 쏘다니며 루카스가 계획해 둔 탈출 경로를 살피는 중이었다.

벤자민이 제안한 선박이 숨겨져 있다던 바위섬 근처를 힐끔 바라보았다. 썰물 때가 되면 육지가 되었다가 밀물이 들면 섬이 되는 곳이었다.

벨라는 마른침을 꿀꺽 삼켰다.

플랜 A는 오늘 밤 자정, 황태자를 구출해서 약속된 배가 있는 곳까지 달아나는 것이었다. 푸딩까지 데리고 도망치는 것이 무리여서 푸딩을 미리 벤자민의 손에 맡겼는데 걱정이 이만저만이 아니었다.

'내가 생각해도 무모해…… 나 혼자 탈출한다는 것도 무리인데 황태자를 구출하고 개까지 데리고 무사히 빠져나갈 수나 있을까?'

벨라의 어깨가 바르르 떨렸다. 하지만 자신의 무모한 행동으로 벌어진 플란네르행이어서 반드시 자신의 손으로 수습해야 했다.

하지만 루카스는 푸딩이 전달하는 비밀 쪽지로 플랜 B를 언급했다. 상황이 급박하게 돌아가 그 배까지 도달할 수 없을 경우 주요 인물을 인질로 삼아 정박한 군함 하나를 탈취해 달아나자는 것이었다.

페로하트 관계자의 말로는 벨라의 결혼식 날 당일 페로하트의 정예병들이 가까운 바다에 대기하고 있다가 정오가 되는 때에 함포 지원을 받아 투입되어 황태자를 구출하겠다고 했다.

차라리 플랜 B 쪽이 더 실현 가능성이 높아 보였다. 하지만 그 경우 항구에 쏟아지는 포격 아래서 황태자와 벨라 역시 위험하기는 마찬가지였다.

이상적인 방향은 플랜 A, 하지만 실패한다면 플랜 B로 가자고 약속해 둔 상태였다.

벤자민과 함께 탈출한다는 점이 참으로 찝찝했다. 세상에 믿을 사람을 믿어야지, 하필이면 벤자민의 도움을 받다니 영 어딘가 이상했다. 그래서 루카스는 플랜 A만 벤자민과 상의하고 플랜 B의 존재는 귀띔하지 않았다.

벨라는 심호흡을 한 후 작정했다는 듯 입을 열었다.

"어머, 이걸 어째?"

벨라는 웨딩드레스를 미리 입어 보는 척하다가 화려한 꽃장식 술이 똑 떨어진 곳을 하녀들에게 내밀었다.

"세상에, 이걸 이제 발견했네. 역시 하루 미리 와서 연습해 보길 잘했어. 여기 진주도 떨어지려고 너덜거리잖아. 재봉사를 불러와! 인제 보니 면사포에 붙은 장신구에 보석이 하나 없어졌어! 비싼 긴데 설마 누군가 훔쳐 간 것은 아니겠지?"

하녀들을 지치게 하려고 벨라는 일부러 끊임없이 사건을 만들어 냈다. 심지어 감금되어 있던 저택으로 물건을 가져오라 시키기까지 했다.

"정말 미안, 하지만 결혼식 때문에 그런 거니까 용서해 줘."

벨라는 미안한 척 미소를 짓고 하녀들의 어깨를 토닥여 주었다. 하녀들은 겉으로 화낼 수는 없으나 피곤하고 지쳐서 짜증이 머리끝까지 나 있었다.

'이대로 초저녁부터 다들 곯아떨어져라…….'

벨라는 속으로 중얼거렸다.

칼리아스는 사열 연습 장면을 내려다보고 있다가 흰 웨딩드레스 차림의 여인이 수많은 수행 인원을 거느리고 지나가는 모습을 보았다. 틀림없이 벨라였다.

"아……."

순간 심장을 누군가가 찌르는 듯한 느낌이 가슴을 죄어왔다. 호흡이 가빠지기 시작했다.

"나를 여기에 가두어 두고 너는 그렇게……!"

욱하고 정체를 알 수 없는 감정이 치솟아 올랐다. 순간 칼리아스의 두 손에 화염이 일었다. 깜짝 놀랐지만, 정신이 흐트러지는 순간 또 사라질까 봐 칼리아스는 신경을 곤두세웠다.

마치 유령과도 같은 불꽃이 두리둥실 칼리아스의 손을 감싸고 있었다.

'내 손이 불타고 있어!'

칼리아스는 눈을 크게 떴다. 그런데 손은 뜨겁거나 화상을 입지 않았다. 칼리아스는 주변을 힐끔 둘러보았다. 자신의 손을 누군가 봤을까 봐 조심스러웠다. 고개를 돌려 자신의 손을 은밀히 바라보자 또 그 불꽃은 사라진 상태였다.

칼리아스는 저 멀리 지나는 벨라를 힐끔 바라보았다.

'벨라……!'

그녀의 이름을 되뇌자 신기하게도 손에 다시 불꽃이 일렁이기 시작했다. 칼리아스는 자신의 손을 돌려 손바닥을 보았다가 손등을 보았다가 하며 이리저리 살폈다. 그리고 두 손을 모았다가 멀리 떼었다. 모인 두 손의 불꽃이 손만큼 두 배로 늘어나더니 두 손바닥을 멀리하는데도 그사이에 불기둥이 쭉 이어졌다.

놀라운 현상에 자신도 신기했으나 감시병이 자신의 이 모습을 보았을까 봐 뒤를 돌아보았다.

마침 병사들은 웬 하녀가 가져온 음식을 받아 들고 이야기하느라 정신이 팔려 있었다.

손의 불꽃은 또다시 사라졌다.

'벨라.'

칼리아스는 속으로 벨라의 이름을 되뇌었다. 처음부터 두 손을 모았다가 거리를 멀리 떼자 불기둥이 나타났다가 사라졌다.

서툴지만 그 화염이 칼리아스의 의지대로 생겼다 없어졌다 할 수 있었다.

칼리아스는 두 손바닥을 서로 마주 보게 벌린 상태가 왠지 모양새는 빠진다고 생각했지만 일단 쇠창살이 녹는지 시험해 볼 일이었다. 슬그머니 창가에 다가가 그중 하나에 시험해 보았다.

쇠창살이 그대로 칼리아스의 두 손 사이에서 녹아내려 구멍이 났다.

'큭!'

뜻밖의 숨겨졌던 재능에 칼리아스는 감격했다. 그의 정신이 흐트러지자마자 화염 덩어리는 다시 사라져 버렸다. 하지만 벨라를 떠올리며 집중하면 손이 다시 불길에 휩싸였다.

'이 사실을 페로하트의 국민들이 보면 뭐라고 말할까? 말로만 전해 들으면 필시 나더러 미쳤다고 하겠지. 하지만 내게 기적이 일어나고 있어!'

칼리아스는 신이 나서 마음속으로 하늘 높은 줄 모르고 뛰어오르는 듯한 쾌감을 느꼈다.

'내게 이런 능력이 있었다니!'

그 어느 누구도 이런 능력을 가졌다는 말은 들어 본 적이 없었다. 그 어느 황제도 이런 능력만큼은…….

순간 칼리아스의 머릿속에 건국 신화가 떠올랐다.

신의 부름을 받은 초대 황제 페오스는 항시 불꽃이 타오르는 검과 불꽃으로 뒤덮인 방패를 들고 사악한 것들과 맞섰다고 했다.

'혹시, 이것이 그 타오르는 검과 불타는 방패?'

칼리아스는 자신의 온몸을 휘감았던 화염을 떠올렸다. 그 화염에 휩싸였을 때는 총에 맞아도 털끝 하나 다치지 않았다.

초대 황제만이 가졌던 능력이 자신에게서 다시 나타났다는 생각이 머릿속을 스쳤다.

이 능력을 이용하면 당장이라도 이곳을 탈출할 수 있겠다는 생각에 칼리아스는 적들이 자신의 능력을 눈치채지 못하게 해야겠다고 다짐했다.

"……그럼 잘 부탁드릴게요."

하녀가 허리를 공손히 숙여 병사들에게 인사를 했다. 병사들은 하녀가 가져온 음식을 나누어 가지며 황태자 쪽으로 남은 음식 몇 개를 밀어 넣었다.

칼리아스가 서민 음식이라며 먹지 않는 빵 종류였다. 하필이면 누가 나에게 이런 것을 보냈나 미간을 찡그리며 황태자는 그중 하나를 집어 들었다.

"황태자 전하, 옛 애인으로부터 편지가 왔는뎁쇼? 읽어드릴까요?'

그들은 킬킬거리며 그의 동의도 구하지 않고 편지 봉투에서 편지를 꺼내 큰 소리로 읽었다.

"어디 보자, 뭐라고 쓰였나."

감시병 하나가 여자 목소리를 우스꽝스럽게 흉내 내어 편지를 읽었다.

"우리 이쯤에서 헤어져요. 자정이 지나면 저는 다른 사람에게 가요, 정오의 태양 같은 당신은 영원히 나를 모를 거예요. 지옥에서 잘 있어요."

"푸하하, 완전 싸구려 유행가 가사 같은데? 지체 높으신 양반들도 별거 없구만!"

그렇게 웃어 대는 감시병들 중 하나가 걱정스레 말했다.

"티베리 님의 아내 되실 분의 편지인데 우리가 사사로이 읽어서야 쓰나."

"뭐 어때? 우리는 마르쿠스 님의 명령을 듣지 티베리 그 자의 명령을 듣는 입장은 아니잖나?"

"그래도……."

칼리아스의 눈이 커졌다.

벨라와 약속해 두기를, 연인인 것처럼 보이기로 계약하면서 황제에게 들킬 날을 대비해 암호를 정해 두기로 했다.

이별을 고하는 메시지는 만나자는 뜻이었다. 그리고 언제 만날 것인지 시간이나 때를 지칭하는 단어는 그대로 받아들이기로 약속했다.

즉, 자정에 만나자는 말이었다. 태양은 화약을 뜻했다. 정오의 태양이란 정오에 화약을 쓸 일이 있다는 말이었다. 지금은 저녁이었으므로 정오란 내일 정오를 뜻했고 화약으로 인한 폭발이 있을 것임을 암시했다. '저'가 아닌 '나'는 페로하트를 뜻하는 말이었고, 지옥은 구조를 뜻하는 말이었다.

모든 말을 종합해 보면, '자정에 만나요, 정오에 화약 쓸 일이 있고 페로하트에서 구하러 올 거예요.'라는 메시지인 듯했다.

칼리아스는 미간을 찡그렸다. 페로하트에서 구하러 오는데 왜 자정에 만나자고 했는지 이해할 수 없었다.

그때였다.

"음식 드시라고 아르티드 영애께서 사람을 보내셨습니다."라는 목소리가 들려왔다.

병사 몇 명이서 벨라가 보냈다면서 음식 바구니를 들고 왔다. 감시병들이 의아한 표정을 지었다.

"아니, 방금 가져왔는데 뭘 또 가져와?"

"우리는 제4 보병 연대 소속입니다. 티베리 님의 분부십니다."

낯선 병사들이 하는 말에 감시병이 눈썹을 찌푸렸다.

"조금 전에는 아르티드 영애의 심부름이라고……."

바구니에 들어 있던 것은 권총이었다. 그들은 순식간에 감시병에게 총격을 퍼붓고 칼리아스를 향해서도 총을 쐈다.

갑자기 울려 퍼진 날카로운 총성에 벨라는 벌떡 일어났다. 아무래도 칼리아스가 갇힌 첨탑 방향인 것 같았다. 당장 뛰쳐나가려는데 무언가가 치맛자락을 잡고 늘어졌다. 푸딩이었다. 벨라는 깜짝 놀라 푸딩을 끌어안았다.

분명 벤자민에게 미리 배에 태워 두라고 부탁했다는데 제멋대로 돌아다니게 놔둔 것 같았다. 연이어 들리는 총성에 군인들이 뛰어가고 무언가 변고가 생겼음을 알리는 나팔소리가 다급하게 흘러나왔다.

총성에 놀란 푸딩이 펄쩍 뛰었다. 티베리의 목소리가 저쪽에서 들려왔다.

"자펠! 무슨 일인가!"

"주둔군과 4보병 연대 사이 교전이 일어났습니다!"

"대체 왜?"

"총성이 황태자가 있는 첨탑에서 처음 시작되어 우리 보병 연대 마크를 단 병사들이 첨탑 감시병들을 죽이고 나와서는 주둔군이 달려오자 교전했습니다!"

부하의 보고에 티베리는 버럭 소리 질렀다.

"페로하트 측의 황태자 탈취 시도인가?"

"저…… 그것이……."

"그것이 뭐?"

"죽은 자들이 우리 부대 병사들이 맞습니다."

"뭐?"

티베리는 상황을 파악하기 위해 부하들과 함께 황급히 뛰쳐나갔다. 그사이 감시가 사라진 틈을 타 루카스가 들이닥쳤다.

"아가씨! 무사하십니까?"

벨라는 루카스의 등장에 가뭄의 단비처럼 반가워 저도 모르게 그를 와락 끌어안았다.

"루카!"

본능처럼 벨라는 그의 허리를 끌어안았다. 뜨거운 눈물이 벨라의 눈가에 차올랐다. 터질 듯한 그의 심장 고동 소리가 들리자 드디어 안심이 되었다.

그 어느 순간에도 그녀의 근처를 맴돌며 우산이 되어 주는 사람. 그가 곁에 있어서 정말 다행이었다.

티베리에게 강제로 감금당한 이후 이렇게 가까이 있기는 처음이었다. 그가 무엇을 해 주든 해 주지 않든, 그의 존재만으로 벅차올랐다.

은근슬쩍 자신을 밀어내는 그의 손길을 느끼자 벨라는 마치 이럴 줄 알았다는 듯 피식 웃었다. 저도 모르게 고인 눈물을 닦으며 벨라는 그의 허리를 감았던 손을 풀었다.

"황태자 전하의 안위에 이상이 없을지 걱정입니다."

루카스의 말에 벨라는 그제야 황태자에 대한 걱정이 떠올랐다. 교전이 황태자가 갇힌 첨탑에서 시작되었다고 했다.

산발적인 총성이 오간 후에 군인들이 대대적인 수색 작업을 벌이기 시작했다.

밖에 나갔던 하녀 하나가 호들갑을 떨며 들어왔다.

"세상에! 페로하트의 황태자가 괴력을 발휘해 첨탑 창살을 휘고 그 와중에 도망쳤대! 게다가 그쪽에서 불길이 치솟는 걸 본 사람도 있고!"

"잡았대?"

큰 소리로 물어본 하녀가 말실수란 것을 깨닫고 벨라의 눈치를 슬쩍 본 다음 말했다.

"땅으로 꺼졌는지, 하늘로 솟았는지 오리무중이라 지금 대대적인 수색 중이래."

벨라는 불안한 기분에 뒤를 돌아보았다. 무언가 조용하다 싶었더니 푸딩이 사라지고 없었다. 대체 어디로 사라진 것인지 알 수 없었다.

벨라는 푸딩이 갔을 만한 곳을 찾기 시작했다. 플란네르 군끼리의 교전이라 분위기가 뒤숭숭해진 가운데, 밖이 소란스러워 밖을 내다보았다. 해는 떨어져 어둠이 내려앉고 있는데 속속들이 항구로 군부대가 더 들어오고 있었다. 그중에는 마르쿠스도 보였다.

"오늘 밤은 개미 한 마리 지나다니지 못하겠습니다."

뒤에서 루카스가 말했다.

티베리는 그 이후 벨라가 머물고 있는 관사로 돌아오지 않았다. 벨라는 아직도 돌아오지 않는 푸딩 때문에 밖으로 나가고 싶었으나 관사 입구를 지키는 경비병들이 벨라의 외출을 금지했다.

'원래대로라면 오늘 밤 자정에 칼리아스 전하를 구해 도망칠 계획이었는데…….'

벨라는 입술을 깨물었다. 싫든 좋든 플랜 B로 넘어갈 수밖에 없었다. 본래 마르쿠스는 다른 지역의 급한 일로 내일 결혼식 때나 온다 했는데 도리어 군대까지 이끌고 미리 와버린 셈이 되었다.

게다가 페로하트군의 포격이 시작되기 전에 푸딩과 황태자를 찾아야만 했다!

저도 모르게 손바닥에 식은땀이 배고 등이 서늘한 기분이 들었다. 심장이 가쁘게 뛰다 못해 토할 것 같았다. 전율이란 것이 이런 것인지 모를 일이었다.

황태자를 구출하기 위한 페로하트의 정예병들이 이 근처

에 대기하고 있을 텐데 제멋대로 탈출해 버린 칼리아스가 원망스러웠다.

더 이상 하녀들도 밖으로 나갈 수가 없었다. 철저히 관사 안에 고립된 채 외부 상황을 알 수 없었다. 오늘 하루 종일 이리저리 뛴 하녀들이 하나둘 눈을 게슴츠레하게 뜨고 휘청이기 시작했다.

"다들 피곤할 텐데 일찍 자. 그래야 내일 새벽부터 결혼 준비하지. 티베리 님도 이해해 주실 거야. 이렇게 경계가 심한데 나도 관사 밖으로 나갈 수가 없잖아?"

벨라는 하녀들의 등을 떠밀어 내보냈다. 하녀들은 못 이기는 척 하나둘 잠에 취해 자기 방으로 돌아갔다.

순간 어디선가 낯익은 씩씩 소리가 났다. 벨라는 얼른 뒤돌아보았다. 푸딩이 반갑다고 폴짝거리고 있었다.

"어디 갔었어!"

벨라는 푸딩을 쓰다듬으려다 말고 푸딩의 입에 물린 것을 보고 멈칫했다. 푸딩의 입에는 황태자의 반지가 물려 있었다. 벨라는 그것을 얼른 품에 숨겼다. 푸딩은 그저 천진난만한 표정으로 꼬리만 빛의 속도로 흔들어 댈 뿐이었다.

복도를 지키던 경비병이 푸딩을 뒤따라 어디론가 가는 벨라와 루카스를 보고 불렀다.

"어디 가시는 겁니까? 티베리 님의 허락 없이는 외출 금지입니다."

벨라는 경비병에게 천연덕스럽게 말했다.

"제 개가 하필이면 제 비싼 반지를 삼켰어요. 보아하니 볼일을 보려고 돌아다니는 것 같은데 변에 묻어 나올지 몰라 따라가 봐야 해요. 양해해 주세요. 그 반지 잃어버리면 티베리 님에게 혼나요."

경비병은 어쩔 수 없다는 듯이 가 보라는 손짓을 했다. 벨라와 루카스는 다른 사람들의 눈에 띄지 않게 조심하며 불 꺼진 복도를 지나갔다.

한참 주방 쪽으로 가던 푸딩은 다용도실 쪽으로 쏙 들어가 버렸다. 벨라는 얼른 그곳으로 들어가 문을 조용히 닫았다.

"후아. 이런 곳에도 오래된 하수구가 있었다니!"

벨라는 하수구란 하수구는 잘도 찾아내는 푸딩의 능력에 감탄했다. 다용도실 옆 정원에는 오래전에 막아 둔 큰 하수구가 하나 있었다.

드나드는 문들은 감시가 붙어 있어도 창문까지 감시가 붙어 있는 것은 아니어서 벨라는 루카스의 도움을 받아 창문을 넘어 그 하수구로 발을 디뎠다.

푸딩은 잘도 앞장서서 걸어가고 있었다. 벨라는 부지런히 푸딩의 뒤를 따라 좁고 메마른 하수구 안을 기어갔다. 드레스가 엉망이 되는 것은 상관이 없었다.

"푸딩! 반지를 가져다줬어?"

낮익은 목소리가 어둡고 긴 하수구 안에서 들려왔다. 작게 울리는 그 목소리를 따라 벨라는 부지런히 기었다.

"전하!"

그 하수구 깊숙한 곳에 황태자가 숨어 있었다. 반가움 반,

원망 반으로 벨라는 그에게 다가갔다.

순간 하수구 안에 불빛이 밝혀졌다. 환한 불빛 사이 칼리아스의 금색 눈동자가 빛나 보였다. 벨라를 보자마자 그의 눈은 동공이 커다랗게 확대되었다가 손의 불이 커다랗게 타오르자 정신을 차려 얼른 불의 크기를 줄였다.

벨라는 하려던 말을 잊은 채 황태자의 손을 보자마자 화들짝 놀라 그의 손에 붙은 불을 끄려고 달려들었다. 황태자는 얼른 손을 치우며 말했다.

"괜찮아. 이 불은 내 숨겨진 능력이었다. 조절할 수 있으니 걱정하지 마라."

루카스가 간신히 벨라의 뒤로 기어왔다. 벨라까지는 수월하게 통과할 수 있는 너비였으나 루카스나 칼리아스가 지나가기엔 꽤 난이도가 있었다.

"저 안으로 가면 조금 더 넓은 곳이 나온다. 따라와."

칼리아스는 앞서서 하수구를 기어갔다.

좀 더 기어가자 칼리아스의 말대로 전보다는 넓은 공간이 나타났다. 거기에 이르러서야 벨라는 참았던 말을 꺼냈다.

"전하! 어찌 되신 겁니까? 제가 보낸 편지 못 받으셨나요?"

"보았다."

"그런데 왜 이렇게 미리 탈출하신 건가요?"

벨라의 얼굴을 보자 칼리아스는 저도 모르게 환한 미소를 짓고 말았다. 지금껏 지은 적 없는 순수한 기쁨의 미소였다. 그러나 본인은 자신의 표정이 그러한지 전혀 깨닫지 못했다.

"거기 그대로 있었으면 아마 쥐도 새도 모르게 죽었을 거다."

칼리아스는 피식 웃고는 이제야 제정신이 돌아온다는 듯 고개를 절레절레 저었다.

"보내 준 빵 바구니는 잘 받았다. 그리고 편지도 잘 보았고. 오늘 밤에 나를 구하려는 계획이 있다는 것도 알았고, 내일 정오에 페로하트에서 화약을 사용한 작전을 펼치리란 것도 알았다."

칼리아스의 손에서 타오르는 불길이 낯설었다. 마치 양초 같다는 생각을 했다.

"하지만 그 외에도 그대가 보냈다는 음식을 들고 찾아온 군인들이 있었다. 그자들이 다짜고짜 총질부터 하더니 감시병들을 죽이고 바로 나를 겨누더군. 그래서 숨겨 둔 능력으로 쇠창살을 휘고 첨탑에서 기어 내려와 하수구로 숨어들었다. 그리고 푸딩을 만나 여기서 숨죽이고 있었지."

순간 칼리아스는 자신의 손을 덥석 잡는 벨라 때문에 화들짝 놀라 불을 꺼뜨렸다.

"뭐⋯⋯ 뭐 하는 짓이냐! 무엄하다!"

어둠 속에서 벨라는 칼리아스의 손을 더듬어 보았다.

"정말 괜찮으시군요. 불붙어 있어서 크게 걱정했습니다. 그런데 정작 전하의 손은 차갑네요. 이런 신기한 능력을 언제부터 숨기고 계셨던 건가요?"

한 치 앞도 보이지 않는 새까만 어둠 속에서 벨라가 손을 더듬으니 야릇한 감정이 칼리아스에게 피어올랐다. 귀밑까지 화끈하게 달아오르는 기분에 칼리아스는 고개를 돌렸다. 하지만 그녀가 자신의 표정을 볼 리가 없다는 생각에 안심이 되었다.
가느다랗고 따뜻한 손이 자신의 손바닥을 더듬고 있었다. 간지럽기도 하고 소름이 약간 돋는 것도 같은 묘한 기분에 목구멍이 따끔한 듯한 착각이 들었다. 그러나 어쩐지 싫지 않았다.
수없이 벨라를 욕하고 원망하고 그녀를 따라 나온 것을 후회했던 것이 언제였냐는 듯, 그녀가 부드럽게 어루만지는 손길 한 번에 마음이 위로받는 기분이었다.
심장이 고막을 직접 때리는 듯 귓가엔 자신의 심장 소리만이 거세게 들려왔다. 벅차게 설레는 마음에 그 짧은 찰나가 아득한 영원처럼 느껴졌다.
'벨라…….'
칼리아스는 저도 모르게 갑자기 손바닥에서 불길이 확 치솟자 화들짝 놀라 벨라의 손을 황급히 털어 냈다.
"마…… 만지지 마라! 다친다!"
잠시 번쩍하고 서로의 당황스러운 얼굴이 보였다가 이내 다시 어둠 속에 젖어 들었다.
"그…… 그러니까 이 불꽃은……."
칼리아스는 깨달았다. 이 불길의 정체에 대해 사실대로 털어놓으면 벨라 너를 생각할 때마다 내 손이 불타오른다고 고백해야 한다는 것을.
'말도 안 돼! 이 고생의 구렁텅이로 밀어 넣은 장본인에게 널 떠올릴 때마다 손에 불이 붙는다고 말하면 왠지 내가 푹 빠졌다는 것처럼 들릴지도 모르잖아!'

칼리아스는 다시금 공황 상태에 빠졌다. 부끄러웠다. 이런 감정에 혼란스러워하는 것 자체가 스스로를 용납할 수 없게 했다. 도대체 이불킥을 얼마나 많이 해야 할 일인가를 떠올린 칼리아스는 일부러 퉁명스레 말했다.

"말하자면 길다! 여하튼, 페로하트에서 나를 구출하러 온다면 이런 곳에 숨어 있다가 도망치는 것도 한 방법일 터, 자세한 이야기는 무사히 탈출한 후에 하자."

어느새 입구 쪽으로 되돌아갔다가 왔는지 루카스가 급히 돌아오며 재촉했다.

"우리가 사라진 것을 관사 안에 있는 사람들이 눈치챈 것 같습니다. 이곳이 발각되기 전에 빨리 다른 곳으로 몸을 숨겨야 합니다."

"어디로 숨겨요? 밖은 지금 전하를 찾으려고 마르쿠스까지 와서 수색하고 있는데!"

벨라는 사색이 되어 루카스의 대답을 기다렸다.

"안타깝게도, 저 역시 딱히 대안이 없습니다. 플랜 A는 수색조가 쫙 깔린 상황에서 매우 위험하고, 플랜 B를 택하려면 내일 정오까지 잡히지 않고 안전한 곳에 숨어 있어야 합니다. 이제 와 안전한 곳이라 불릴 만한 곳이 없습니다."

루카스의 말에 칼리아스가 물었다.

"플랜 A는 뭐고 플랜 B는 무엇인가?"

"이미 아시는 내용입니다. 오늘 밤 자정에 프로스트 영식이 밀항할 겁니다. 샬리드 측이 제공해 준 배가 근처에 있습니다. 전하를 구출하여 오늘 밤 탈출하는 것이 플랜 A였고,

페로하트의 정예병들이 이 근처 가까운 바다에 대기 중인데 그들이 구출 작전을 펼침과 동시에 페로하트의 함선에서 항구에 포격을 가할 예정인 것이 플랜 B였습니다. 그러나 준비해 둔 모든 계획이 소용없게 되었습니다."

가만히 듣고 있다가 칼리아스는 중얼거리듯 말했다.

"관사에 불붙이면 되겠네."

"네?"

벨라가 자신이 들은 말이 무엇인지 확인하듯 되물었다. 칼리아스는 시원시원한 목소리로 말했다.

"페로하트의 정예들이 이 근처에 있다 하지 않았나? 그들이 내일 투입된다 하여도 항구에서 무언가 큰일이 벌어졌다는 사실을 깨닫게 되면 나를 위해 바로 뛰어들 것이다. 한밤중에 대형 화재만큼 멀리서도 눈에 띄는 건 없지. 예정되었던 포격도 앞당겨질 것이다."

칼리아스는 어금니를 꽉 깨물더니 말했다.

"감히 황태자인 나를 이따위로 취급한 이 고약한 녀석들에게 자비란 없다. 감히 누굴 건드린 건지 보여 주지."

자신의 숨겨진 능력에 자신감이 붙으면서 칼리아스는 음산하게 웃었다.

"이제부터 나를 따르라. 불놀이 한번 확실하게 구경시켜 주지."

손으로 불기둥을 뽑아내는 것은 이제 어느 정도 할 수 있었으나 불의 방패를 만드는 방법은 전혀 몰랐다. 아직은 능력 밖이었다. 그래도 그 어느 총알조차 자신을 해칠 수 없을 것 같은 자신감이 마구 솟아올랐다. 자신이 마치 신화 속의 주인공이 된 기분이었다.

마르쿠스는 티베리를 보자마자 따귀부터 세게 갈겼다. 순간 휘청하였으나 티베리는 다시 열중쉬어 자세로 몸을 일으켰다. 그러자 마르쿠스는 그런 티베리의 반대쪽 뺨도 마저 거세게 쳤다.

"황태자를 놓치면 어떻게 하나, 티베리 대령!"

티베리는 입술이 찢어져 피가 흘렀지만 닦을 새도 없이 다시 열중쉬어 자세로 몸을 바로 했다.

"황태자를 죽이려고 했던 것인가?"

마르쿠스의 목소리가 분노로 떨렸다.

"그간 대령의 복무 태도가 영 엉망이었어도 참아 넘긴 것은 내 아들이어서가 아니라, 맡긴 일은 빈틈없이 잘 수행해냈기에 눈감아 준 것이었다. 그런데 그깟 여자 하나에 눈이 멀어서 질투해 죽이려 했던 것이냐?"

티베리는 아무런 변명도 없이 묵묵히 서 있었다. 보다 못한 티베리의 보좌관이 대신 입을 열었다.

"저희 보병 연대 병사가 저지른 일은 맞사오나 대령님께서 지시하신 일은 아니었습니……."

타앙!

대답 대신 마르쿠스는 티베리의 보좌관의 이마에 방아쇠를 당겼다. 그 끔찍한 광경에 다들 눈을 감았으나 티베리는 미동도 없이 가만히 서 있었다.

마르쿠스는 품에 권총을 다시 집어넣으며 말했다.

“책임지고 찾아내라. 반드시 산 채로 데려와라. 인질에 흠집이라도 나면 저놈 다음 차례는 바로 너다.”

“잠잠하던 로덴항에 이게 무슨 일입니까?”

아크란과 샬리드가 어찌 알았는지 뒤에서 나타났다.

“귀관들은 대체 무슨 일로 나타났는가?”

마르쿠스의 말에 아크란은 능글맞게 웃으며 말했다.

“황태자 놓쳤다는 소문이 벌써 쫙 퍼졌습니다. 게다가 황태자가 피습 사건 때문에 도망친 거라던데 맞습니까? 페로하트와 교전 중에 무슨 흉한 사건인가 싶어 사실 확인차 왔습니다. 저희가 도울 일은 없겠습니까, 각하?”

“이미 수색조가 샅샅이 훑고 있다. 대체 무엇으로 도울 생각인가?”

마르쿠스의 말에 아크란과 샬리드 사이로 벤자민이 한 걸음 나섰다.

“황태자가 나타날 만한 곳을 압니다.”

마르쿠스는 싸늘한 눈초리로 벤자민을 노려보았다.

“어느 빈대 한 마리가 나타나 고위급 장교 뒤에 들러붙어 피 빨아먹고 있다는 소식은 들었네만, 지금 보다시피 농담에 응해 줄 생각 없다. 걸리적거리게 하지 말고 당장 내 눈앞에서 치워라.”

"반드시 나타날 겁니다. 탈출을 돕겠다고 먼저 손을 뻗어 두었으니까요."

마르쿠스는 벤자민의 다음 말을 기다리지 않고 곧바로 말했다.

"허튼수작 부리면 이 꼴이 된다. 무엇을 원하나?"

"성공 보수를 후하게 쳐 주시고 안전을 보장해 주십시오."

벤자민의 말에 마르쿠스는 눈을 갸름하게 떴다.

그때, 군인 하나가 달려와 급한 소식을 전했다.

"각하! 관사가 불타고 있습니다!"

또 다른 군인 하나가 반대편에서 달려오며 외쳤다.

"장교 식당에도 화재가 발생했습니다!"

칼리아스는 하수구에서 나와 몸을 숨기고 있다가 맨 뒤에서 달리는 군인 하나를 홱 낚아채 처리한 후 그 군인이 가지고 있던 무기들을 챙겼다. 그리고 또 다른 군인을 노리기 위해 자리를 옮기려는데 벨라가 쓰러진 군인을 질질 끌고 갔다.

"뭐 해? 놔두고 빨리 오……."

벨라는 군복을 벗겨 거추장스러운 드레스와 대신 바꿔 입고는 칼리아스의 뒤를 따랐다. 할 말이 없어진 칼리아스는 입맛을 쩝 다신 후에 루카스가 앞장서서 간 길을 따랐다.

푸딩을 잃어버릴까 봐 목줄을 해 두었는데 그런 우려와는 달리 푸딩은 루카스와 돌아다니며 익힌 하수구 길을 어둠 속에서도 잘 찾아갔다. 칼리아스를 구출한 후에 도주하려던 예상 경로였기에 벨라도 눈여겨봐 둔 길이었다.

하수구 길은 그다지 길지 않았다. 토막토막 잘려 있어서 수시로 밖으로 나왔다가 다시 안으로 기어들어 가야 했다.

"하수구가 뭐 이따위야!"

칼리아스는 간신히 하수구에 낀 몸을 빼내며 투덜거렸다. 그러자 벨라가 뒤돌아보며 말했다.

"플란네르가 개혁되기 전에 만들어진 하수구라 그래요. 오랫동안 항구가 있었고, 고치지 않고 쓰던 것을 마르쿠스가 재정비하면서 일부는 새 길에 막혀 통로가 없고 일부는 끊어진 채로 남겨져 있죠. 이나마 남아 있어서 다행인 줄 아세요."

칼리아스는 지상으로 노출된 하수구에서 주변을 살피고는 말했다.

"바보 개인 줄 알았더니 천재견이군. 페로하트로 돌아가면 기사 작위라도 내려야겠어."

도망치다 말고 벨라는 푸딩에게 기사 작위를 준다는 말에 피식 웃고 말았다.

"푸딩이 도주로 찾는 데에는 천부적인 재능을 타고나긴 했죠. 브렌다가 이럴 줄 알고 푸딩을 보내 준 걸까요?"

수풀을 포복하여 기어가다가 다시 하수구가 나오자 그 비좁은 안으로 몸을 끼워 넣었다. 칼리아스는 벨라에게 작은 소리로 말했다.

"보내 준 것이 아니다."

"네?"

"스스로 따라왔다."

칼리아스의 말에 벨라는 깜짝 놀랐다.

"따라왔다고요?"

"그렇다. 폭죽을 싣고 배편으로 이동하려는데 푸딩이 몰래 따라와 있었다. 돌려보내기엔 이미 늦어서 할 수 없이 데리고 온 것뿐이었다."

칼리아스의 말에 벨라는 깜깜한 하수구 안을 기어가다 앞선 사람에게 부딪혀 멈추었다. 루카스였다.

"그러고 보니 리체를 페로하트로 돌려보내는 배편에 왜 푸딩을 같이 보내지 않았어요?"

벨라의 말에 루카스가 나직이 대답했다.

"보냈습니다. 그런데 배에서 뛰어내려 헤엄쳐서 제게 돌아왔습니다."

벨라는 눈을 크게 떴다.

"그러고 보니 벤자민에게 미리 푸딩을 맡겼다고 하지 않았어? 솔직히 이 난장판에서 여기까지 푸딩을 잃어버리지 않고 함께 온 것만으로도 기적 같은데."

"맡겼습니다. 그런데 이렇게 또 돌아온 모양입니다."

루카스의 말에 벨라는 목구멍이 뜨거워지는 것만 같았다. 하수구 안에 헉헉헉헉 하는 푸딩의 숨 쉬는 소리가 앞서서 들렸다.

'내가 걱정되어서 계속 따라온 건가?'

그저 아무나 보고 발라당 눕고 동네방네 마실이나 다니던

한가한 개라 생각했다. 그런데 개에게까지 이렇게 챙김을 받다니 뭐라 이루 말할 수 없는 감동이 가슴속에 밀려왔다.

과거의 삶에서도 푸딩이 남겨 놓은 수많은 개구멍을 통해 벨라는 탈출하곤 했다. 그런데 이렇게 목숨을 걸어야 하는 순간까지 푸딩이 파 놓거나 찾아낸 개구멍의 도움을 받을 줄은 꿈에도 몰랐다.

페로하트에 무사히 돌아갈 수만 있다면, 칼리아스가 기사 자격을 주지 않더라도 벨라 스스로 푸딩을 호위 기사로 삼고 싶을 지경이었다. 그저 똥꼬발랄한 녀석이기만 한 줄 알았는데 언제 이렇게 벨라의 안내견이 되어 앞길을 열어 줄 줄이야!

머리 위로 군인들의 군홧발 소리가 크게 울렸다. 아무래도 이 근처에 수색조가 있는 듯했다. 숨소리조차 죽이고 그들이 지나가기를 기다리는데 요란한 포성이 울렸다.

"적군이다! 다들 위치로!"

고성과 함께 이어지는 대응 포격이 천지를 갈라놓듯 크게 울렸다.

"깽!"

폭음에 그만 놀란 푸딩이 짖어 버리고 말았다.

"이 근처에서 난 소리다! 이 일대를 정밀하게 수색하라!"

누군가의 외침 너머 티베리의 고함 소리가 들렸다.

"폐쇄된 하수구를 찾아라! 놈들은 하수구를 이용해 도망치고 있다! 이 근처에도 입구를 막아 둔 옛 하수구가 있을 것이다!"

벨라의 심장이 철렁 내려앉았다.

"여기 입구가 하나 있습니다!"

플란네르 군인의 말에 출구 쪽이 발각되었음을 깨닫고 재빨리 뒷걸음질 쳐 처음 들어왔던 쪽으로 기어 나갔다.

총성까지는 당황해도 그럭저럭 적응하던 푸딩이었다. 그리젤리에서 사격을 배웠기에 푸딩에게 총성은 익숙했을지언정 포성은 공포 그 자체였던 모양이었다.

밤의 어둠 사이, 항구로 다가오는 페로하트의 정예병들을 엄호하기 위해 먼 거리서 까맣게 위장한 페로하트의 함선에서 인정사정없이 포를 쏘아 댔다. 그때마다 당황한 푸딩이 헛짖기 시작했다. 푸딩의 입을 틀어막고 목을 끌어안아 보았으나 이미 늦었다.

"저쪽이다!"

하수구에서 나오는 도중 이미 적들에게 위치가 발각되고 말았다. 이제는 다 틀린 건가 하는 불길한 생각이 먼저 머릿속을 스쳐 갔다.

"쏘지 마라! 생포해야 한다!"

누군가가 외치는 소리에 벨라는 정신이 번쩍 들었다. 아직 인질로서 가치가 남아 있다는 생각에 필사의 힘을 다해 뛰었다.

하수도가 연결된 길로 뛰지 못하고 다만 항구에서 방파제로 향하는 길의 거대한 벽 쪽으로 도망쳤다. 그쪽에는 바다로 향해 하수가 쏟아지는 통로가 있었다.

몰이사냥 당하는 토끼처럼 그저 뛰는 수밖에 없었다. 생포

하라는 조건이 없었다면 이미 총 맞아 죽었을 상황이었다.

항구 반대편 쪽은 한창 지원 포격과 함께 페로하트군이 공략 중이었고, 벤자민이 약속해 둔 배가 있는 방향이 느슨해진 것이 다행이었다.

루카스와 푸딩은 앞장서서 바다로 연결된 하수관을 향해 달렸고 칼리아스는 뒤따라오는 플란네르 병사들을 처치하며 벨라에게 소리쳤다.

"내 뒤로 바짝 붙어! 지켜 줄 테니!"

돌아보니 벨라는 그 가녀린 팔뚝으로 적에게서 탈취한 소총을 쏘아 대다가 총알이 떨어지자 소총의 개머리판을 흉기 삼아 닥치는 대로 병사들을 때려눕히는 중이었다. 한 번 휙 휘두를 때마다 무지막지한 괴력으로 적이 퍽퍽 날아갔다.

칼리아스는 입을 굳게 다물고 묵묵히 뒤따르는 적을 처치한 후 루카스의 뒤를 따라 항구 밖으로 향하는 하수도 구멍으로 달아났다. 이제 살 수 있겠다는 생각이 들었다.

철컥.

벨라는 구멍을 빠져나가자마자 자신의 머리에 겨누어지는 차가운 총구의 느낌에 멈춰 섰다.

"레이디 벨라, 기다리고 있었습니다."

티베리의 목소리였다.

"저의 사랑을 이렇게 배신하는 겁니까?"

티베리는 웃고 있었지만 눈은 어둠 속에서도 분노로 형형하게 빛나고 있었다.

"자, 이만 돌아가시죠, 철부지 황태자 전하."

벤자민의 배가 숨겨진 바위섬이 바로 눈앞인데 여기서 붙들리다니 더 빨리 달아나지 못했음이 한스러웠다. 이대로 다시 끌려가나 싶은 순간 벨라는 어깨로 힘껏 칼리아스를 밀었다.

"달아나요, 전하!"

칼리아스는 당황해서 뒤를 돌아보았다.

벨라가 티베리의 총을 손바닥으로 막으며 소리쳤다.

"전하만이라도 살아남으세요! 어서요!"

칼리아스의 눈이 커졌다. 벨라는 그런 그를 향해 필사적으로 외쳤다.

"뒤돌아보지 말고 달아나요! 조금만 더 버티면 구하러 올 겁니다! 그때까지 살아남으세요!"

망설이는 칼리아스의 고막을 벨라의 외침이 때렸다.

"희생을 헛되게 하지 마요! 세상을 바꾸세요!"

그 말에 이를 악물 수밖에 없었다.

탕! 하는 날카로운 총성이 울렸다. 티베리가 방아쇠를 당긴 거였다.

그 순간 칼리아스의 눈에 보인 것은, 방금 전까지 포성에 놀라 꼬리를 말고 깽깽거리던 푸딩이 죽을힘을 다해 티베리의 팔을 무는 광경이었다. 벨라를 기절시킬 요량으로 벨라의 뒷머리를 내려치려는 순간 제 주인을 때리지 못하게 망설임 없이 덤벼들었다.

"손 들어!"

벨라는 큰 소리로 외쳤다. 티베리의 목에 총신이 파묻히도록 벨라는 힘주어 그를 겨누었다.

"이런!"

"총 내려놔! 그렇지 않으면 당장 쏘겠다!"

벨라의 명령에 티베리는 들고 있던 총을 바닥에 떨구고 두 손을 들었다.

"이제부터 당신이 우리의 인질이다."

벨라의 카랑카랑한 말에 티베리는 체념한 듯 훗 하고 웃더니 별안간 뒤돌아 벨라를 제압하려 했다. 푸딩이 피 묻은 입으로 다시 사납게 티베리를 물었다. 어찌나 흥분했는지 지금까지 보지 못한 공격성으로 맹렬하게 티베리를 몰아세웠다.

거세게 발에 차이는 순간에도 푸딩은 티베리를 물어뜯는 것이 먼저였다. 티베리는 총과 개 때문에 더 이상 반항할 수가 없었다.

"이자를 살리고 싶다면 우리를 보내라!"

벨라는 티베리의 등을 총구로 떠밀며 앞으로 전진했다. 플란네르의 병사들은 티베리의 안전 때문에 섣부르게 나서지 못했고 그 상태로 한 발짝씩 서로 뒷걸음질과 전진을 반복하며 바위섬까지 다다랐다.

발아래로 바닷물이 밀려들었다. 밀물이 시작되고 있었다. 이 바위섬 근방은 밀물에 의해 금방 깊게 잠길 거였다.

바위섬 주변에 숨겨져 있던 작은 배의 문이 열리며 벤자민이 손을 저었다.

"바닷물에 잠기기 전에 빨리 배로 옮겨 타십시오!"

루카스는 벨라를 대신해 티베리를 겨눴다.

"전하, 아가씨, 먼저 배에 오르십시오. 저도 곧 오르겠습니다."

벨라는 루카스 먼저 오르라고 떠밀었다. 하지만 그의 성격상 내뱉은 말대로 꿈쩍도 하지 않을 것이 뻔했다.

철컥!

방아쇠 겨누는 소리가 배 위에서 났다.

"그 총 버려!"

배 안에 숨어 있던 플란네르 군인들이 칼리아스를 향해 총을 겨누었다. 칼리아스가 두 팔을 벌린 채 손을 들자 다른 군인이 칼리아스의 몸을 수색해 무기를 배 밖으로 던져 버렸다.

그 순간에도 발밑으로 밀물이 재빠르게 차오르고 있었다. 순간 칼리아스는 손바닥에서 불기둥을 검처럼 뽑아내었다. 적들이 놀라기도 전에 칼리아스는 그 불의 검으로 단숨에 군인들을 베어 내고 벤자민을 제압했다.

머리만 잘 굴렸지 이런 상황에 닥치자 벤자민은 칼리아스의 적수가 되지 못했다. 칼리아스는 벤자민의 머리카락을 움켜쥐고 불의 검으로 벤자민을 겨누었다.

"벨라, 루카스, 빨리 배 위로 올라와!"

칼리아스의 외침에 벨라는 티베리의 정강이를 발로 찼다.

"빨리 움직여!"

인질이 된 티베리가 배에 오르려 하자 플란네르의 군인들이 일제히 사격을 가했다. 그러나 불 뿜는 총구의 방향이 사방으로 흐트러졌다. 푸딩이 미친 듯이 날뛰어 군인들에게 달려들었다.

"푸딩! 안 돼!"

벨라가 비명을 지르는 사이 티베리가 벨라에게 덤비려다가 루카스에 의해 다시 순순히 손을 들었다.

"아가씨, 배에 빨리 오르십시오!"

"푸딩이……!"

"목숨을 걸고 번 시간을 헛되게 하지 마십시오!"

루카스는 벨라를 떠밀었다. 벨라는 엉겁결에 배 위에 올랐다. 벨라가 다급하게 배 위로 오르자 방해물을 제거한 총구들이 배 위를 겨누었다.

벨라는 칼리아스를 따라 배 안으로 간신히 몸을 숨겼다. 바닷물은 성인 가슴께까지 차올랐고 플란네르 군인들은 물에 빠져 죽기 전에 달아나든지 배 위로 따라 오르든지 둘 중 하나를 택해야 했다. 그러나 벨라 일행이 쏘는 총에 배 위로 오를 수는 없었다.

탈취해 둔 총알을 장전하며 한 발 한 발 경고 사격을 하는 벨라의 눈에서 눈물이 줄줄 흘러내렸다.

바닷물에 둥둥 뜬 푸딩의 몸은 미동조차 없었다. 벨라는 이를 악물고 배에 들러붙는 병사들에게 경고 사격을 하고 또 했다. 그러면서도 쉴 새 없이 눈에 눈물이 가득 차고 또 가득 차올랐다. 푸딩과 함께했던 수많은 좋았던 기억들이 머릿속에 마구 쏟아져 내렸다.

작은 강아지 때부터, 함께 정원에서 평화로이 원반던지기를 하며 뛰놀던 순간도, 슬퍼서 이불 뒤집어쓰고 울 때 벨라의 뺨을 핥고 또 핥아 주던 모습도, 기어코 하수구를 드나들며 더러워진 몰골로 좋다고 꼬리 치며 신발을 물어다 주던 기억도 눈물에 섞여 흘러내렸다.

지켜 주고 싶은 존재였다. 가장 작고 약한 존재라고 여겼던 푸딩이 그 누구보다도 강하게 몸을 던져 주인을 구했다. 말 못 하는 미물이라 아껴 주는 것은 자신이라 생각했는데 오히려 자신은 푸딩에게 목숨 빚을 져 버렸다. 벨라는 쉴 새 없이 울면서 반사적으로 총을 쏴 댔다.

소중한 친구를 차디찬 바다에서 건져 내 줄 여력이 없었다. 바닷물이 거세진 바람에 출렁이기 시작하자 배는 파도에 이리저리 기우뚱거렸다.

"이럴 때가 아닙니다. 바닷물이 들어차면 군함이 따라올 겁니다."

루카스는 배를 출발시켰다.

"버틀러 경, 배도 몰 줄 아는가?"

칼리아스의 말에 루카스가 대답했다.

"모릅니다."

"뭐야? 그럼 어떻게 하겠다는 건가?"

기겁하는 칼리아스에게 루카스는 침착하게 말했다.

"뭐든 할 수 있는 것을 찾아보면 됩니다."

항구 반대편에서 이어지던 포격이 갑자기 그들이 탄 배 방향으로 향했다.

거대한 폭발음이 배 근처에서 나며 바닷물이 하늘 높이

치솟았다. 그 바람에 배가 심하게 기우뚱거렸다.

"갑자기 포격 방향이 바뀌었나? 이쪽을 쏘면 어떻게 하란 건가?"

칼리아스가 소리치자 대답이라도 하듯 주변에 포탄이 마구 떨어졌다.

"미쳤군! 쏘던 데나 쏠 것이지!"

칼리아스의 말에 티베리가 비웃듯 말했다.

"이건 플란네르의 포격이다."

벨라는 깜짝 놀라 말했다.

"당신을 인질로 잡았다는 사실을 지금쯤이면 그쪽에서도 알 텐데 이런 짓을?"

그 말에 티베리는 호탕하게 웃었다.

"각하는 내가 인질이든 아니든 상관없다. 눈에는 눈, 이에는 이. 황태자를 죽일 수 있다면 나도 함께 죽어도 신경 쓰지 않으실 분이다."

"자식인데 그래도 어떻게 그러죠?"

벨라의 말에 티베리는 씨익 웃었다.

"원래 그런 분이시거든. 후계자의 조건도 '나를 죽일 수 있는 자에게 내 후계자를 맡기겠다.'라는 분이니 이쯤이야 당연한 것인지도."

"티베리가 죽든 말든 상관없다는 말이에요? 부모 자식은 천륜이잖아요!"

벨라의 말에 티베리가 재밌다는 듯 대답했다.

"그럴 분이면 애초에 독신을 고수하지 않았겠지. 어차피 그분에게 자식이란 남과 크게 다르지 않다. 살아남는 자만이 선택받을 자격이 있다고 여기거든."

배는 더욱 심하게 기우뚱거렸다. 포격 탓만은 아닌 듯했다. 점점 바다가 거칠어지는 것이 배가 널뛰듯 높이 솟았다가 내려앉기를 반복했다.

폭음과 함께 순간 배가 격하게 흔들렸다. 배의 후미에 정통으로 포탄을 맞았다.

"침몰하기 전에 바다로 뛰어드십시오!"

루카스가 외쳤다. 배가 기울어 버리는 것은 순식간이었다. 그 와중에도 포탄 하나가 배의 정중앙으로 날아들었다. 그 충격으로 벨라는 부서진 배의 파편과 함께 바다로 튕겨져 나갔다.

벨라는 수영을 할 줄 몰랐다.

차디찬 바다로 내동댕이쳐졌다. 필사적으로 팔다리를 휘저어 보았으나 몸은 떠오르지 않았다.

비명을 지르고 싶었으나 입 안 가득 들어 있던 공기가 일순간에 빠져나가며 대신 입 안으로 바닷물이 한꺼번에 밀려들었다.

숨 쉬고 싶었다.

그러나 맵고 따갑고 쓰디쓴 바닷물이 기관지로 넘어왔다. 본능적으로 기침을 했다. 그리고 더 많은 물이 폐 속으로 빨려 들어왔다.

살고 싶어서 몸부림을 쳤다.

발이 바닥에 닿지 않았다. 바다는 시리고도 검었다. 모든 소리가 마비되듯 사라지고 거대한 물의 압력이 온몸을 죄어왔다. 다시 또 맛보는 죽음이었다.

다시 눈 떠 보니 열네 살인 기적이라도 일어나기를 처절하게 바랐다. 그러나 이전보다 더한 고통과 공포만이 벨라를 아래로 끝없이 잡아당기고 있었다.

안녕!

벨라는 눈물을 흘렸다. 바닷물에 뒤섞여 어느 것이 벨라의 눈물인지 아무도 알 수 없었다.

'내가 저지른 일들을 모두 내 손으로 수습하고 싶었는데……. 열심히 살았는데…….'

그녀의 삶은 여기까지가 다였다. 모두를 다 구하지도 못하고, 아무것도 끝까지 완성하지 못한 채 결국은 다시 죽음 앞에 서게 된 자신이 후회스러웠다.

'어떻게 다시 얻었던 기회인데…….'

벨라의 가슴에 죽음보다 더한 회한이 밀려왔다.

더 잘하고 싶었다. 최선을 다했다고 생각했다. 그래도 한참 모자랐다. 나란 사람은 결국 능력이 이게 다였구나 하는 생각에 고통스러웠다.

허무의 바다. 생각할 수 있는 가장 짙은 어둠보다 더 진한 심해가 가까이 다가와 아가리를 벌리고 있었다.

순간 커다란 손이 벨라를 잡아당겼다. 벨라는 감았던 눈을 번쩍 떴다. 그녀를 바다 위로 당기는 손. 그것은 루카스였다.

살고 싶었다.

루카스의 손이 닿자마자 미치도록 살고 싶었다.

루카스 날 구해 줘. 날 살려 줘.

벨라는 필사적으로 그 구원의 손길에 매달렸다. 필사적으로 매달리는 벨라 때문에 순간 루카스도 휘청거리며 바닷속으로 함께 가라앉나 싶었다. 그러나 의식은 거기까지였다.

11. 표류

11. 표류

느릿하게 눈을 떴다가 다시 감았다. 그리고 화들짝 놀라 몸을 일으켰다. 비교적 널찍한 배의 잔해를 뗏목 삼아 끝없는 망망대해 위에 떠 있다는 사실을 깨달았다. 벨라는 황급히 주변을 둘러보았다.

"정신이 들었나?"

칼리아스가 제일 먼저 눈에 띄었다. 가슴 철렁한 기분에 벨라는 고개를 돌렸다. 그리고 루카스의 뒤통수를 발견하고는 안도의 숨을 내쉬었다. 그리고 그 곁에 두 손이 묶인 티베리가 보였다.

"루카스!"

벨라의 첫마디가 루카스이자 칼리아스는 쩝 하고 입맛을 다셨다.

"깨어나셨습니까, 아가씨?"

그의 단정한 목소리에 벨라는 눈물이 왈칵 치솟았다. 루카스의 말에 대답해야 하는데 울음부터 나왔다.

성년이 지났어도, 회귀를 했어도 여전히 자신은 어린아이인 것만 같았다. 방금 전까지 겪었던 것 같은 생생한 죽음의 공포에 벨라는 저도 모르게 몸을 떨었다. 그렇게 고생을 하고, 자신을 단련시켜도 천성을 나약하게 타고난 것인지 의지와 상관없이 눈물만 펑펑 터져 나올 뿐이었다.

울지 않으려고 벨라는 입술을 깨물고 심호흡을 하며 가슴을 진정시켰다. 울보에 호구 집안 계승자답게 눈물 많은 자신이 정말 싫었다.

벨라는 의지를 거슬러 기어코 흐르는 눈물을 간신히 멈추고는 또박또박 말하려고 애썼다.

"루카스, 날 구해 줘서 고마워요."

"당연한 일입니다."

루카스는 뒤도 돌아보지 않고 무덤덤하게 대답했다. 그러더니 무언가를 낚아 올렸다. 제법 작지 않은 크기의 물고기가 뗏목 위에 던져졌다.

"아르티드가의 집사는 낚시도 잘하나?"

칼리아스의 말에 루카스가 여전히 등 돌린 채 대답했다.

"처음 낚아 봅니다."

밀려오는 극심한 두통에 벨라는 손으로 머리를 짚었다. 손에 두툼한 천이 잡혔다. 깜짝 놀라 이리저리 만져 보니 붕대가 감겨 있었다.

"이게 뭐죠? 다친 건가요?"

“배가 침몰할 때 잔해에 부딪혀서 찢어졌다. 깊지는 않은데 부위가 조금 넓었어. 흉터 조심하라.”

칼리아스는 벨라를 보며 말했다. 고개를 들어 칼리아스를 자세히 바라보니 그도 여기저기 긁히고 다친 흔적이 역력했다.

“전하? 전하도 다치셨나요?”

칼리아스는 자신의 뺨에 가로로 스친 상처를 손으로 더듬었다.

“보시다시피. 집중 포격을 당했는데 멀쩡하면 더 이상한 것이겠지.”

칼리아스는 그 위급한 상황에서 자신이 불의 방패를 시전해 냈다는 것이 자랑스러웠다. 다 한꺼번에 그 자리서 폭사할 뻔했는데 자신의 능력 덕에 모두가 살아남았다는 것을 강조하고 싶었다.

그런데 본인의 입으로 직접 하면 왠지 자화자찬 같아서 슬그머니 주변을 돌아보았다. 그가 만들어 낸 기적의 순간을 루카스가 덧붙여 말해 주기를 바랐다. 하지만 루카스는 낚시에만 열중이었다.

“집중 포격? 우리 집중 포격 당했어요?”

벨라의 눈이 휘둥그레졌다.

티베리가 자신을 칭찬해 줄 리도 없고, 다른 이가 알아줄 것 같지도 않아서 칼리아스는 미간을 찡그리며 헛기침을 했다.

“로덴항에서 격전이 벌어졌는데 우리만 무사할 리가 없지 않나. 그 순간 내 힘으로 모두를 살린 것이다. 다들 내게 목숨을 빚졌다는 사실을 명심하라.”

여전히 아무도 대꾸가 없었다. 칼리아스는 누가 가르쳐 주지도 않았는데 화염으로 방패처럼 포탄을 막았다는 것을 벨라에게 강조하고 싶었다.

그런데 그 말을 들은 벨라는 멍하니 주변을 두리번거리더니 티베리 쪽으로 비틀비틀 걸어갔다. 그러더니 티베리의 모습을 보고 풀썩 주저앉아 흐느껴 울기 시작했다.

칼리아스의 눈썹이 깊게 찡그려졌다. 흐느끼는 소리가 점점 커지더니 벨라가 엎드려서 대성통곡하기 시작했다.

'티베리와 결혼할 뻔하더니만 그새 정분이라도 났나. 왜 이토록 슬퍼하는 건가?'

그 모습을 지켜보는 칼리아스의 입꼬리가 부들부들 떨렸다.

벨라가 죽을까 봐 스스로 생각해 보아도 기적이라 부를 수밖에 없는 능력을 발휘했다. 그렇게 그녀를 살려 놓았는데 감히 티베리를 보고 울다니.

칼리아스는 버럭 화를 내려고 입을 벙긋하려던 참이었다.

"푸딩……, 푸딩이 이제 내 곁에 없어요."

벨라가 그토록 슬퍼하는 것은, 심하게 물려 상처 입은 티베리의 모습 때문이 아니라, 이토록 필사적으로 티베리를 물어 가며 자신이 도망칠 시간을 벌어 준 푸딩의 죽음이 떠올라서였다.

벨라는 탈진하도록 울었다. 그리고 아무도 벨라를 달래주지 못했다. 그런 것은 누가 달래 준들 위로가 될 일이 아니었다.

정작 티베리는 아무 말 없이 먼 바다만 바라보았다.

칼리아스는 벨라를 어찌 달래야 할지 몰라 기다리다가 좀처럼 눈물을 멈출 것 같지 않자 도리어 큰소리를 쳤다.

"나도 슬프다. 하지만 지금 울어 봐야 무슨 소용 있는가? 인제 그만 털어 내라."

벨라는 눈물을 멈추지 않았다.

"명령한다. 그쳐라."

그런다고 멈출 수 있을 리가 없었다. 칼리아스는 오른쪽 발로 뗏목 위를 비비적거리다가 고개를 들고 한마디 했다.

"페로하트로 돌아가면 황실에서만 키우는 개를 한 마리 하사하겠다."

도무지 울음을 그치지 않는 벨라에게 참다못한 칼리아스는 콱 소리를 질렀다.

"그만 울라니까! 그깟 개 한 마리 때문에……!"

그와 동시에 벨라는 애써 참았던 흐느낌이 도로 팍 터졌다. 오히려 오열하고 우는 벨라 때문에 칼리아스는 당황했다.

"푸하하하!"

그때까지 듣고 있던 티베리가 그만 박장대소하고 말았다.

"그 입 다물라!"

칼리아스는 티베리에게 화를 버럭 냈다.

"두 사람, 연애했던 것은 맞습니까?"

티베리의 말에 칼리아스는 그를 매섭게 노려보았다.

"킄킄킄, 지금 웃을 상황이 아닌데 미치겠네. 열 살짜리 애들 대화 수준이 이것보다 낫겠습니다."

티베리는 한참을 키들거리다가 머리카락을 쓸어 넘겼다.

그러고는 칼리아스를 슬쩍 곁눈질로 바라보았다.

"레이디 벨라, 슬픈 건 이해하겠는데, 그 개 한 마리 때문에 이 지경이 된 쪽도 배려해 주시길."

티베리는 푸딩이 물어뜯은 흔적을 벨라에게 보였다.

"차라리 그 녀석이 부럽군요. 죽어서 레이디의 가슴에 아로새겨질 수나 있으니 말입니다. 어설프게 살아남은 저는 숨 쉬는 것조차 고통스럽습니다만."

티베리의 눈이 가늘어졌다.

"진심으로 사랑했던 여인이 전 애인과 짜고 친 판에 휘말려 들어 신세 망친 저로서는 그 대가가 가혹합니다. 두 분이 투덕대는 것조차 제게는 이중으로 상처가 됩니다."

칼리아스는 바로 티베리의 턱밑에 검의 형상을 한 불덩어리를 겨누며 싸늘하게 말했다.

"감히 네가 짜고 친 판 운운할 수 있는가? 닥쳐라. 너야말로 우리를 이 지경으로 몰아넣은 당사자다. 조용히 입 다물고 있지 않으면 베어 버린다."

티베리는 훗 하고 웃으며 입을 다물었다.

"조금만 쉬었다 하면 안 되겠습니까?"

벨라는 귀에 익은 목소리에 흠칫 놀라 뒤를 돌아보았다.

인상을 팍 구긴 벤자민이 식은땀을 뻘뻘 흘리며 노를 젓고 있었다.

티베리를 겨누었던 불덩어리는 바로 벤자민을 겨누었다.

"너도 닥치고 계속 저어라. 좋아서 널 살려 두는 게 아니다. 노라도 젓지 않으면 굳이 네놈을 살려 둘 필요도 없다."

칼리아스는 짜증이 가득한 목소리로 벤자민을 협박했다.
"벨라 아가씨."
벨라는 계속 울먹이고 있다가 루카스의 말에 고개를 들었다. 루카스는 계속 물고기를 낚아 올리며 벨라에게 말을 건넸다.
"계속 울면 탈수가 일어납니다. 여기는 바다 한복판입니다. 식수도 마땅치 않으니 눈물을 참으십시오. 푸딩의 희생이 헛되지 않게, 자신을 잘 관리하시는 것도 중요합니다. 힘내 주십시오. 그렇게 계속 울면 녀석도 편히 눈감지 못할 겁니다."
"으응……."
벨라는 눈물을 닦고 심호흡을 했다. 눈을 감고 바다에서 불어오는 바람을 느끼고 있노라니 다시금 푸딩이 떠올랐지만, 루카스의 말마따나 탈진해서 민폐를 끼치지 않기 위해 입술을 꼭 깨물었다.
한참 후에 눈을 떴을 때는 생선 굽는 냄새가 진하게 풍겨왔다.
"잘 겨냥하십시오."
루카스의 무표정한 얼굴이 보이고, 얼굴이 새빨개진 칼리아스가 씨근덕거리는 모습도 보였다.
"이 성스러운 불길을 생선 굽는 데 쓰다니!"
"구우라고 했지 태우라고 하지 않았습니다."
"쇠도 녹이는 뜨거운 불길인데 생선이 어찌 견디겠느냐! 자꾸 잔소리하면 날로 먹으라고 명령하겠다!"
"전하께서 드실 생선입니다. 숯 덩어리를 드시겠습니까?

날생선을 드시겠습니까?"

둘이서 진지하게 생선을 굽는데 어쩐지 만담하는 것 같은 모습을 보고 벨라는 그만 피식 웃고 말았다.

우여곡절 끝에 칼리아스는 생선 겉껍질만 새까맣게 태우고 속은 그럭저럭 먹을 만한 구이를 만들어 냈다. 거듭된 실패 속에 불 세기를 적당히 조절해 처음 성공한 것을 붙들고 뛸 듯 기뻐하다가 벨라와 시선이 마주치자 언제 그랬냐는 듯, 차갑게 표정을 굳히고는 말없이 쓱 내밀었다.

벨라는 눈을 동그랗게 뜨고 자신에게 내민 생선을 쳐다보았다.

"아."

칼리아스는 불타다 만 나무 꼬치가 신경 쓰였는지 품에서 작은 단도를 하나 꺼내 생선을 쿡 찍어서 주었다.

그녀가 눈만 깜빡이며 받지 않자 칼리아스는 버럭 했다.

"감히 내 팔이 혹사하게 놔둘 것이냐? 불경죄로 처벌하기 전에 받아라."

얼결에 벨라가 받아 들자 칼리아스는 귀까지 빨개진 채 고개를 돌렸다.

"식으면 맛없다. 먼저 먹어라."

그러고는 몇 개 더 굽더니 티베리와 벤자민에게는 건네주는 것도 아니고 패대기치듯 던져 주었다.

"인질이 죽으면 안 되니, 네놈들도 알아서 먹어! 아니다. 저놈은 감히 내게 날생선을 먹였겠다? 티베리 네놈은 생으로 먹어! 구운 것 이리 내놔!"

벨라는 탄 껍질을 벗겨 내고 생선구이를 조심스레 한 입 먹었다. 바다 생선이라 따로 간을 하지 않아도 짭짤했다. 목이 마른 것 같아서 고개를 들자 어느새 루카스가 물 한 잔을 내밀었다. 벨라는 눈이 휘둥그레져서 루카스를 쳐다보았다.

"루카스, 이 물 어디서 났어요?"

루카스는 대답 대신 뗏목 한편에 있는 양동이를 가리켰다. 양동이 위에는 루카스의 재킷이 덮여 있었고 그 위에는 금화 한 닢이 얹혀 있었다.

"응?"

그것이 무엇인지 몰라 벨라는 되물었다. 루카스는 벨라가 알아듣기 쉽게 설명해 주었다.

"양동이에는 바닷물이 담겨 있고 그 안에는 작은 양동이가 하나 더 있습니다. 바닷물을 끓여서 생긴 수증기가 제 옷에 맺혀 작은 양동이에 모이는 원리입니다. 마실 수 있는 물이니 안심하고 드십시오."

정말 그것은 마실 수 있는 물이었다. 벨라는 신기한 눈으로 주변을 둘러보았다.

뗏목 위에는 천을 잘게 찢어 그물처럼 얼키설키 엮어 드리운 탓에 땡볕을 피할 그늘막도 있었다. 바다가 잔잔하기만 한 것은 아니어서 이따금 파도가 뗏목 위로 덮쳐 왔으나 신기하게도 뗏목은 그 파도를 잘 견뎌 냈다.

"어떻게 뗏목이 파도에 멀쩡하지요?"

벨라의 말에 루카스는 차분히 말했다.

"해류를 따라 움직이는 것이어서, 파도의 방향이 일정합니다. 뗏목의 방향만 해류대로 저어 가면 나무 사이로 물이 빠지게 되어 있습니다. 노만 잘 저으면 됩니다."

벨라는 헐떡거리며 노를 젓고 있는 벤자민의 모습을 보았다. 뭔가 현실이 아닌 듯한 묘한 기분에 벨라는 루카스를 다시 쳐다보았다.

"루카스, 지금 우리 어디로 가는 거예요?"

"대충 짐작하기로는 아카이브 제도로 표류 중입니다. 식수를 얻기 위해 무역선들이 국적 불문하고 들르는 곳이니 그곳에서 페로하트의 무역선을 기다리면 될 듯합니다."

"그걸 루카스가 어떻게 알아요? 사방이 다 바다인데……."

벨라의 말에 루카스는 무표정한 얼굴로 말했다.

"항해 기본이 된다는 별자리를 참고해서, 태양광과 그림자의 각도를 종합해 대강의 위도와 경도를 측정해 보니 그쯤 됩니다. 마침 해류의 흐름도 일치하니 안심하셔도 됩니다."

벨라는 그저 눈만 깜빡거렸다.

"별자리? 각도? 측정? 뗏목에 관측기구를 실었어요?"

루카스는 여전히 표정 변화 없이 말을 이어 갔다.

"끈 하나와 막대 하나만 있으면 측정 기구 없이도 어느 정도 계산이 가능합니다."

벨라는 입을 헤에 하고 벌렸다.

"그걸 어떻게……?"

"모든 사물은 삼각형으로 계산 가능합니다. 기준이 되는 이 끈의 정확한 치수는 알 수 없지만, 세 변의 길이의 비가 3:4:5일 때, 길이가 5인 변과 마주 보는 각은 직각이라는 정의를 이용하면 직각을 얻을 수 있습니다. 그리고 그림자의 비율로 각도를……."

숫자 이야기가 나오자 흐리멍덩하게 빛을 잃어 가는 벨라의 눈동자를 보며 루카스는 뒷말을 삼켰다.

"……결론은, 기준 되는 천체가 있어서 간략하게나마 계산해 보았더니 그런 결론을 얻었습니다."

뭔지는 알 수 없지만, 벨라는 열심히 물개 박수를 치며 루카스를 추어올렸다.

"꺄아! 루카스 정말 최고야! 역시 루카스가 있어서 든든해요!"

벨라가 신나 하는 모습을 보자 묵묵히 생선구이를 베어 물던 칼리아스는 미간을 찡그렸다. 어쩐지 그녀의 찬사를 받아야 할 것은 자신인데 엉뚱한 사람에게 찬사를 보내는 것 같아서 기분이 살짝 묘했다.

"그 정도는 당연히 해야 집사지! 자랑은 아니지만 나도 대학에서 수학깨나 해서 원래 알고 있었다."

칼리아스는 신경 안 쓰는 척 볼멘 목소리로 한마디 하고는 쿨한 척 입에 든 것을 씹어 삼켰다. 그 모습을 보며 티베리가 다시 쿡쿡 웃었다.

"네놈은 왜 웃는 건가? 재수 없으니 그 입 다물라!"

칼리아스는 티베리에게 버럭 했다.

"큭큭큭. 죄송합니다. 제국의 태양이신 황태자 전하. 하지만 직접 겪어 보니 소문에서 듣던 바와는 다른 면모가 많으셔서 웃지 않을 수가 없었습니다."

"다른 면모?"

칼리아스는 눈썹을 살짝 찡그렸다.

"듣고 싶으십니까?"

티베리의 말에 칼리아스는 정색했다.

"듣고 싶지 않다. 닥쳐라."

보나 마나 좋은 말이 나오지 않을 것이 뻔했기에 칼리아스는 인상을 팍 구겼다.

항상 '신의 선택을 받은 자, 제국의 태양, 제국의 광명' 소리나 들으며 살아온 그였다. '황태자 전하께서도 인간적이시네요.' 이따위의 말을 듣는다면 이미지 관리에 실패한 것이나 다름없었다. 칼리아스는 초조한 듯 얼굴을 손바닥으로 쓸었다.

그간의 품위 구긴 행동들이 떠올랐다. 그러나 고민할 새도 없이 바닷물이 철썩하고 뺨에 튀자 칼리아스는 정신을 차리듯 고개를 털었다.

'이 모든 것은 황태자를 하지 않겠다고 뛰쳐나온 결과였으니 묵묵히 받아들이자.'

칼리아스는 어금니를 질끈 깨물었다.

벨라는 루카스를 바라보았다. 그의 재킷은 식수를 만들기 위해 양동이 위에 있고, 그의 조끼는 잘게 찢어 밧줄 대용품이 되었다. 그러나 여전히 정장 전체를 갖춰 차려입은 듯 그의 차림새는 반듯했고, 와이셔츠 소매를 단정히 접어 올려 언제든 바다 위 상황에 대처할 준비가 되어 있었다.

파도가 넘실거리고 있었다. 짙푸른 파도를 멍하니 바라보다가 문득 뗏목 아래를 바라본 벨라는 끝없이 검은 바다 밑바닥을 보고 아찔함을 느꼈다.

그것은 공포였다.

벨라는 순간 몸을 움츠리고 덜덜 떨었다. 발을 휘저어도 끝없이 아래로 추락해 내리던 순간의 그 검고 깊은 심해가 떠올랐다.

그랑블루 강에 뛰어들어 죽어 가던 순간은 처음이니 멋모르고 겪었다 하더라도, 심해로 떨어져 내리던 순간은 그 익사의 순간이 생생하게 기억나면서 두려움이 배가 되었다.

목과 등이 뻣뻣하게 굳는 듯한 충동을 느꼈다. 당장 검은 바다가 그 손길을 뻗어 그녀를 움켜쥐고 끝없는 나락으로 끌어내릴 것 같은 충동에 벨라의 얼굴이 하얗게 질렸다.

"아가씨, 정신 차리십시오!"

벨라는 숨도 쉴 수 없었다. 말도 나오지 않고 몸이 움직여지지도 않았다. 그저 사시나무 떨듯 몸을 떨며 몸을 웅크릴 뿐이었다.

"무슨 일이냐!"

놀란 칼리아스가 벌떡 일어났다.

"아가씨에게 공황 발작이 일어났습니다."

여기는 깊은 바닷속이 아니라는 것을 잘 알면서도 몸이 말을 듣지 않았다. 벨라는 눈을 크게 뜬 채 움직이려고 애썼지만 그럴수록 경련만 심해질 뿐이었다.

"아가씨를 따뜻하게!"

루카스는 당황한 칼리아스에게 벨라를 맡기고는 와이셔츠를 벗어 그녀의 몸을 감싸 주었다. 손과 발을 주물러 주고, 따뜻한 물을 마시게 해 준 덕에 경련은 점차 가라앉기 시작했다.

정신을 차리고 보니 루카스를 끌어안고 있었다. 아마도 그의 심장 소리에 진정된 모양이었다. 맨가슴에 직접 닿았으나 그 순간은 신경 쓸 겨를이 없었다.

그의 심장 소리를 듣고 있노라니 뜨거운 눈물이 눈가에 맺혔다. 그 어떤 절망의 순간에도, 이 소리를 듣고 있으면 안심할 수 있었다. 그가 살아서 곁에 있다. 그것만으로도 얼마나 큰 위안이 되는가.

이 넓은 세상에, 부모 없이 혼자 내던져졌어도 그의 품이 있었기에 아늑하고 따뜻할 수 있었다. 걸친 것이 와이셔츠뿐이어도 기꺼이 벗어 제 주인부터 감싸 주는 이를 그 어디서 다시 만날 수 있을 것인가.

쉴 새 없이 벨라의 손과 발을 주물러 주는 그의 손이 전해 주는 따뜻한 온기가 바닥으로 가라앉던 벨라의 손을 끌어올리던 그 순간을 떠올리게 했다.

그와 함께라면, 그 어떤 절망도 견뎌 낼 수 있을 것 같았다. 그가 자신을 절망하게 가만두지 않을 것 같았다.

루카스의 가슴에도 벨라의 얼굴에도 눈물이 뜨겁게 타고 흘렀다.

"이제 제정신이 드십니까?"

루카스의 나직한 음성이 바로 귓가에서 들렸다. 벨라는 대답 대신 고개만 연신 끄덕거렸다. 그러자마자 갑자기 휑하니 찬바람이 불었다. 루카스가 벌떡 일어나 자리를 피해 버렸기 때문이었다.

"정신이 드셨으니 이제 누워서 쉬십시오."

조금 더 기대어 있게 해 줘도 좋으련만, 주인이 정신 차리자마자 바로 선 긋고 일어나 버리는 그였다.

칼리아스는 어찌해야 할 줄 몰라 서성이고 있다가 루가스가 일어나자 무언가 기묘한 느낌에 벨라와 루카스를 번갈아 쳐다보았다. 벨라의 표정이 마치 조금 더 안아 달라는 듯 서운해하는 모습으로 보였다.

'기분 탓인가?'

뭔가 알 수 없지만, 기분이 묘하게 나빴다. 애절하게 루카스의 등 뒤를 쳐다보고 있는 벨라가 짜증 났다.

'이제 성년도 지났는데 어린아이도 아니고 아무리 집사라 해도 품에 안겨 있으면 되나? 품행에 대해 따끔하게 한마디 해야겠군. 설마 자주 안기는 것은 아니겠지?'

칼리아스는 벨라의 어깨에 걸친 와이셔츠를 홱 낚아채서 루카스에게 던졌다. 그러고는 부랴부랴 자신의 재킷을 벗어 벨라의 어깨에 걸쳐 주었다.

"이것이 더 따뜻하다."

진작 루카스보다 먼저 재킷을 벗어 주지 못한 자신의 미숙함에 툴툴거리며 칼리아스는 벨라의 어깨를 매만졌다.

화끈.

벨라의 어깨를 만지는데 왜 자신의 귀가 뜨거워지는지 모를 일이었다. 가냘픈 작은 어깨였다. 겁에 질린 작은 새처럼 가쁘게 뛰는 고동이 칼리아스의 손으로 전해지자마자 그는 깜짝 놀라 손을 떼었다.

벨라의 보랏빛 눈동자가 칼리아스와 마주쳤다. 칼리아스는 순간 자신이 무슨 말을 하려 했는지조차 머릿속에서 하얗게 지워졌다. 멍하니 벨라의 눈을 바라보고 있다가 파도에 뗏목이 출렁이자 정신을 차렸다. 그리고 벨라의 어깨에서 재킷이 흘러내리자 다시 고쳐 걸쳐 주기를 두어 번 반복하다가 짜증스러워하며 소매를 묶어 벨라의 목에 망토처럼 고정했다.

"풀면 반역이다!"

벨라는 그저 가만히 있었는데 느닷없이 버럭대는 칼리아스 때문에 눈이 동그래졌다.

"네?"

"그렇다면 그런 줄 알아라!"

아무도 뭐라 하지 않는데 칼리아스는 얼굴이 새빨개진 채 고개를 숙이더니, 뒤돌아서서 괜한 벤자민에게 소리쳤다.

"일해라! 죄수 놈아! 해류 흐름을 똑바로 타라! 뗏목으로 파도가 들이치지 않느냐! 당장 목을 쳐……."

"전하."

벨라가 그런 칼리아스를 불렀다. 그는 붉어진 얼굴로 쩔쩔매며 벨라를 간신히 쳐다보았다.

"무슨 일로 불렀나."

"제가 기절한 사이 무슨 일이 있었나요? 배가 포격으로 가라앉을 때부터 제가 깨어나기 전까지요. 왜 우리는 지금 표류하고 있는 건가요? 페로하트의 해군이 우리를 구조하러 오지 않았나요?"

벨라의 말에 칼리아스는 헛기침을 했다.

"격전이 벌어졌다."

칼리아스의 금빛 눈동자가 반짝였다.

"우리는 집중 포격을 받았고, 페로하트 해군이 구하러 오기 전에 우리가 탄 배는 침몰했다. 그리고 뒤를 쫓는 플란네르군과 그것을 가로막는 페로하트군 사이에서 교전이 벌어지면서 우리는 먼 바다로 밀려가 엉뚱한 해류를 탔지."

칼리아스는 그때를 떠올리자 스스로 가슴이 벅차올랐다. 다시 생각해도 뿌듯했다.

"아르티드 영애는 보지 못해서 믿기지 않을 것이다. 그 쏟아지는 포탄 속에서 내가 신성한 혈통의 힘을 발휘했다. 신화 속에나 존재하던 불의 방패를 재현해 모두를 지켰단 말이다. 밤바다에 비처럼 쏟아지는 포탄 속에 무사한 것은 오로지 우리뿐이었다."

칼리아스는 저도 모르게 어깨를 으쓱하며 기억을 더듬었다.

"내가 이 손으로 성력을 발휘해 이 모두를 보호하는 반원형 불덩어리를 만들어 냈다. 그 틈에 아르티드가의 집사가 재빨리 난파선 잔해들을 모아 하나씩 엮어 뗏목을 만들었다. 포격이 멈추고 난 후엔 이미 해류를 타고 우리가 망망대해로 떠내려온 후였지."

벨라는 루카스를 바라보았다. 루카스는 생존을 위한 여러 가지를 끊임없이 만들고 흘러가는 방향을 다시 계산하고 있었다. 벨라가 고개를 돌리자 칼리아스는 그녀가 티베리와 벤자민을 쳐다보는 줄 알고 말을 이어 갔다.

"왜 저 두 놈을 살려 두었느냐고 묻고 싶은가? 프로스트 영식은 페로하트로 돌아가 지은 죄만큼 벌 받게 하려고 살려 두었고, 티베리 저놈은 혹시라도 플란네르군이 뒤쫓아올 것을 대비해 살려 두었다."

칼리아스는 스스로 생각해도 자신이 멋있다 생각하며 말을 이었다.

"비록 마르쿠스가 버린 목숨이지만 저놈도 염치란 것이 있다면 깨달은 바가 있겠지. 나는 자비로운 황태자이니까, 마르쿠스와 똑같지 않다는 것을 널리 증명해 보이겠다. 돌아가면 당장 설욕전을 벌일 것이다."

그의 말에 벨라는 티베리를 바라보았다. 심하게 부상당한 티베리는 벨라와 눈이 마주치자 힘든 내색 없이 싱긋 미소를 지어 보였다.

"자비를 베풀어 주셔서 진심으로 감사드립니다, 전하."

티베리의 말에 칼리아스는 카랑카랑한 목소리로 대꾸했다.

"닥쳐라. 네놈에게 말하는 것을 허락한 적 없다. 네놈은 쭈욱 입 다물라."

비교적 순탄한 항해가 이어졌다. 지나가던 고깃배라도 하나 마주치길 바랐으나 가도 가도 수평선뿐, 그 흔한 섬 하나 보이지 않았다.

그래도 벨라는 루카스가 있어서 걱정되지 않았다. 다만 티베리의 상처가 깊어 벨라는 이따금 그가 걱정되었으나 그는 괜찮다 할 뿐 신음 한 번 입 밖에 내지 않았다.

뗏목보다 두세 배는 더 높은 파도가 때때로 뗏목 위를 덮쳤으나 매번 뗏목 사이로 물이 빠질 뿐 뗏목은 뒤집히지 않았다. 루카스의 설명을 들었으면서도 벨라는 그 광경을 신기한 듯 몇 번이고 구경했다.

루카스는 부지런히 움직여 물고기를 낚고, 그 물고기로 돌고래나 갈매기 따위도 잡았다. 그 깃털은 따로 모아 두었다가, 이름 모를 해초가 물에 떠내려오면 같이 엮어서 돛 대용품을 만들어 냈다.

돛이 달리자 뗏목은 더욱 빨리 움직였고, 벤자민은 얼굴이 노리끼리해지도록 노를 젓고 또 저었다. 그가 조금 쉬려고 하면 칼리아스는 가차 없이 그를 바다에 던졌다. 살고 싶으면 노를 끊임없이 저어야 했다.

식수를 만들기는 했으나 넉넉히 마시기에는 모자란 양이어서 소나기가 스쳐 갈 때 빗물을 모아 두었다.

순식간에 바다 전체를 뒤덮는 진한 해무를 만날 때도 있었고, 깜깜한 한밤중에 바다에 온통 야광으로 빛나는 물길을 만나기도 했다.

생전 처음 보는 물고기가 튀어 오르기도 했고, 상어가 홱 뛰어올라 그 물고기를 삼키는 장면도 보았다. 때로는 가오리 떼가 군무를 추며 물 위로 날아올랐다가 가라앉기를 반복하는 모습을 보기도 했다.

그렇게 얼마나 표류했는지 모를 즈음에 드디어 저 멀리 몇 개의 섬이 눈에 띄었다. 드디어 육지에 발 디딜 수 있다는 생각에 벨라는 뛸 듯 기뻐했다.

"꺅! 섬이다! 저기도 사람이 살고 있겠죠? 저기서 도움을 구할 수 있을까요?"

신나 하는 벨라에게 조용히 돛에 기대어 앉아 있던 티베리가 말했다.

"식인종이 반겨 줄지도?"

벨라는 깜짝 놀라 뒤를 돌아보았다.

"식인종? 정말요?"

벨라의 심각한 표정을 보며 티베리는 씨익 웃었다.

"농담입니다. 대충 여기가 어딘지 알 것 같군요, 레이디. 아카이브 제도는 아니고, 그 근처에 있는 무인도 중 하나인 듯합니다."

루카스와 시선이 마주치자 티베리는 눈웃음을 지었다.

"농담 아닙니다. 나름 생명의 은인들이신데, 저도 도와야 할 것 아닙니까?"

티베리의 말이 이어졌다.

"이 섬에는 아무도 오지 않으니, 교역선이라도 마주치려면 여기서 필요한 식수나 식량을 채워서 아카이브 제도로 가야 할 겁니다. 그래야 구조를 요청할 수 있습니다."

칼리아스가 티베리에게 물었다.

"식수나 식량이 있는 것은 어떻게 알지?"

"아카이브 제도로 가는 중에 해류 흐름을 잘못 타면 가는

마지막은 다정하게
III

D&C BOOKS

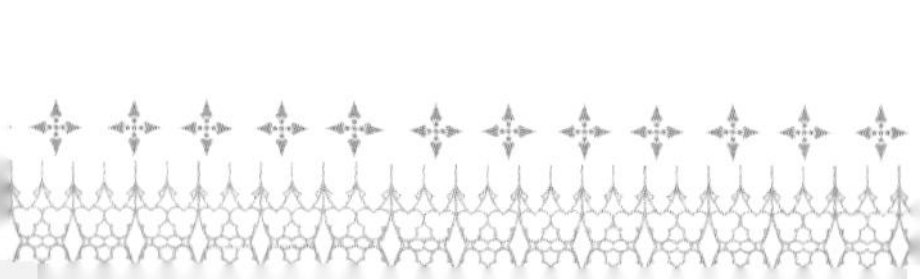

무인도가 있는데 식수와 식량은 구할 수 있다고 뱃사람들이 말하는 것을 들은 적이 있습니다."

티베리의 대답에 칼리아스는 눈썹을 찌푸렸다.

"앞뒤가 맞지 않는다. 식수나 식량이 있는데 왜 사람이 살지 않는 섬인가?"

티베리는 어깨를 으쓱하며 두 손을 펼쳐 보였다. 자신도 모르겠다는 표현이었다.

"물을 실컷 마실 수 있게 되면 그것만으로도 충분해요. 일단 섬에 가 봐요."

벨라의 말에 칼리아스는 다시 벤자민에게 버럭 소리를 질렀다.

"죄수 놈아! 노를 빨리 저어라!"

그 무인도에 제대로 닿기도 전에 왜 그 섬이 무인도인가를 깨달았다.

모기가 벌써 한두 마리씩 그들을 마중 나와 깨물어 대기 시작했다.

"으악! 이게 무엇이냐!"

칼리아스는 모기에게 뜯기다 못해 손바닥에서 검 형태의 불기둥을 끄집어내어 붕붕 휘둘렀다.

"나 참, 이 성스러운 불을 생선 굽고 모기 잡는 데 사용하다니!!"

루카스는 잘 모아 둔 배의 파편을 이용해 횃불을 만들어 칼리아스에게 건넸다.

"그 불을 사용하는 것은 전하의 체력을 쉽게 고갈시킵니다. 횃불을 쓰십시오."

벨라는 루카스가 건네는 횃불을 받아 들었다. 그리고 근처에 모기가 다가오면 횃불을 조심스레 휘둘렀다.

"꼭 거쳐서 가야 하는가? 뗏목을 돌려 바로 아카이브 제도로 가면 안 되는가?"

칼리아스는 고개를 저으며 얼굴을 향해 날아드는 모기를 떨어냈다.

"식수가 모자랍니다."

루카스의 말에 칼리아스는 미간을 찡그렸다.

"바닷물로 계속 식수를 만들면 되지 않나?"

"땔감이 부족합니다. 더 뜯어 쓸 나무가 없습니다. 성스러운 불로 물을 계속 끓이실 겁니까? 증류법으로 만든 물은 얻어지는 양에 비해 시간과 노력이 많이 필요합니다."

루카스의 말에 칼리아스는 쩝 하고 쓴 입맛을 다셨다. 아무래도 저 섬에 가는 것은 피할 수 없는 일 같았다.

순간 풍덩 하는 소리가 들렸다. 벨라는 그쪽을 쳐다보았다. 벤자민이 바다에 뛰어들어 헤엄쳐 달아나고 있었다.

"저…… 저 죄수 놈 뭐 하는 거지?"

칼리아스는 어처구니가 없다는 듯 벤자민을 쳐다보았다.

"곧 돌아올 겁니다."

루카스는 무표정한 얼굴로 대꾸했다.

"쫓아가 붙잡아야 하는 거 아니에요?"

벨라가 불안한 표정으로 주변을 살피자 아파서 찡그리고 있던 티베리마저 피식 웃었다.

"본인이 저지른 죄의 대가를 치르게 해야 하지 않나요?"

벨라의 말에 루카스가 대답했다.

"저 선택의 대가가 더 클 겁니다. 이럴 때일수록 동료가 더 필요합니다. 제 발로 돌아올 때까지 우리는 모기 퇴치할 방법이나 논의해 보도록 합시다."

벤자민은 죽을힘을 다해 헤엄쳤다. 도망칠 기회는 이번뿐인 듯했다. 아카이브 제도로 가면 페로하트 상선에 태워져 페로하트로 송환될 것이 불 보듯 뻔했다.

본래, 플란네르가 오르티우스 요새를 차지하기 전에 인광석 개발을 마칠 생각이었다. 그리고 비싼 값에 팔아먹고 손 떼려 했다. 꿈에서는 분명 인광석 광산 때문에 전쟁을 불사하는 상황이 닥쳤다. 전쟁 결과로 오르젠 평원이 누구 손에 들어가든 그 전에 이익을 챙기면 괜찮을 거라 생각했다.

괜히 오르젠 평원이 개발되지 못하고 방치된 것이 아니었다.

그 어느 곳보다도 이권이 첨예하게 갈려 있어서 알 박기 수준의 토지 분쟁이 일었다. 간신히 해결하니 또 다른 분쟁이 기다리고 있었다. 정작 인광석 광산은 개발하지도 못한 채 재산권과 행정적 문제로 고생만 하다가 디노르센 전투가 있을 시기가 점점 다가왔다.

'그저, 황태자만 죽이고 오르젠 평원은 내가 가질 작정이었건만…….'

꿈속에서는 벨라의 재산을 빼앗으면 클라라 황녀와 쉽게 결혼할 수 있는 것으로 되어 있었는데, 현실에서는 벨라에게 접근하는 것도 어려워 보였고, 도무지 꿈 같은 빈틈이 보이지 않아서 손써 볼 수가 없었다.

꿈에 보이는 모습이 현실과 가장 다른 사람은 벨라였다. 꿈에서는 수없이 저택을 탈출하고 자신에게 달려오는 것으로 되어 있었는데 그 수많은 시도의 날에 정작 만났던 장소로 가 보면 벨라는 그곳에 나오지 않았다.

그렇다면 다음 방법은 플란네르가 오르젠 평원을 빼앗지 못하게 교란 작전을 펼치고 오는 것. 자플란 남작이 플란네르로 간 이유를 꿈속에서 보아 알았으므로 그를 따라가 이번엔 티베리를 방해하려고 했다.

그를 방해하지 못하자 그러면 황태자만이라도 죽게 해 황제를 공황 상태에 몰아넣을 작정이었다.

그런데 황태자는 생각지도 못한 각성을 했다?

황태자가 전설의 불의 성검을 쓴다는 말은 지금껏 들어본 적이 없었다. 대체 무엇이 꿈이고 무엇이 현실인지 분간이 되지 않았다.

단지 한 가지 확실한 것은 행운의 여신은 이번엔 벤자민의 편을 들어주지 않았다는 것이고, 이대로 페로하트로 끌려가면 황태자가 직접 자신의 목을 치고도 남을 것이란 것은 빤했다.

그렇다면, 노라도 저으라고 포박하지 않은 지금, 바로 지금만이 달아날 절호의 기회였다.

그들이 쫓아올까 봐 죽자 사자 헤엄쳤다. 그리고 무인도의 해안가에 도착했다. 모기가 많다고는 하나, 풀을 태우면 나는 연기로 쫓을 수 있다는 것은 잘 알고 있었다.

벤자민은 비틀거리며 해안에서 수풀로 뛰어들며 마른 나뭇가지를 모아 불부터 피울 작정이었다.

불이 붙지 않는다.

품에 성냥이 있었으나 바다를 헤엄치느라 물에 젖어 죄다 못 쓰게 되어 있었다. 하는 수 없이 나무 막대기 두 개를 비벼 불을 붙여 보려 하였으나 한참 동안을 비벼도 연기조차 나지 않았다. 마찰시키다가 손에는 물집이 잔뜩 잡혔다.

이미 벤자민은 온몸이 모기한테 물어 뜯겨 마치 벌에 쏘인 사람처럼 퉁퉁 부어 있었다.

모기가 어찌나 많은지 이러다가 모든 피가 빨려서 죽을 것 같았다.

어쩐지 벨라의 재산을 뺏고 싶지는 않았다. 수없이 꿈속에서 반복된 그 일, 벨라를 속여 위임장을 받아 내던 그 순간.

처음 꿈꿀 때는 그녀가 속아 넘어가 전 재산을 그에게 넘기는 그 순간이 짜릿하고 흥분되었으나 반복된 장면을 다시 보고 또 보자 오히려 그녀의 보랏빛 눈동자가 가슴에 아로새겨졌다.

어쩐지 그 눈에 비친 자신의 모습이 비틀려 보여 그 잔상이 깨어나고서도 한참을 눈앞에 아른거렸다.

그러나 지금 이 순간, 이런 상황에 놓이니 꿈대로 하지 않은 자신에게 원망의 말을 내뱉게 되었다.

'내 코가 석 자인데 지금 누가 누굴 생각해? 원래 인간이란 지독하게 이기적인 존재야. 잠시 이런 기분이 드는 것은 마음이 약해진 틈을 타고 온갖 어두운 생각들이 비집고 들어와서다.'

벤자민은 고개를 흔들었다.

'정신 차려라. 너의 그 나약함 때문에 이제 페로하트에도 돌아가지도 못하고 클라라 황녀와 결혼할 일도 물 건너가 버렸다. 어디까지 더 밑바닥으로 추락할래?'

생각해 보니 우스웠다. 앞날을 어느 정도 알고 있다 해서 그 지식만으로 모든 화를 피해 갈 수는 없는 모양이었다. 잠시 자신이 모든 것을 다 알고 있는 초월자가 된 기분이었나 보다. 방심한 틈을 타 자신의 꿈과는 다른 방향으로 흘러가는 것에 경계를 게을리했던 모양이었다.

'두 번 다시 이런 만용을 부리지 않을 테다. 두고 보자.'

독하게 나뭇가지를 비비고 주변의 돌을 튀겨 간신히 불을 붙였다. 그리고 주변의 풀을 긁어모아 모기떼를 쫓는 모닥불을 피웠다. 그랬더니 모기가 한결 물러가 조금은 살 만해졌다. 이제 잠자리를 구하고, 식량이 될 만한 것을 구한 뒤

뗏목을 엮어서 홀로 탈출하면 되었다.

벤자민은 이를 으득 갈았다. 칼리아스에게 당한 수모가 뼈아팠다. 페로하트에 가면 즉시 목을 벤다고 호언장담하던 그였다. 죄수 놈 죄수 놈 하면서 쉴 새 없이 노를 젓게 하고 농땡이 부리지 말라며 바다에 던졌다.

황태자에게 속내를 들킨 순간 반역자의 낙인은 찍혀졌고 아마도 프로스트 백작가는 몰수형을 당할 게 뻔했다.

벤자민은 횃불을 들고 주변을 둘러보다가 주변에 새 둥지가 많은 것을 보고 생각했다.

'저 알을 몇 개 주워 식량으로 하면 되겠지.'

벤자민이 새 둥지 근처로 다가가자마자 갑자기 어미 새들이 둥지를 버리고 일제히 날아올랐다. 아마도 사람이 낯설어 경계하면서 달아난 것이겠거니 생각한 벤자민은 얼른 알을 몇 개 집었다.

퍽!

무언가 질척한 것이 벤자민의 숙인 등판에 떨어졌다. 고개를 들자 소나기처럼 하늘에서 퍼부어지는 질펀한 것들이 벤자민을 뒤덮었다. 거기까지는 약과였다. 하늘로 날아올랐던 수십 마리의 어미 새가 일제히 날카로운 화살처럼 벤자민을 향해 내리꽂혀 왔다.

"으아아악!"

새똥 범벅이 된 벤자민은 자신의 살을 뚫고 새 부리가 꽂힐까 봐 공포에 휩싸여 정신없이 달렸다. 그러나 성난 어미 새들은 집요하게 벤자민의 뒤를 쫓았다. 새를 피할 요량으로 벤자민은 바닷물에 뛰어들기 위해 방향을 틀었다.

그리고 곧바로 땅바닥과 키스를 했다. 눈이며 코며 모래가 잔뜩 묻은 채 벌떡 일어난 벤자민은 순간 누군가가 휘날린 싸대기에 고개가 뒤로 젖혀졌다.

엉겁결에 얻어맞은 뺨을 감싸 쥐고 따귀 맞은 방향을 쳐다보았다. 거기에는 물개들이 잔뜩 널브러져 있었다. 다들 게으른 표정으로 벤자민을 쳐다보는데 그중 가장 덩치 큰 한 마리의 물개가 벤자민을 뚫어지게 보고 있었다.

"날 때린 게 너냐?"

어처구니가 없어서 벤자민은 그 물개를 노려보았다. 순간 벤자민의 중요한 부분을 물개가 머리로 들이받았다. 혼신의 힘을 다한 일격 필살 박치기였다.

"아악!"

섬 전체를 울리는 쩌렁쩌렁한 비명 소리에 아직 뗏목 위에 있던 벨라가 고개를 들었다.

"괜찮을까?"

하도 처절한 비명이어서 벨라는 그 소리가 들린 방향을 물끄러미 바라보았다. 횃불을 든 루카스는 벨라의 손을 살포시 잡고 안전하게 모래사장에 내리도록 도우며 말했다.

"자처한 화입니다. 알아서 기어 돌아올 때까지 놔두십시오."

"그런가?"

벨라는 그나마 가졌던 관심을 날려 버리며 모래사장을 걸었다.

간신히 기어서 성난 물개를 피한 벤자민은 한동안 꼼짝도 하지 못하고 있었다. 제정신이 돌아와 몸을 일으켜 보니 모기들이 한창 그의 피로 잔치를 한 후였다.

모기가 문 곳 위에 또 문 것은 기본이고 손가락 사이, 손가락 마디, 눈두덩이, 입술까지 붙어 가렵고 쓰리고 따갑고 고통스럽기가 이루 말할 수가 없었다.

그러나 더 고통스러웠던 것은 처음부터 다시 나무를 비비고 주변의 돌을 튀겨 어렵사리 피운 불이 바람에 도로 꺼지는 일이었다. 세 번쯤 그리 삽질을 한 후에 간신히 다시 횃불을 밝힐 수가 있었다. 위를 올려다보니 보름달이 하늘 위에 두둥실 떠 있었다.

불만 피우다 공친 하루였다. 배에서 쪼르륵 소리가 울렸다. 잘 곳도 없고 먹을 것도 없자 슬슬 불안감이 밀려왔다. 무인도라 했지 맹수가 없는 섬이란 확신이 없으니 우거진 숲 안으로 들어갈 엄두가 나지 않았다.

바닷가에서 밀려오는 파도만 바라보며 바위에 걸터앉아 있는데 바다로부터 무언가가 기어 나오는 것이 보였다. 달빛에 비친 그 모습을 가까이 가서 보니 거북이였다. 거북이는 느릿느릿 기어 오더니 모래사장 한편에 구멍을 파고 알을 낳기 시작했다.

마침 식수도 구하지 못해 목까지 마르던 중이었다.

"마냥 죽으라는 법은 없구나!"

벤자민은 기뻐하며 입맛을 다셨다. 거북이를 잡아서 구워 먹고 알로는 목을 축이면 될 일이었다. 벤자민은 거북이 근처로 다가가 거북이가 알을 다 낳을 때까지 기다렸다.

그런데 얼마나 많은 알을 낳으려고 그러는지 낳고 낳고 또 낳는데도 여전히 다 낳을 기미가 없었다. 한참을 초조하게 기다리던 그는 인내심의 한계에 이르러 타는 듯한 갈증을 느끼고 어미 거북을 냅다 뒤집었다. 느닷없는 기습에 어미 거북은 속수무책으로 뒤집혀 다시 일어나려고 버둥거렸다.

벤자민은 급한 마음에 거북 알을 하나 꺼내어 껍질을 깨고 입으로 쪼옥 빨았다. 두세 개쯤 집어 먹었나. 무언가 따끔하니 아팠다. 거북이 발목을 깨물고 있었다! 다행히도 그가 신은 두꺼운 구두가 치명상을 입는 것을 막아 주었지만 거북이의 악력은 무시무시하여 금방이라도 구두를 아작내고 그의 발목까지 씹어 먹을 기세였다.

벤자민은 정신없이 다리를 흔들어 거북을 떨구려고 애썼다. 그러나 고집스레 벤자민의 다리를 깨문 거북은 꿈쩍도 하지 않았다. 작은 거북이라고 얕본 것이 화근이었다.

"어어어……?"

거북이 벤자민의 다리를 문 채 뒤로 기기 시작했다. 벤자민은 작은 거북의 괴력에 처음엔 웃었으나 어찌 된 것이 점점 더 강하게 잡아당기는 것 같았다. 벤자민은 저도 모르게 거북에 의해 한 걸음 딸려 갔다가 이내 다시 뒤로 버티며 끌려가지 않으려고 애썼다.

텁!

이게 웬일인가!

거북이는 한 마리가 아니었다.

벤자민은 발목을 물고 끌고 가는 거북이들에 의해 뒤로 벌렁 자빠졌다. 한두 마리일 때는 우스웠으나 여러 마리가 자빠진 그의 옷자락을 물고 끌자 사태의 심각성을 깨달았지만 이미 때는 늦었다.

"뭐…… 뭐지? 이놈들? 그깟 알 몇 개 훔쳐 먹었다고 지금 해코지하는 건가?"

풍덩.

거북이들은 벤자민을 바닷속으로 끌고 가려는 듯했다. 팔을 버둥거려 땅이라도 붙잡아 보려 했으나 손에 잡히는 것은 모래뿐, 차가운 바닷물에 그만 얼굴이 잠겨 버리고 말았다.

공포심에 벤자민은 몸을 버둥거리다가, 일단 한 번 물면 놓을 생각이 없는 거북이들을 떨구어 내지 못하고 필사적으로 옷을 벗기 시작했다. 죽기 싫으면 그 방법밖에 없었다. 이대로 죽는다는 생각에 벤자민은 단추를 쥐어뜯어 간신히 겉옷을 벗고, 구두도 간신히 벗었다.

사방이 칠흑 같은 어둠이어서 어디가 위고 어디가 아래인지 분간도 가지 않았다. 거북이들은 벤자민에게 다시 달려들어 물 듯한 기세였다가 순간 거센 물살과 함께 흩어졌다. 그와 동시에 벤자민의 몸을 스쳐 가는 까칠까칠하고 차가운 무엇! 얼추 짐작하기로도 사람보다 더 큰 물고기라면 번뜩 떠오르는 존재가 있었다.

여우를 피했더니 사자 목구멍이라 했던가.

혼비백산한 벤자민은 그저 살기 위해 죽을힘을 다해 헤엄쳤다. 중요한 것은 어디가 육지인지 방향조차 가늠되지 않는다는 것이었다. 공포에 젖어 달빛도 희미하게 느껴졌다. 본능적인 생존 본능으로 헤엄치고 또 헤엄치면서 그의 눈에 밝게 빛나는 무언가가 눈에 들어왔다.

그것은 벨라 일행이 야영하는 장소에 밝힌 횃불이 내는 빛이었다. 벤자민의 눈이 커졌다. 그쪽이 섬이란 사실이 떠올라 정신없이 그 방향을 향해 도망쳤다.

그리고 불빛에서 멀지 않은 모래사장에 간신히 다다라 탈진해 쓰러졌다. 죽을 것처럼 헐떡거리고 있는데 어디선가 맛있는 냄새가 풍겨 오고 있었다.

"와아! 코코넛 게의 맛은 어떤지 기대되는데요?"

벨라는 군침을 삼켰다.

"근처에 코코넛 나무가 많이 있어서 혹시 달밤에 나타나지 않을까 했는데 정말로 있었습니다. 많이 잡아 두었으니 실컷 드십시오."

루카스가 먹음직스럽게 코코넛 게를 구워 바나나 잎을 그릇 삼아 내놓았다. 그간 바다에서 잡은 생선으로 연명하기는 하였으나 이제 생선이라면 질릴 대로 질린 상태였다.

냄새를 맡자마자 위장이 난동을 부렸지만, 황태자 체면에 식탐을 부릴 수는 없었다. 나이프로 우아하게 껍데기를 벗기려니 먹는 데 백만 년쯤 걸릴 듯했다.

"이렇게 드셔 보세요."

벨라가 잘 까여진 코코넛 게 집게발을 내밀었다. 보아하니 돌과 돌 사이에 넣어 껍질을 쉽게 깨뜨려 깐 듯했다.

황태자는 이미 속으로 침을 질질 흘리고 있었으나 겉으로는 태연한 척, 조용히 받아 들고 한 입 베어 물었다. 그야말로 천상의 맛이었다. 코코넛 향이 적당히 풍기는, 보드랍고도 짭조름하고도 달달한 게살이 입에 넣자마자 살살 녹는 것 같았다.

본능에 이성이 점점 희미해져 갔다. 끝까지 황태자의 위엄을 지키려 하였으나 정신이 들고 보니 닥치는 대로 게살을 흡입한 후였다.

'헉……!'

눈앞의 게 껍데기만이 한때 이곳에 코코넛 게가 있었음을 알리고 있을 뿐이었다. 게걸스럽게 먹은 자신이 벨라에게 어떻게 비쳤을까 하는 생각에 칼리아스는 얼굴이 새빨갛게 달아올랐다.

벨라에게 멋진 모습만 보이고 싶었다. 언제나 차가운 이성을 가진 굳센 차기 군주의 이미지로 살아왔던 그는 본의 아니게 벨라에게 자신의 있는 그대로의 모습을 다 보여 버린 것이 창피해 죽을 것만 같았다. 벨라가 어찌 생각했을까 하는 생각에 칼리아스의 가슴이 불길하게 마구 뛰어 댔다.

항상 완벽함을 연기하고 살아왔다. 신의 은총으로 주어진 푸른 머리카락의 혈통을 지녔으니 모두에게 무언가 다른 존재로 비쳐야 했다. 그래서 숨 한 번 함부로 쉰 적 없었고 조금이라도 나태해질 여력이 없었다. 어차피 화목한 황가에 낀 이물질처럼 겉도는 존재였으니 국민의 사랑이라도 받아야 했다.

그런데 정작 그 국민 중 한 사람인 벨라 앞에서는 신성이고 뭐고 없이 자신의 못난 모습을 다 들킨 것 같아서 그는 속으로 절규하며 부르짖었다.

'나는 식탐에 쩔지 않았다아아!'

그런 칼리아스 앞에 다시 먹음직스럽게 구워진 코코넛 게가 잔뜩 놓였다.

"마음껏 드십시오. 게는 지천에 널렸습니다."

루카스가 무표정한 얼굴로 대답했다. 칼리아스는 이제라도 우아하게 황실 예법을 지켜 코코넛 게를 뜯자 하였다. 그리고 몇 입 베어 물자마자 다시 또 이성을 놓아 버렸다. 그만큼 코코넛 게가 맛있었다. 이런저런 게 요리란 게 요리는 다 먹어 봤던 칼리아스였지만, 인생 최고의 맛이라고 단언해도 좋을 순간이었다. 무슨 나무인지는 모르나 장작으로 쓴 나무 토막에서 나는 향이 게의 맛을 훌륭하게 돕고 있었다.

'아마도 훗날에 이 맛이 두고두고 생각나겠지.'

칼리아스는 슬슬 이성이 돌아오자 또 깊은 후회가 들었지만 생각을 달리했다.

'나중에 그리워할 맛이라면 지금 이 순간을 즐기자.'

벨라는 늘 지금 이 순간을 즐기자는 말을 입에 달고 살았다. 덕분에 그 생각이 전염이라도 된 것 같았다.

칼리아스는 하늘을 올려다보았다. 온통 깜깜한 밤하늘에 쏟아져 내릴 듯 무수한 별들이 빛나고 있었다. 몽환적인 느낌을 주는 그 아름다운 밤하늘과 입 안을 채우는 훌륭한 감칠맛과 이따금 들려오는 파도 소리가 어울려 운치 있게 느껴졌다.

"벨라……."

지금 이 순간을 그녀와 함께할 수 있다는 게 얼마나 멋진가.

칼리아스는 꿈꾸는 듯한 눈으로 벨라를 바라보았다.

그녀는 자리에 없었다.

칼리아스는 눈을 크게 뜨고 벌떡 일어났다.

루카스는 모기 퇴치용으로 찾아낸 풀과 나무껍질들을 장작불에 더 던져 넣었다. 연기가 자욱하게 일었지만 그래도 모기떼에 뜯기는 것보다는 훨씬 나았다. 재빨리 모기 퇴치 풀부터 찾아낸 덕에 그나마 무인도에서 여유롭게 야영할 수 있었다.

"이것도 바르십시오."

루카스는 코코넛 껍데기를 그릇 삼아 정체불명의 액체를 칼리아스에게 내밀었다. 냄새를 맡아 보니 시큼하니 포도주 냄새가 났다.

"이게 무엇인가?"

칼리아스의 말에 루카스는 공손히 대답했다.

"근처에 포도처럼 생긴 나무 열매가 있습니다만 아무도 따먹지 않아서 그런지 쌓이다 못해 자연 발효가 되어 돌 틈에 고인 물이 있었습니다. 아쉬우나마 알코올 대용으로 써 보았습니다. 모기 퇴치용 약초를 섞어 기피제 효과가 있습니다. 틈틈이 바르십시오."

칼리아스는 그 액체를 찍어 여기저기 꼼꼼히 바른 후 주변을 둘러보았다. 벨라가 근처 바나나 잎들을 모아 자리를 깔고 있었다.

"여기 누워요, 티베리."

칼리아스는 벨라가 뭐 하나 싶어 샐쭉해진 눈으로 뒤에서 지켜보았다.

"전하, 티베리가 잘 먹지 못하길래 가까이서 보니 열이 많이 나네요. 그래서 누워서 쉬는 게 좋을 것 같아서요."

"괜찮습니다. 레이디 벨라. 신경 쓰지 마십시오."

티베리는 말은 그렇게 하면서도 이미 병색이 완연했다.

"패혈증 같군요."

어느새 다가온 루카스가 티베리를 들여다보며 말했다.

칼리아스는 루카스에게 되물었다.

"그걸 어떻게 알지? 의사라도 되는가? 놈은 지금 꾀병을 부리는 것이다. 감히 나를 시해하려 했던 죄인에게 자비를 베풀지 마라."

칼리아스의 말에 루카스는 고개를 저었다.

"아르티드 후작님께서도 패혈증으로 생사의 고비를 넘긴 적이 있으셔서 압니다. 표류하느라 제때 상처 치료를 하지 못해 염증이 심해져서 그런 듯합니다. 빨리 제대로 처치하지 않으면 이자는 이대로 죽을 겁니다."

루카스의 말에 벨라는 미간을 찡그렸다.

"루카스, 그럼 어떻게 해요? 아빠는 어떻게 해서 패혈증의 고비를 넘겼죠?"

"그야, 그때는 주치의 피터 브라운 씨가 최선을 다해 치료했기 때문에……."

"프로폴리스!"

벨라는 순간 외쳤다.
"피터 브라운 씨는 프로폴리스를 썼어요!"
루카스는 벨라를 묵묵히 쳐다보더니 말했다.
"그건 어떻게 아셨습니까?"
"아빠 약에서 특이한 맛과 이상한 냄새가 났어요! 기억나요! 아빠의 약이 무슨 맛일지 궁금해서 찍어 먹어 보았더니 아빠가 웃으며 말해 줬던 기억이 나요! 그건 프로폴리스였어요! 상처 치료하려고 희석한 액체를 멋모르고 맛보고는 고생해 봐서 알아요!"
"프로폴리스 하나만 쓰인 것은 아닙니다. 피터 브라운 씨는 그 외에도 여러 가지 약재를 섞어서 쓰셨습니다."
루카스의 말에 벨라는 진지한 얼굴로 대답했다.
"여기는 꽃이며 열매가 있으니까 어딘가에 벌집이 있을 거예요. 다른 약재가 뭔지는 모르더라도, 프로폴리스만이라도 구해다가 티베리에게 써 보는 게 좋지 않겠어요?"
"녀석이 죽든 말든, 별로 중요하지 않다. 여기 이 섬에 놀러 온 것도 아니고, 벌집이 어디 있는지도 모른다."
칼리아스가 황급히 끼어들었다.
"잊었나? 아르티드 영애. 이놈은 감히 우리를 이용만 해먹고 버린 녀석이다. 우리는 놈을 위해 샬리드-아크란 간의 담합을 마르쿠스에게 알렸으나 놈은 나를 인질로, 그대를 신붓감으로 삼으려 했다."
생각할수록 분통이 터지는지 그의 눈이 이글이글 타올랐다.
"어차피 마르쿠스도 인질이 되느니 죽어 버리라고 포격해 우리가 난파해야만 했다. 딱히 플란네르에서도 이놈을 가치 있게 여길 것 같지도 않고 페로하트로 데려가 봤자 쓸모는 없지만, 분이라도 풀리게 사형에 처하려던 놈이다. 여기서 죽든 말든 상관없지 않은가?"

그는 미간을 찡그리며 고개를 돌렸다.

벨라는 누워서 끙끙 앓고 있는 티베리를 물끄러미 바라보았다. 여태 내색하지 않았으나 그는 오랫동안 참고 견뎌 왔던 모양이었다. 이제 체력이 한계에 이르러 병색을 숨길 수 없었다.

티베리 때문에 고생했던 지난날이 떠올랐다. 그가 그녀를 가두어 놓고 강제로 결혼하려고 한 것은 괘씸했으나 따지고 보면 벨라에게 따로 고생시킨 것은 없었다. 오히려 그녀의 환심을 얻고자 영화 관람이나 나들이를 자주 시켜 주었고 그녀의 투덜거림을 매번 들어 주었다.

이자 때문에 푸딩이 죽은 것을 생각하면 지금도 눈물이 날 것 같았다. 하지만 어린아이의 목을 비트는 것보다 더 쉽게 죽음의 운명에 맞닥뜨려진 그를 보자 벨라는 어쩐지 짠한 마음이 들었다.

한참 침묵 속에 티베리를 바라만 보던 벨라는 고개를 들었다.

"죽을 때 죽더라도, 지금 여기서 죽는 것은 아닌 것 같아요. 이 사람은 자기 아버지에게도 버려졌다고요. 이대로 우리가 손 놓아 버리면 정말로 여기서 죽어요. 방법이 없으면 모르겠는데, 도움이 될 것이 무엇인지 뻔히 알면서 돕지 않는 것은 제 마음이 어쩐지 허락하지 않아요."

벨라의 말에 칼리아스가 코웃음을 쳤다.

"벨라, 오지랖도 부릴 데서 부리는 거다! 이따위 죽어 마땅한 죄인에게 굳이 정성 들일 필요가 없다는 말이다!"

칼리아스의 말에 벨라는 천천히 고개를 저었다.

"전하, 우리가 뗏목을 타고 표류하긴 했지만, 그래도 무사히 여기까지 올 수 있었던 것은 여러 사람이 서로 협력했기 때문입니다. 아마 도와줄 손이 모자랐다면 엉뚱한 해류에 휘말려 다른 방향으로 떠내려갔을 수도 있고, 풍랑이 심할 때 뗏목이 뒤집힐 수도 있었어요. 그나마 분담할 수 있었기에 식수도 구하고 고기도 낚아 살아남았어요."

맞는 말이긴 해서 반박할 수가 없었다.

"고양이 손이라도 빌려야 하는 상황에서 한 사람이라도 더 살아 아카이브 제도로 가는 것이 중요해요. 죄는 잠시 뒤로 미뤄 두고, 우리 서로 협력해서 살아남을 것을 더 우선순위로 생각하기로 해요."

그녀의 눈이 반짝거렸다.

"아카이브 제도로 가려면 뗏목을 더 크게 만들어야 하고, 여러 명이 함께 노를 저어야 건너갈 수 있다고 알려 준 것도 티베리잖아요."

벨라의 말에 칼리아스는 불편한 기색을 내세우며 루카스에게 물었다.

"버틀러 경의 생각은 어떠한가? 저놈이 없어도 우리끼리 노 젓는 것으로도 충분하지 않을까?"

그러자 루카스가 대답했다.

"아가씨의 결정은 곧 저의 결정입니다. 저는 아가씨께서 그 어떤 결정을 내리시든 따를 준비가 되어 있습니다."

순간 뒤에서 목소리가 들려왔다.

"사…… 살려…… 주세요."

벤자민이 비틀거리며 걸어와 털썩 무릎을 꿇었다.

무릎을 꿇은 벤자민의 꼴이 가관이었다.

"도망쳐서 죄송합니다. 제발 자비를 베푸셔서 저를 다시 받아들여 주십시오. 크흑."

벤자민은 모든 자존심을 구기며 고개를 숙였다. 어떻게든 살아남아야 했다. 아무리 생각해 봐도 이 섬에서 그 혼자 생존할 방법이 없었다.

우선은 불 구하는 것부터 힘겨웠다. 불씨를 얻고자 하도 나뭇가지를 비벼 대는 통에 손바닥은 모두 허물이 벗겨졌다. 거북이에게서 도망치기 위해 옷을 벗어 버린 탓에 그는 속옷 차림에다가 맨살이란 맨살은 모두 모기에게 물어 뜯겨 퉁퉁 부어 괴로웠다. 게다가 그들에게 합류하지 않으면 당장에라도 굶어 죽을 것 같았다.

칼리아스가 뚱하니 쳐다보다가 제일 먼저 입을 뗐다.

"돌아오지 않아도 되는데 왜 왔지? 생각보다 너무 빨리 돌아와서 놀랍지도 않군."

칼리아스는 달이 기울어진 정도를 올려다보았다.

"최소한 하루 정도는 도망갔다가 받아 달라고 해야 하는 것 아닌가? 프로스트 영식은 자존심도 없나?"

벤자민은 수치스러워서 고개를 들 수 없었다. 자신도 이렇게 허무하게 돌아올 생각으로 도망친 것은 아니었다. 그저 페로하트로 돌아가 신세 망치느니 여기서 복수의 칼날을 갈며 다른 곳으로 달아나 힘을 기를 작정이었다. 그런데 받아들여 달라고 무릎 꿇고 애원하게 될 줄 누가 알았겠는가?

하루든 한 시간이든 도저히 혼자 힘으로 이 섬에서 버텨낼 수 없을 것 같았다.

칼리아스의 불이 필요했고, 루카스의 지식이 필요했다. 티베리의 항해 경험도 꼭 있어야만 했다.

도망칠 때 치더라도 아카이브 제도로 간 후에 할 것을 성급했던 탓에 이 치욕을 견뎌야만 했다.

"티베리?"

벨라는 티베리의 숨소리가 심상치 않게 들리자 그를 흔들어 보았다. 아직은 의식이 있어서 벨라의 목소리에 눈을 뜨고 희미하게 웃어 보였지만 온몸이 불덩어리처럼 끓고 있었다.

"루카스, 지체할 시간이 없겠어요! 이대로 티베리를 놔둘 수 없어요!"

벤자민은 무릎을 꿇은 채로 계속해서 모기에게 뜯기고 있었다. 그의 등에서 모기들이 신나게 만찬을 벌였다.

모기 기피제를 바른 이들에게는 모기가 덤벼들지 않고 오로지 벤자민에게 몰려들어 쪽쪽 빨아 댈 뿐이었다. 참다못한 벤자민이 자신의 허벅지에 내려앉은 모기들을 손바닥으로 찰싹 치자 그 자리에 피가 흥건히 배어 나왔다.

한시라도 빨리 그들에게 용서를 구하고 모기 기피제를 얻어야 하는데 그들은 지금 티베리에게 정신이 팔려 무릎 꿇은 벤자민은 보이지도 않는 듯했다.

"난 반대다! 이 녀석은 죗값을 치러야 한다!"

칼리아스가 버럭 소리 질렀다.

"이놈에게 당한 그간의 시간을 떠올리기만 해도 이미 이가 갈린다. 어차피 죽이려고 페로하트에 데려가는 것, 여기서 깔끔하게 죽도록 놔두지 그래! 녀석을 살리는 것을 불허한다!"

그러자 벨라는 칼리아스에게 지지 않겠다는 듯 눈을 치켜떴다.

"죽어 가는 사람을 보고 어떻게 그래요!"

"어차피 살려도 내가 직접 목을 칠 것이다! 쓸데없는 데에 시간 낭비하지 마라, 아르티드 영애!"

"저희 집안의 가훈이 포리나 영지 또는 아르티드가의 손길이 미치는 그 어디에서든 도움이 필요한 사람을 내치지 말라는 거예요! 그걸 뻔히 알면서 어떻게 그렇게 해요! 절대로 안 돼요!"

"이러니 그대의 집안이 오지랖 쩌는 호구 집안이란 놀림을 받는 것이다! 불허한다고 분명히 말했다!"

칼리아스는 이제 화를 냈다. 그의 눈은 빔을 내뿜을 듯 번쩍거렸다. 한밤중에 보니 괴기 영화 속 한 장면 같았다.

"레이디가 저를 위해 힘쓰는 모습을 보니 가슴이 두근거리는군요."

열에 들뜬 티베리가 간신히 입을 열었다.

"드디어 제게 반하신 겁니까."

그 와중에도 티베리는 눈웃음을 지으며 예의 버터 미소를 날렸다.

으웩…….

벨라는 아까 먹은 코코넛 게가 다시 살아나 식도를 넘어오는 것 같은 충동을 강렬하게 느꼈다.

그러나 여유를 부리는 티베리의 입가는 바르르 떨렸다. 열이 너무 오른 나머지 경련할 것 같았다.

벨라는 서둘러 바짓단을 찢어 물에 담가 그의 얼굴을 닦고 손발을 닦아 주었다. 그 모습에 티베리는 애써 미소를 지으며 말했다.

"아픈 것도 때론 좋군요. 이렇게 레이디의 손길을 직접 느낄 수 있다니."

뜨거워진 물수건을 다시 차가운 물에 담그던 벨라의 손이 부들 떨렸다. 그러나 티베리의 미소는 이내 사라졌다. 그는 농담할 여유가 없을 만치 목숨이 경각에 달려 있었다.

"의식을 잃으면 약마저도 쓸 수 없게 됩니다. 의식이 있을 때 빨리 벌집을 찾아보는 것이 좋겠습니다."

루카스의 말에 벨라는 고개를 끄덕였다. 루카스는 주의사항을 덧붙였다.

"아가씨, 제가 벌집을 찾아볼 테니 아가씨께서는 끊임없이 저자에게 말을 걸어 주어 의식을 잃지 않도록 해 주십시오."

벨라는 비장한 표정으로 고개를 끄덕였다.

"전하, 부디 아가씨의 결정을 허락해 주십시오."

루카스가 허리를 굽혀 정중히 인사하자 칼리아스도 더는 싫은 소리를 할 수 없었다.

루카스와 칼리아스는 횃불을 들고 급하게 뛰어갔다. 바닥만 보고 있던 벤자민은 찬바람에 고개를 들었다. 다들 자신에게 관심이 머리카락 한 올만큼도 없었다. 그는 그렇게 맨발에 속옷 하나 달랑 걸친 몸으로 무릎 꿇고 박제가 되어 있었다. 황당하다는 듯 고개를 들어 멀리 사라져 가는 횃불을 바라보는 그에게 벨라의 목소리가 귀청을 때렸다.

"뭐 해요? 벌집 찾는 것 돕지 않고?"

얼결에 그 말을 듣자마자 벤자민은 토끼처럼 자리를 박차고 일어나 뛰었다. 대체 자신이 왜 뛰는지 모르겠지만 왠지 그래야 할 것만 같았다.

정신이 흐려지려고 할 때마다 벨라는 티베리를 흔들어 깨웠다. 그리고 다시 말을 걸었다.

"잠들면 안 돼요. 잠들면 죽어요. 그래도 눈 뜨고 있어야 약이라도 삼키죠. 금방 올 거예요. 힘내요."

"어차피 페로하트로 끌고 가서 사형시킬 텐데 왜 저에게 이리 신경을 써 주시는 겁니까, 레이디?"

티베리는 이 순간에도 미소를 지으려고 애썼다. 그러자

벨라는 고개를 저었다.

“아프면 아프다고 소리 내어도 돼요. 약한 척해도 돼요. 아프니까 당연해요. 그런 것으로 자존심을 세우려고 하지 마요.”

티베리는 벨라의 손을 끌어당겼다. 벨라는 손을 빼지 않고 그가 하려는 대로 가만히 지켜보았다. 티베리는 벨라의 손을 가만히 자신의 뺨에 가져다 대었다.

“처음으로, 제가 손을 잡아도 거부하지 않으시는군요. 진작 아플 걸 그랬습니다.”

그가 입꼬리를 끌어 올렸다. 벨라의 손이 끌어당겨져 그의 뺨에 닿는 느낌마저 뜨겁고, 간신히 내뱉는 숨소리가 힘겹게 들렸다. 벨라는 걱정스러운 눈빛으로 말없이 그를 바라보았다.

문득 벨라는 과거 하데스 시절이 떠올랐다.

하데스로 팔려 온 지 얼마 되지 않아 심한 감기에 걸렸다. 난 이곳에 있을 존재가 아니라며 약도 먹을 것도 거부하고 고집을 부리다가 기어코 쓰러지고 말았다.

‘차라리 죽었으면…….’

그때의 마음은 그러했다. 하데스의 지배인이 벨라의 입에 억지로 약을 들이붓고 간 후에 이불을 뒤집어쓰고 흐느끼고 있는데 리체가 다가왔다.

‘저리 가! 필요 없어! 나를 내버려 둬!’

한참 동안 조용하기에 리체가 가 버린 줄 알았다. 그러나 눈을 떠 보니 리체는 걱정스러운 눈빛으로 그저 가만히 벨라의 곁에 앉아 있었다. 벨라는 등을 돌려 누우며 그녀의 접근을 허락지 않겠다는 듯 몸을 강하게 움츠렸다.

그러나 리체는 그 자리에 있었다. 벨라가 뒤돌아보았을 때 리체는 손을 뻗어 조용히 벨라의 얼굴을 쓰다듬어 주었다. 땀에 젖은 머리카락을 뒤로 넘겨 주고 이마를 짚어 보며 이따금 어루만져 주던 그 손길.

정말 고마웠다. 아무것도 하지 않아도 곁에 앉아 있어 주는 것만으로도 큰 위로가 되었다. 딱히 감기약을 제대로 먹지 않았는데도 힘이 나서 그 지독한 감기를 이겨 내었다.

벨라는 아마도 티베리가 자신의 손을 잡으면 싫어해서 손을 빼리라 생각했을 거라 추측했다. 끝까지 지고 싶지 않은 듯 괜찮은 척하는 그의 모습이 어쩐지 짠했다.

그래서 그가 자신의 손을 붙잡고 손등에 입맞춤하여도 가만히 지켜보았다. 그가 하고자 하는 대로 가만히 손을 내맡기는 벨라를 보며 그가 피식 웃었다.

"레이디는 제가 원망스럽지도 않습니까?"

힘겹게 숨을 내쉬며 티베리가 말했다.

"원망스럽죠. 당연히."

벨라는 천천히 입을 열었다.

"낫게 해 봤자 후회하실지 모릅니다. 순순히 죽어 주는 것은 제 성격상 맞지 않는 일이라서요, 레이디. 저를 살려 두면 저는 언젠가 반드시 레이디를 다시 납치하여 제멋대로 할 겁니다. 그래도 살리고 싶습니까?"

그 말을 하는 티베리의 초록빛 눈동자가 어둡게 빛났다. 그리고 그는 벨라의 손끝을 살짝 깨무는 시늉을 했다.

"저는 은혜 같은 거 잘 모릅니다. 흐……."

순간 티베리는 벨라의 손목을 세게 잡아당겼다. 무방비한 상태로 넘어간 벨라가 정신 차려 보니 티베리와 자신의 위치가 역전되어 있었다. 벨라는 자신의 머리 양옆으로 손을 짚고 내려다보는 티베리와 눈이 정면으로 마주쳤다. 그의 검고 긴 머리가 흘러내렸다. 벨라는 눈을 크게 뜨고 그를 올려다보았다.

"아무리 아파도 레이디 정도는 쉽게 제압할 수 있습니다만?"

그의 뜨겁고 힘겨운 입김이 벨라의 뺨을 간지럽혔다. 여유를 부리고 있지만 티베리의 미간은 찡그려져 있었고, 식은땀이 흐르는 것이 허세를 부리는 기색이 역력했다.

벨라는 일부러 눈가에 힘주어 그를 노려보며 말했다.

"코를 콱 들이받아 줄까요, 아니면 무릎으로 확 찍어 줄까요? 선택해요. 저도 병자 하나쯤은 우습게 뭉개 줄 수 있거든요?"

티베리는 그런 벨라의 눈동자를 빤히 바라보고 있다가 너털웃음을 터뜨리며 벨라의 옆에 다시 누웠다.

"레이디는 정말이지 이기지 못하겠습니다. 하하하."

벨라는 허리를 일으켜 그의 곁에 앉았다.

"허튼수작 부리지 마요. 아직도 당신의 손바닥 안에서 놀아나고 있다고 생각하면 오산입니다. 그만 헛된 생각만 하지 말고 당장 나아야 할 이 상황만 생각하세요."

티베리는 희미한 미소를 지으며 말했다.

"나아 봤자 뭐 합니까, 희망이란 게 없는데."

티베리는 힘겹게 숨을 들이쉬었다. 열이 다시 무섭게 오르기 시작했다. 그의 눈동자가 빛을 잃는 것을 보니 의식을 잃으려는 듯했다.

찰싹찰싹.

티베리는 간신히 정신을 다시 차렸다. 벨라가 물 묻은 손으로 그의 뺨을 마구 때리고 있었다.

"하아, 너무합니다, 레이디. 물 묻은 손으로 때리는 따귀는 찰진 소리만큼이나 맵군요."

티베리는 벨라의 손목을 꽉 쥐었다. 이대로 맞다가는 정말 죽을 거 같다는 위기의식이 그의 마지막 남은 힘을 모조리 끌어모으게 했다.

그러나 그것도 잠시, 티베리의 눈동자가 다시 빛을 잃어가고 있었다.

벨라는 손에 힘을 주어 그의 손을 뿌리치고 다시 따귀를 올려붙일 기세였다. 숨넘어갈 듯하던 티베리가 다시 벨라의 손목을 꽉 쥐었다.

"레이디, 제발, 뺨만 계속 때리지 마십시오. 따귀 맞다 죽은 최초의 사람이 되고 싶지 않습니다."

벨라는 눈에 힘을 주어 치켜뜨고 의식을 잃는 와중에도 자신의 손목을 꽉 쥔 티베리의 손을 뿌리쳤다. 그리고 어깨를 마구 흔들다가 다시 따귀를 인정사정없이 갈겨 댔다.

티베리는 본능적으로 생명의 위협을 느꼈다. 어찌나 옷자락을 쥐고 뒤흔드는지 옷에 목이 졸려서 숨이 막힐 것 같았다. 그래서 간신히 정신을 차렸다가 다시 정신을 잃으려고 하면 무자비한 벨라의 뺨 후려치기가 시작되었다.

"레이디 벨라, 혹시 저를 깨운다는 핑계로 바보 개의 복수를 하는 것은 아닙니까?"

뺨이 자신의 뺨이 아닌 듯 맞다 못해 퉁퉁 부어 무감각해졌다. 물기가 있든 물기가 없든 그녀의 손은 참으로 매웠다.

"벌집을 구해 왔습니다, 아가씨."

루카스의 목소리가 들리자 티베리는 감격의 눈물을 흘렸다. 이제 더 이상 뺨을 맞지 않아도 되었다.

나무를 베어 뗏목을 좀 더 크고 튼튼하게 고치는 작업이 이어졌다.

"여기서 아카이브 제도로 가는 길에 물살이 매우 센 곳이 있는데, 그곳을 넘어가느냐 마느냐가 관건입니다. 그곳을 넘어가려면 레이디 벨라 역시 힘을 모아 노를 저어야 합니다."

코코넛 껍질에 담긴 물약을 들이켜며 티베리가 말했다.

"본디 장정 여섯 명이 노를 저어야 건너가는 곳입니다. 다섯 명이 넘어가려면 상당한 요령이 필요합니다만."

티베리는 마지막 한 모금을 마시고는 미간을 찡그렸다.

정말이지 지독한 맛이었다. 그러나 이 약 덕에 살아날 수 있었으므로 불평할 수 없었다. 티베리는 턱이 얼얼한 듯 입을 벌렸다가 닫아 보았다. 그의 두 뺨은 피멍이 들어 보라색을 띠었다.

벨라는 나무껍질을 벗기다가 티베리를 보고 왠지 미안한 마음이 들어 눈치를 살폈다.

"얼마나 독하게 때렸으면……."

벤자민이 뒤에서 통나무를 다듬다가 투덜거렸다. 그 말에 벨라의 두 뺨이 더욱 붉어졌다.

"괜찮습니다, 레이디 벨라. 그만큼 절실하게 제가 살아나기를 바라셨던 흔적 아닙니까? 이대로 평생 자국이 남아도 행복할 겁니다."

티베리는 예의 그 느끼한 버터 미소를 지었다. 그가 웃는 것을 보니 이제 고비는 넘긴 듯했다.

"그렇게 그 자국이 좋으면 내가 때려 줄까? 멍들다 못해 턱이 돌아가게 해 주지."

칼리아스가 티베리의 뒤에서 으르렁거리듯 말했다.

"아직 저는 병자입니다. 여긴 페로하트가 아닙니다만?"

티베리는 어지러운 척하며 도로 누워서 너스레를 떨었다.

바나나 나뭇잎을 엮어 만든 임시 숙소에 많은 짐을 들고 루카스가 돌아왔다.

"무인도라고는 하지만 다녀간 사람은 꽤 되는 모양입니다. 찾아보니 몇 가지 도구들이 보이기에 챙겨 왔습니다."

커다란 바나나 송이들을 먼저 내려놓은 후, 이름 모를 덩이줄기가 든 양동이나 그물, 밧줄 따위도 바닥에 던졌다. 벤자민이 관심을 보이며 그것들을 들여다보았다.

"버틀러 경, 혹시 옷가지는 없었습니까?"

나뭇잎을 엮어 만든 옷을 입은 그는 원시 시대에서 온 것으로 보였다. 스스로도 자신의 모습이 부끄러운지 그는 내내 고개를 들지 못했다.

"마침 버려진 돛이 있어서 일부 쓸 만한 것은 잘라 왔습니다."

루카스는 두꺼운 천을 내보였다.

"이것이라도 걸치시겠습니까?"

벤자민은 영 마뜩잖은 표정으로 그 천을 바라보았다. 루카스는 정사각형 가운데에 머리가 들어갈 구멍만 뚫어 벤자민에게 내밀었다. 저걸 입으면 인간 허수아비가 되는 순간이었다.

"우리 뗏목에 돛으로 쓰면 될 것을 왜 잘라 왔는가?"

칼리아스의 말에 루카스는 대답했다.

"돛은 적당한 너비만 있으면 됩니다. 오히려 크면 무게중심이 바람에 의해 바뀔 때 뗏목이 뒤집힐 위험이 있습니다."

"그렇군."

칼리아스는 턱을 만지작거리다가 벤자민이 쭈뼛거리고 있는 모습을 보고 버럭 소리쳤다.

"프로스트 영식은 버틀러 경에게 감사한 줄을 알라! 필요 없다면 치워 버려라."

벤자민은 쭈글쭈글한 표정으로 그 허수아비 옷 같은 천을 받아 들었다.

나름 멋쟁이로 살아온 지난날이었다. 고급이란 고급 옷은 다 걸쳐 보았고, 사치스럽고 우아한 것을 자랑으로 삼았다. 돈이 남아돌아 지폐로 구두를 닦고 버릴 정도로 풍족하게 살다가 남은 것이 달랑 사각 팬츠 하나가 되니 비참하기가 이루 말할 수 없었다.

빌어먹을 거북이. 그리고 상어와 모기.

벤자민은 구시렁대며 그것에 머리를 꾸역꾸역 밀어 넣었다.

벨라가 그를 보고는 킥킥거리고 웃었다.

그 웃음소리가 비수가 되어 가슴에 꽂히는 것만 같았다. 벤자민의 눈에서 불똥이 튀는 것만 같았다. 태어나서 생전 처음 겪어 보는 이 구질구질한 일상이 지옥과도 같았다.

배고프니까 슬그머니 저들에게 손 내밀고 먹을 것을 얻어먹어야 했고, 비를 피하고 모기를 쫓기 위해 고개를 숙여야 했다. 이런 자신이 수치스러워서 죽고 싶을 지경이었다.

'어디 두고 보자.'

벤자민은 이를 뿌득 갈았다. 이젠 클라라 황녀고 뭐고 다 필요 없었다.

만약 꿈이 맞는다면 클라라 황녀와 결혼해서 얻는 것이라곤 황실의 부마 자격을 얻는다는 점뿐, 행복한 결혼 생활이 기다리고 있는 것도 아니었고, 둘 사이에 자식이라도 생기는 것도 아니었다. 그저 무늬만 부부. 그 자격을 굳이 모든 것을 버려 가며 얻어야 하는가 하는 회의감이 진하게 밀려왔다.

어차피 행복과는 먼 삶이었다.

꿈속에서도 비정했던 아버지는 현실에서라고 크게 다르지 않았다. 단지 돈 많이 벌어다 주니 아껴 주는 척하지만, 그가 더 이상 돈을 벌지 못할 때 가차 없이 등을 돌리리란 사실을 누구보다도 더 잘 알았다.

언제든 버려질 준비가 되어 있는 생, 버려지지 않기 위해 아등바등 살아왔으나 이제 뼛속까지 스미어 오는 수치감에 그 모든 것이 필요 없어졌다.

인광석 광산을 손에 넣는 것에도 실패했고, 플란네르에서 한몫 단단히 챙기는 것에도 실패했다. 황태자를 죽게 해서 황제의 지위가 흔들리게 하지도 못했고, 황제를 돕는 척, 큰 공을 세울 기회도 물 건너갔다. 더 이상 페로하트에 돌아가서 좋을 일이라곤 하나도 없었다.

벤자민은 원망스러운 눈으로 벨라를 쳐다보았다.

벨라는 무엇이 그리 즐거운지 통나무를 깎으면서도 연신 웃고 있었다. 그 모습을 바라보고 있노라니 기분이 더러워지는 기분이 들었다. 그중에서도 가장 기분 나쁜 것은 이 순간에도 벨라가 아름다워 보인다는 사실이었다.

늘 꿈에 보였던, 징징거리고 생기 없는 여인이 아니었다. 뭐든 재밌다는 듯한 표정으로 열심히 끼어들어 다른 이들과 함께 일하는 모습이 얼마나 싱싱하고 반짝거려 보이는지 벨라는 모를 것이었다. 우울하고 짜증스러운 얼굴로 끊임없이 신세 한탄이나 하던 그녀가 아니었다.

"우리 바나나 먹고 마저 할까요?"

벨라는 신난다고 바나나 꼭지를 따서 칼리아스에게 건넸다.

"와아아! 맛있다!"

벨라는 행복한 표정으로 바나나를 입에 넣었다. 그 모습을 보고 칼리아스는 피식 웃고 말았다.

"벨라, 늘 행복한 표정이군. 무인도에 난파하여도 웃을 일이 그리도 많은가?"

벨라는 바나나를 꼭꼭 씹으며 말했다.

"무인도에 난파했다고 심각한 표정으로 지내면 시간이 더 빨리 가나요? 어차피 여기서 시간을 보내야 한다면 기왕이면 즐겁게. 이 순간도 지나가면 추억이지 않을까요? 기왕 기억할 거면 이 순간을 즐겨요. 그나저나 여기 바나나 정말 맛있지 않아요?"

벨라는 함박웃음을 지었다.

"이렇게 크고 단단하고 달콤한 것은 처음 먹어 봐요. 나중에 많이 먹어 두지 못한 것을 후회할지도 몰라요!"

벨라는 맛있게 바나나를 베어 물었다. 그 모습에 웃고 있던 칼리아스도 바나나를 베어 물었다.

"병자를 위해 레이디께서 그 희고 고운 손으로 하나만 까 주시면……."

티베리가 말하자마자 칼리아스는 그의 입에 바나나를 껍질째 쑤셔 넣었다.

"좋은 말로 할 때 직접 까서 먹어라. 갑자기 손이 마비되었나?"

"잔인하시군요, 전하."

티베리는 바나나를 퉤 뱉은 후, 느물거리며 천천히 껍질을 깠다. 벨라는 고개를 들어 루카스를 찾았다. 루카스는 양동이에 담아 온 이름 모를 덩이줄기를 손질하고 있었다.

"루카스 뭐 해요?"

벨라가 다가오자 루카스는 고개를 들었다.

"아, 이것은 언젠가 식물도감에서 본 적이 있는 것 같아서 캐 왔습니다. 잘만 하면 탄수화물 주요 공급원을……."

루카스의 입에 벨라가 바나나를 쏙 집어넣었다.

"한입 베어 물어요."

루카스의 눈에 당황한 기색이 역력했다.

"어서요."

벨라는 눈웃음을 싱긋 지었다.

"남들 먹을 거 챙기느라 정작 자신은 그 바나나 맛도 못 보고. 어때요? 정말 맛있죠?"

입 안이 꽉 차 말할 수가 없는 루카스는 하는 수 없이 바나나를 천천히 베어 물었다. 우물거리며 씹으면서도 그의 손은 쉬지 않았다.

"루카, 고마워요. 이렇게 살뜰하게 보살펴 줘서. 우리가 여기까지 와서 무사히 생존할 수 있는 것은 모두 루카스 덕분이에요."

간신히 입 안의 것을 씹어 삼킨 루카스는 그녀의 말에 대답했다.

"아닙니다. 그저 제가 해야 할 일을 했을 뿐입니다."

그의 말에 벨라는 고개를 저었다.

"아니에요. 그 이상을 내게 해 주었어요. 언제나."

벨라는 바로 대답하려는 루카스의 입에 다시 바나나를 푹 꽂아 넣었다.

"내가 먹여 줄게요. 그렇지 않으면 다 양보하고 한 송이조차 먹지 못할 거 뻔한데. 다 먹나 안 먹나 확인할 거예요."

벨라의 말에 루카스의 무표정하던 눈동자에 커다란 동요가 일었다. 급하게 입에 든 것을 삼키고 루카스는 벨라의 손에서 바나나를 뺏어 들었다.

"제가 직접 먹겠습니다."

"그래요, 그럼."

벨라는 순순히 고개를 끄덕이더니만 루카스가 다듬고 있던 식물의 뿌리를 집어 들고 깎기 시작했다.

"헛! 그냥 놔두십시오, 아가씨!"

당황한 루카스가 벨라의 손을 잡았다.

"괜찮아요. 편히 먹어요, 루카. 그동안 내가 손질하면 되잖아요."

"아닙니다. 제가 해도 충분합니다."

루카스의 말에 벨라는 싱긋 웃었다.

"그럼 먹여 줄까요?"

"아닙니다!! 먹는 것도 다듬는 것도 저 혼자서 할 수 있습니다!"

그의 당황한 얼굴을 재밌다는 듯 지켜보던 벨라가 조용히 고개를 저었다.

"혼자 할 수 있어도 함께해요. 나 이제 더 이상 어린아이 아니에요. 생일도 지났어요. 어엿한 성인인걸요. 그러니까 내가 할 수 있게 지켜봐 줘요. 혼자 하는 것보다 둘이 함께 하면 더 빨라요. 그런데 루카, 언제까지 내 손을 잡고 있을 거예요?"

벨라의 말에 루카스는 움찔하며 잡은 손을 뗐다.

어쩐지 둘 사이에 미묘한 기류가 흘렀다.

"나…… 나도 돕겠다."

칼리아스는 이유 없이 버럭 하며 그들 사이에 끼어들어 앉았다. 그러고는 묘하게 부담스러워진 분위기에 헛기침을 한 후 뒤돌아보며 큰 소리로 말했다.

"이봐, 죄수 놈하고 병든 죄수 놈, 너희도 손가락 멀쩡한 데 와서 도와라! 어서! 일하지 않은 자는 먹지도 마시지도 말아라!"

모닥불 앞에 둘러앉아서 이름 모를 덩이줄기가 바닷물에 삶아지기를 기다렸다가 함께 나누어 먹었다.

"고구마와 감자를 적당히 섞어 놓은 맛이군. 식감이 희한한데?"

한 입 맛을 본 칼리아스가 말했다.

벨라는 잘 구워진 새우를 까먹고 껍질이 수북하게 쌓인 것을 보며 배부른 한숨을 쉬었다.

"와, 달이 떴네요?"

어느덧 수평선은 붉게 물들었고 뉘엿뉘엿 기울어 가는 태양에서 가장 먼 하늘은 진한 청남색이 꼬리를 끌 듯 어둠이 스며 오고 있었다. 야자나무의 윤곽이 그림자처럼 까만 가운데 그 위에 뜬 하얀 달은 진주처럼 단아해 보였다.

벨라는 스치는 바닷바람에 조용히 눈을 감았다. 야자수가 바람에 흔들리는 소리와 파도치는 소리가 뒤엉켜 나름의 곡을 연주하고 있었다.

"꼭 난파한 것이 아니라, 휴양지에 놀러 온 것 같아요. 지금까지 바쁘게 달려온 내 삶을 위로해 주듯 바람이 내 마음을 씻어 주네요."

벨라는 행복한 꿈을 꾸는 것처럼 눈을 감은 채 미소를 지었다.

"그 말 기억했다가 언젠가 다시 들려주면 최소한 이불킥 3년 감이겠지."

벤자민이 뒤에서 구시렁거리다 말고 뺨에 앉은 모기를 때려잡았다.

"이 지긋지긋한 모기. 똑같이 모기 기피제를 발랐는데 왜 나만 물어뜯지?"

벨라는 스스로 생각하기에 간만에 문학적인 말을 했다고 생각했는데 벤자민이 코웃음 치는 소리에 기분이 살짝 상했다. 그러자 바로 루카스가 무표정한 얼굴로 대꾸했다.

"모기는 같은 조건에서 땀이 많고 냄새나는 사람을 뭅니다."

그 말에 칼리아스가 푸하하 웃음을 터뜨리고 말았다. 벤자민은 인상을 찡그리고 루카스를 노려보았지만, 그는 눈썹 하나 까딱하지 않았다.

한때는 벤자민을 쳐다보는 것만으로도 불안해졌다. 그러나 무인도에서 같이 지내면서 본 그의 모습은 지질하고도 궁상맞기 이루 말할 수가 없어서 이제는 그를 떠올리면 먼저 웃음부터 터져 나올 것 같았다.

벨라는 생각났다는 듯 루카스에게 말했다.

"아, 맞다. 루카스, 수영 가르쳐 줘요."

벨라의 말에 루카스는 대답이 없었다.

"루카, 수영 안 가르쳐 줄 거예요? 지난번처럼 물에 빠지면 그때처럼 루카가 절 구해 주리라는 보장도 없고."

여전히 루카스는 가타부타 대답하지 않고 사람들이 식사하는 데 부족함이 없게 음식을 채우고, 먹고 남은 껍데기며 부산물을 치우길 반복하고 있었다.

"제가 가르쳐 드릴까요, 레이디 벨라?"

티베리가 말하자 루카스와 칼리아스가 동시에 말했다.

"안 돼!"

"안 됩니다."

티베리는 눈웃음을 지으며 한껏 느끼하게 속삭였다.

"기본부터 제대로 가르쳐 드릴 수 있는데 말입니다. 물론 레이디가 물에 젖은 몸을 상상하면 집중하기 힘든 것이 당연지사겠지만."

"닥쳐! 바닷속에 수장시켜 버리기 전에."

"절대로 안 됩니다."

칼리아스와 루카스가 이번에도 거의 동시에 외쳤다. 그러나 티베리는 아랑곳하지 않고 말했다.

"기본부터 차근차근, 제대로 가르쳐 드리겠습니다. 아주 천천히, 느긋하게 말입니다."

그는 입술을 혀로 할짝거리며 축였다. 순간 칼리아스가 그의 멱살을 잡고 내던지려는 것을 루카스가 간신히 저지했다.

"루카, 수영 가르쳐 줘요."

벨라의 말에 루카스는 진땀 흘리며 칼리아스를 붙잡았던 손을 놓았다.

"칼리아스 전하께 부탁드려도……."

순간 칼리아스는 얼굴이 새빨개진 채 어쩔 줄 몰라 하더니 그대로 얼어붙었다.

"전하?"

굳어 버린 그를 보고 벨라는 그의 눈앞에 손바닥을 흔들어 보았다. 칼리아스는 뭐라고 말이 나오지 않는 듯했다.

"갑자기 왜 이러시는 거죠?"

벨라는 걱정스러운 표정으로 칼리아스의 어깨를 흔들었다.

"나는 괜찮다."

간신히 칼리아스가 입을 열었다. 지금 심장이 어찌나 빠르게 뛰는지 이러다 뻥 하고 터져 버리는 것은 아닌지 심히 두려웠다. 그러나 벨라에게 수영을 가르친다 생각하니 얼굴이 더욱 화끈해지고 심장은 더 빠르게 뛰기 시작했다.

열대의 푸른 바다. 비록 모기떼가 극성이긴 하지만 겉보기엔 꿈의 낙원 같은 푸르고 끝없는 외진 무인도의 해변. 아무도 없는 곳에 그녀와 단둘이.

칼리아스의 머릿속엔 태초의 모습으로 서서 손을 맞잡은 그녀와 자신의 모습이 떠올랐다.

'수영 가르쳐 주세요.'

상상 속의 벨라가 환한 미소를 머금으며 손을 내미는데 아무것도 걸치지 않았다.

푸학!

칼리아스는 순간 코피를 쏟았다. 당황스러웠다.

이건 모두 티베리가 이상한 말을 한 탓이라 생각했다.

'물론 레이디가 물에 젖은 몸을 상상하면 집중하기 힘든 것이 당연지사겠지만.'이라니!

이 모든 음험한 마음은 모두 녀석으로부터 시작된 것이어서 자신의 잘못이 아니었다.

놀라기는 벨라도 마찬가지.

칼리아스는 뭘 해야 할지 몰랐고 벨라는 손수건이 없어서 어찌 닦아 줘야 할지 갈팡질팡했다. 루카스가 손수건을 내밀자 잠시 상황이 종료되는 듯싶었다.

"전하, 괜찮으세요? 갑자기 웬 코피를……! 어디 편찮으신가요?"

"아니다. 잠시 피곤했던 모양이다. 신경 쓰지 마라."

칼리아스는 고개를 돌리고 손수건으로 코를 틀어막았다.

"루카, 그러니까 루카가 수영을 가르쳐 달라고요."

칼리아스는 뒤돌아서 손을 내저었다.

"내가 가르쳐 줄 수……."

벨라의 초롱초롱한 보라색 눈동자와 마주쳤다. 순간 상상 속의 헐벗은 벨라가 또 떠올랐다.

'수영 가르쳐 주실 거죠?' 하면서 살포시 품으로 안겨 오는 그녀…….

푸하악!

칼리아스는 급히 코를 감싸 쥐었으나 코피가 뚝뚝 흘러내렸다.

"아까보다 더 심한데요? 정말 괜찮으세요?"

벨라가 걱정스럽게 그의 뺨에 손을 가져다 대었다. 그러자 칼리아스의 얼굴에 더욱더 화끈하게 피가 몰려들었다.

"어떻게 해! 루카! 도와줘요!"

"괜찮다, 나는 괜찮다! 그러니까 수영을……!"

수영이라 말하자 칼리아스의 코에서 코피가 더욱 콸콸 쏟아져 내렸다.

결국, 칼리아스는 코를 틀어막은 채 벨라를 등지고 밤하늘의 달만 바라보며 밤새 국가를 불렀다.

섬의 한쪽 면은 절벽이고 새들의 번식지였다. 그리고 다른 한쪽 면은 물개들의 번식지여서 섬은 항상 시끄러웠다.

그나마 조용한 쪽의 모래사장을 걸어 보았다. 벨라는 눈을 감았다.

막상 수영을 배우려고 하니 끝없는 심해에 가라앉던 그 순간이 떠올라 가슴이 심하게 요동쳤다.

심호흡을 해 보았다.

"힘드시면 돌아가도록 하겠습니다."

루카스가 뒤따라오며 말했다. 벨라는 조용히 눈을 떴다.

"아니, 꼭 수영 배울래요. 극복하고 말 거예요."

말은 그렇게 했지만, 무릎이 덜덜 떨렸다. 영혼에 아로새겨진 공포는 의지와는 상관없이 몸을 압도해 왔다. 벌써 두 번이나 익사할 위기를 넘겼다. 익숙해지는 것이 아니라 더 두려워졌다.

발이 지면에 닿아 있는 한은 두렵지 않았으나, 물 위에 붕 떠서 디딜 곳이 없어지면 공포가 그녀의 영혼을 짓눌렀다. 하지만 나약한 자신을 극복하기 위해 반드시 뛰어넘어야 할 단계였다.

벨라는 겉옷을 벗어 바위 위에 얹어 두고 물로 걸어 들어갔다. 아직 모래가 발에 닿는 동안은 거칠 것이 없었다.

루카스는 와이셔츠를 벗어 역시 바위 위에 잘 개켜 놓았다. 그리고 벨라에게 얕은 물가에서 물장구치는 법부터 가르쳤다. 어느 정도 물장구치는 것이 익숙해지자 벨라는 손을 내밀었다. 그녀의 내민 손을 무심하게 쳐다보는 루카스에게 벨라는 웃으며 말했다.

"물에 뜨는 연습을 하려면 손을 잡아 줘야지. 안 그래요?"

허리 깊이까지 오는 바닷물에서 벨라는 루카스의 두 손을 잡고 물장구를 쳐서 떠 보려고 애썼다. 하지만 배에 닿는 허공 같은 물살이 자꾸만 그녀를 경직되게 만들었다.

이대로 루카스의 잡은 손을 놓치는 순간 다시 심해로 가라앉을 것 같은 충동이 일어 그만 정말로 손을 놓치고 가라앉기를 몇 번.

"아가씨, 움츠리지 마십시오."

"으응……."

벨라는 애써 웃어 보이며 고개를 끄덕였다. 그러나 다시 땅을 박차고 두 다리가 물 위로 붕 뜨자마자 가라앉아 질식할 것 같다는 공포가 그녀의 심장을 짓눌러 왔다.

"아가씨, 물을 믿고 몸을 맡기십시오. 몸에는 물에 뜨려는 성질이 있습니다. 최대한 몸을 곧게 뻗어야 물에 뜹니다. 망설이고 겁먹지 마십시오. 그럴수록 더욱 가라앉게 됩니다."

이론은 그렇지만 벨라는 물에 빠지기를 반복하면서 입술이 점점 파랗게 질려 갔다.

공포가 엄습해 왔다.

목구멍으로 맵고 따가운 물이 넘어가 숨을 틀어막는 듯한 충동에 벨라의 얼굴은 창백했고 식은땀마저 줄줄 흘리고 있었다.

"아가씨, 오늘은 여기까지만입니다. 이 이상은 무리입니다."

루카스의 말에 벨라는 고개를 저었다.

"아니에요. 반드시 극복할 거예요."

벨라는 파랗게 질린 입술을 바르르 떨면서도 끝내 물 밖으로 나가기를 거부했다.

가만히 지켜보던 루카스는 조용히 입을 열었다.

"저체온증이 올 수 있으니 잠시 물 밖에서 쉬면서 따뜻한 차 한 잔 드십시오."

거기까진 마다할 수가 없어서 벨라는 루카스가 이끄는 대로 햇볕이 잘 내리쬐는 바위에 걸터앉아 루카스가 덮어 준 와이셔츠로 어깨를 감쌌다. 그러고는 천천히 루카스를 쳐다보았다.

옷을 찢어 이것저것 만들고 와이셔츠마저 벨라에게 덮어주고 나니 그는 바지 한 벌 차림이었지만 어느덧 햇볕에 적당히 그을려 구릿빛이 된 피부가 잘 어울렸다. 마른 듯하면서도 있을 근육은 다 갖춘 몸매라 보기 좋았다.

게다가 늘 단정하기만 하던 머리가 물에 젖어 제멋대로 흘러 내려오자 아직 그의 나이가 스물여섯 살밖에 되지 않았다는 사실이 떠올랐다.

'항상 어깨에 진 짐이 무거워서였을까?'

항상 벨라의 기억에 그는 노티 나는 애늙은이 같은 집사였으나 끝없는 수평선을 가로질러 걸어가는 그의 모습을 보니 그 역시 한창때인 젊은 청년이란 사실을 새삼스레 깨달았다.

서른 살에 회귀한 자신에게 비교해 보아도 지금은 네 살이나 더 어린 그였지만 벨라의 마음엔 항상 그는 완전한 어른이었다.

한때는 서른이면 세상 다 산 어른처럼 느낄 때도 있었다. 하지만 서른에 회귀한 자신은 여전히 미숙했다.

나이 많이 먹었다는 숫자는 의미 없었다. 그 안에 든 영혼이 얼마나 단단하고 성숙했느냐가 더 중요한 것이었다.

칠순 노파도 스무 살 청년보다 성숙하지 못할 수 있었다.

회귀하고도 여전히 눈물 많고 겁쟁이인 자신과는 달리 그는 처음 태어날 때부터 감정이라곤 전혀 없는 사람이었을까 하는 생각이 들었다.

'루카를 웃게 하고 싶어.'

이제 페로하트로 돌아가면 벨라는 성년을 맞이하였으므로 그의 어깨에 주어진 후견인이란 무거운 짐은 내려놓을 수 있을 터였다.

'하지만 그런다고 그날부터 루카스가 행복한 듯 웃으며 살 수 있을까? 내가 귀찮게 하지 않는 것만으로 그가 행복해질까?'

여러 생각이 벨라의 머릿속을 스쳤다.

'루카, 처음부터 나의 집사로 태어난 것은 아니었을 거야. 루카, 루카는 대체 언제 행복해? 무엇을 할 때 가장 기쁠 거야?'

벨라는 루카스에게 속으로 물어보았다.

그는 아마도 이렇게 대답하겠지.

'아가씨를 모시고 있을 때 가장 행복합니다.'

아니. 그런 뻔한 대답 말고.

루카, 대체 무엇이 루카를 웃게 만들까? 솔직하게 말해주면 안 될까?

그는 아마도 대답하지 않을 것이다. 그리고 그 무엇을 들이대어도 행복해하지 않을 것이다. 이제는 그의 미묘한 눈동자의 움직임이나 미미한 얼굴 근육의 움직임으로 그의 기분을 약간 파악할 수 있게 되었다고는 하지만 여전히 그의 마음 전부를 알 수는 없었다.

과거의 삶에서도 그랬다. 그는 늘 벨라의 주변을 맴돌았다. 자신의 선택이 틀렸다는 것을 인정하기 싫어서, 그가 무수히 내밀어 온 도움의 손길을 번번이 걷어찼다. 그 순간에도 그는 벨라에게서 가타부타 말없이 돌아서서 멀어졌다가 다시 또 그녀가 비참한 모습으로 좌절하면 다가와 손을 내밀었다.

'그렇게 속을 내보이지 않으니까 그 손을 잡지 못했어.'

벨라는 흐려진 두 눈을 느리게 감았다 떴다.

'나를 원망하고 비웃고 있을 줄 알았어. 내 말 안 듣더니 꼴좋다고 나를 지켜보며 나무라고 있을 줄 알았어. 그래서 나를 위해 대신 사형까지 당했다는 사실을 알았을 때 거짓말인 줄 알았어.'

루카스가 뭍으로 가서 물을 끓이다 말고 뒤를 돌아보았다. 벨라는 괜찮다는 신호로 손을 흔들며 웃어 보였다.

'내가 지금의 루카스에게 잘해 준다 해도, 그때 나를 대신해 죽은 그 루카스는 아니야. 이미 그때의 루카스는 죽고 없는 거야. 그래서 더 미안해. 그때의 그 루카스에게 한 번쯤 당신이 옳았었노라고, 고마웠었다고 마지막 작별 인사라도 할 수 있었다면.'

어느새 벨라의 눈시울이 뜨거워졌다.

벨라는 마음속으로 루카스의 푸른 눈에 금테를 두른 외눈 안경을 씌워 주고 그의 얼굴을 쓰다듬었다.

'미안해요, 루카. 나는 여전히 못나서 생을 돌이키고서도 당신을 힘들게 하네요. 조금이라도 당신을 행복하게 해 주고 싶은데…… 솔직하게 말해 주면 안 될까요? 여전히 나는 당신이 지켜 주지 않으면 안 될 나약한 존재이지만, 언젠가 반드시 당신을 웃게 해 주고 싶어요. 나 때문에 당신이 행복했으면 좋겠어…….'

벨라의 눈가에서 저도 모르게 눈물이 흘러내렸다.

'어쩌자고 나는 울보 집안 혈통이람…… 약해 빠져서……. 세상아 싸우자 하고 다 갈아 마셔 버려도 시원찮을 판에. 뭐든 다 잘하고 뭐든 뛰어났으면 좋겠는데 실은 노력해도 잘 안 돼요.'

그런 벨라에게 따뜻한 차가 담긴 코코넛 껍질이 다가왔다. 벨라는 눈물을 얼른 감추며 그 코코넛 껍질을 받아 들었다.

"이런 무인도에서 차를 마실 수 있다니!"

벨라가 기쁘게 받아 들자 루카스가 나직하게 대답했다.

"식용할 수 있는 꽃송이가 있기에 허브티로 끓여 보았습니다."

붉고 노란 꽃송이가 코코넛 껍질 안에 귀엽게 동동 떠 있었다. 벨라는 호 하고 뜨거운 김을 불어 낸 후 조심스레 한 모금 마셨다. 입 안 가득 청량감이 도는 향긋한 차였다.

"루카, 얼른 마시고 수영을 마저 가르쳐 줘요. 이번엔 열심히 해서 혼자 힘으로 헤엄쳐 볼 테야."

의지를 불태우는 벨라에게 루카스가 말했다.

"아가씨, 물을 이기겠다고 생각하니 더 두려워지는 겁니다. 그렇게 눈을 질끈 감고 발버둥을 치면 지치기만 하고 물에 뜨기 힘듭니다."

"어리석게 느껴질지 모르겠지만, 지난번에 바다에 빠졌을 때 충격이 컸는지 밑바닥을 쳐다보지 못하겠어요. 열심히 뜨려고 발을 구르다가도 아래를 보면 공포가 밀려와요. 내 마음인데 내가 어쩌질 못하고 있네요. 나 한심하죠?"

벨라는 애써 웃으며 말했다.
"극복이란 건, 강제로 하는 것이 아닙니다."
루카스는 수수께끼처럼 운을 떼었다.
"극복은, 무심해지는 겁니다. 극복해야 한다는 생각조차 들지 않을 때가 되어야 진정으로 극복한 겁니다."
루카스의 말에 벨라는 미간을 살짝 찡그렸다.
"루카스, 말이 너무 어려워요. 무슨 뜻인지 잘 모르겠어요."
루카스의 파랗고 갈색인 두 눈이 차분히 벨라를 훑었다. 벨라는 울먹일 듯한 얼굴로 루카스를 올려다보았다.
루카스는 처음부터 어른으로 태어났을지 모르지만, 온통 모자라기만 한 자신은 루카스처럼 태연할 수가 없었다. 그는 뭐든 재능을 타고나서 잘하지만, 노력해도 실력이 평균 이하인 벨라로서는 의욕만 앞설 뿐 좀처럼 몸이 따라 주지 않아 속상할 뿐이었다.
저도 모르게 눈물이 글썽글썽해진 벨라는 작은 목소리로 중얼거렸다.
"나는 올슨이다…… 나는 올슨이다……."
"그게 무슨 말입니까?"
벨라의 말에 루카스가 되물었다.
"이안이 가르쳐 준 말이에요. 나는 아르티드가의 대장이니까, 양치기 개 중에 우두머리인 올슨처럼 강해질 거예요. 마음이 약해질 때마다 마법의 주문처럼 외우는 말이에요."
그 말에 루카스는 잠시 생각에 잠기더니 천천히 입을 열었다.

"아가씨, 수영은 나중에 하고, 일단은 물과 친해지십시오."
"그게 무슨 말이에요?"
벨라는 눈을 동그랗게 떴다. 루카스는 허리 깊이 정도 되는 물속으로 벨라의 손을 천천히 이끌었다.
"아가씨께서는 물장구를 칠 때 수심이 무릎 정도 되는 곳에서는 곧잘 하십니다. 하지만 이 정도 깊이만 되어도 상황이 달라집니다."
순간 루카스의 팔이 벨라의 허리를 가뿐하게 감싸 들어 올렸다.
"꺄아아악!"
벨라는 기겁하며 루카스의 목에 두 팔을 감았다.
"아가씨, 제가 잡고 있으니 걱정하지 마십시오. 그저 안아 들었을 뿐입니다."
벨라는 그제야 감은 눈을 떴다. 자신의 귀가 루카스의 가슴에 밀착되어 있어 그의 심장 뛰는 소리가 더욱 선명하게 들려왔다. 놀란 가슴이 그의 심장 소리에 진정되기 시작했다. 매끈하고도 단단한 가슴이었다. 언제든 기대고 의지해도 좋을 만큼. 게다가 따뜻했다.
"아가씨는 발이 지면에서 떨어지기만 해도 겁부터 냅니다. 제가 붙잡고 있어서 물에 빠지지 않습니다. 걱정하지 말고 몸에서 힘을 빼십시오."
"하지만……."
벨라는 오므린 다리의 힘을 빼 보려 하였지만, 아무것도 없는 물 위로 발가락이 닿자 다시 공포감에 젖어 들었다.

"내 몸이 허공에 뜨는 것이 무서워……."

"괜찮습니다. 항상 제가 있습니다."

루카스의 목소리가 귓가에 나직하게 들려왔다.

"항상 아가씨의 손 닿는 곳에 제가 있습니다. 결코, 아가씨를 물에 가라앉게 하지 않습니다. 저를 믿으십시오."

벨라는 루카스의 눈동자에 비친 자신의 얼굴을 들여다보았다. 겁에 잔뜩 질린 얼굴이 거울처럼 비치고 있었다.

루카스는 그 말을 마치자마자 바로 물속에 천천히 내려앉았다.

"으악!"

벨라는 깜짝 놀라 발버둥을 치며 그의 어깨를 붙들고 물 밖으로 고개를 내밀려고 애썼다. 그러나 루카스는 벨라의 허리를 끌어안고 놔주지 않았다.

몸부림치며 빠져나오려는데 그가 물 위로 벌떡 일어섰다. 간신히 숨통이 트인 벨라가 입 안에 가득 머금은 바닷물을 뱉고는 기침하며 그의 팔을 뿌리치려고 애썼다.

"아가씨, 허리 깊이의 물입니다. 절대로 깊게 빠지지 않습니다."

"이거 놔요! 그래도 무서……."

벨라를 붙잡았던 손이 스르르 풀렸다. 벨라는 고개를 들어 루카스를 쳐다보았다.

"바로, 이겁니다."

루카스의 말에 벨라는 그저 눈만 몇 번 깜빡였다. 그가 무엇을 말하는지 이해하지 못했다.

"공포."

루카스가 또박또박 분명하게 말했다.

"공포와 싸워 이기려고 할수록 공포에 휩싸입니다."

벨라의 눈이 커졌다.

"공포는 느낀다고 해서 지는 것이 아닙니다. 언제든 느낄 수 있는 감정입니다. 공포를 느꼈다 해서 아가씨가 실패했다는 뜻은 아니란 것입니다. 대신 공포 외에 다른 감정도 차차 느껴 가면 됩니다."

루카스는 그 말을 하며 서서히 허리를 숙였다.

"먼저 허리를 숙여 얼굴을 바닷물에 담그고 눈을 뜨십시오. 바닷속에 무엇이 있는지부터 관찰하십시오. 이곳은 물이 맑아서 바닥이 잘 보입니다."

루카스가 물속에 얼굴을 푹 담그자 벨라는 마지못해서 쭈뼛쭈뼛 허리를 숙였다. 그리고 얼굴을 바닷물에 집어넣고 질끈 감았던 눈을 떴다.

제일 먼저 발가락이 보였다. 그리고 두 다리 사이로 지나가는 작은 물고기 한 마리가 보였다. 신기했다. 육지에서 보던 바다와는 다르게 마치 시냇물 안을 들여다보듯 물의 흐름을 따라 움직이는 수많은 작은 생명을 보았다. 반쯤 묻힌 조개껍데기도 보였고, 무리 지어 재빨리 지나가는 손톱만 한 어린 물고기들도 보였다.

"푸하!"

숨이 막혀서 허리를 들어 올렸다. 루카스도 뒤따라 젖은 몸을 들어 올리고 얼굴로 흘러내린 바닷물을 손으로 훑었다. 늘 단정히 뒤로 넘겼던 머리가 앞으로 모두 쏟아져 내려오자 개구쟁이처럼 보이기도 했다. 무엇보다도 벨라의 반짝이는 표정을 보자 루카스 역시 입가에 미소를 지었다는 점이 신기했다.

"눈 크게 뜨고 보셨습니까?"

루카스의 말에 벨라는 고개를 끄덕였다.

"잠시 산책하시겠습니까?"

루카스의 말에 벨라는 대답 대신 그의 손을 두 손으로 꼭 잡았다.

"무서우니까 손잡아 줘요."

"기꺼이."

루카스는 벨라를 진정시키기 위해 웃어 보이며 손을 잡고 천천히 조금 더 깊은 곳으로 걸어 들어갔다.

"아가씨께서 두려워하시는 바닷속이 누군가에게는 삶의 터전이고 밀림입니다. 그 풍요로운 세상을 구경하시면서 즐기십시오. 수영은 그다음입니다."

벨라는 마치 사파리 관광을 하듯 루카스의 손을 잡고 걸으며 바닷속을 들여다보았다. 순간 벨라의 발뒤꿈치에 뭔가가 파삭하고 부스러지는 느낌이 들었다. 깜짝 놀란 벨라는 뒷걸음질을 쳤고 곧바로 루카스는 그것이 무엇인지 확인하려고 고개를 숙여 물속을 더듬었다.

물 밖으로 상체를 들어 올린 루카스는 자신이 본 것을 벨라에게 내밀었다.

"죽은 조개 안에 이것이 있었습니다. 아가씨는 역시 운이 좋으시군요."
루카스가 내미는 돌 같은 것이 햇빛에 반짝였다. 벨라는 그것을 신기해하며 받아 들었다. 하얗고 빛나는 그것을 이리저리 돌려보았다.
"혹시 이거……?"
"네. 맞습니다. 진주입니다."
벨라의 눈이 커졌다.
"꺅! 진짜야?"
벨라가 호들갑을 떨자 루카스는 그 모습을 보고 조용히 웃었다.
"약간 형태가 찌그러졌긴 했으나 천연 진주입니다."
벨라는 뛸 듯 기뻐하며 진주를 발견한 근처 바닥을 열심히 뒤졌다.
"이 근처에 진주가 더 있을지도 몰라!"
"다른 자리에 옮겨 가서 더 찾아보죠."
벨라는 눈에 불을 켜고 바닷속을 헤집었다. 그 와중에 평범한 조개며 소라도 주웠다.
"와! 먹을 거 많다! 이 조개는 껍질 자체가 예뻐! 이 거북이 손 같은 건 뭐지? 이것도 먹는 건가? 모두모두 구워 먹으면 맛있겠다!"
어느덧 정신을 차리고 보니 온갖 해산물을 한 아름 움켜쥐고 있었다.
벨라의 배 속에서 쪼르륵 소리가 났다.
"이제 슬슬 저녁 준비를 하겠습니다."

루카스의 말에 벨라는 태양의 위치를 쳐다보았다.

“벌써? 아직 수영도 못 배웠는데요?”

루카스는 그저 살며시 미소 지을 뿐이었다.

“바다와 친해지는 것 자체가 수영의 첫걸음입니다. 친해지다 보면 어느 순간부터 헤엄은 저절로 치게 됩니다. 처음처럼 바다가 두렵지만은 않다면 항상 제가 곁에 있으니 걱정하지 마십시오. 결코, 아가씨를 위험에 처하지 않게 하겠습니다.”

“루카.”

벨라는 보랏빛 눈동자를 반짝이며 그를 바라보았다.

“네. 말씀하십시오, 아가씨.”

“루카, 웃는 얼굴 보기 좋아요. 항상 그렇게 웃어 줬으면 좋겠어요.”

벨라는 그 말을 남기고 섬을 향해 달려갔다.

햇살 아래 그녀의 밤갈색 머리가 금빛으로 물들어 반짝거렸다. 그 흩날리는 머리카락을 바라보며 루카스는 눈을 가늘게 떴다. 포격에 배가 침몰하던 순간의 기억이 겹쳐졌다.

로덴항에서 탈출하던 그날, 한밤중의 짙은 바닷속으로 산산이 부서진 배의 파편들이 떨어져 내렸다. 그리고 벨라가 점점 멀어져 가고 있었다. 그 어둠 속에서도 벨라만은 빛나 보였다. 어느 어둠의 나락으로 떨어져 내려도 그녀만큼은 찾아낼 수 있을 것 같았다.

나의 빛나는 별이 어둠 속에 묻혀 간다.

어둠 속에서도 찬란히 빛나는 보랏빛 별이 새까만 심연의 밑바닥으로 떨어져 내리고 있었다.

망설임 없이 물에 뛰어들었다. 그리고 그녀를 놓치지 않기 위해 깊게 손을 뻗었다. 조금만 더 손을 내밀면 닿을 자리에서 빨려 들어가듯 사라지는 손을 간신히 붙들었다.

물에 빠진 사람은 본디 정면에서 마주 보고 구하는 것이 아니라 했다. 살고픈 본능에 구조자를 마구 끌어당기기 때문이었다. 벨라 역시 마찬가지였다. 살고자 하는 욕망에 버둥거리며 본능적으로 그를 끌어안았다. 하지만 그럴수록 함께 가라앉을 뿐이었다.

처음 손이 닿았을 때 벨라는 그를 잡아당겼다. 그리고 균형을 잃고 같이 심연으로 빨려 내려갔다. 루카스는 물 위로 헤엄쳐 올라가고 싶었지만, 배가 침몰하며 생기는 거센 물살과 사방에서 떨어져 내리는 포탄에 죽음이 코앞에 다다랐음을 깨달았다.

지금까지 계속된 행운은 여기까지인가.

딱히 살고자 하여 살아온 삶은 아니었다. 지켜야 할 책임감이 무거워 이곳까지 왔다. 주인을 문 개가 되지 않기 위해서, 무겁게 입은 은혜를 갚기 위해서. 그 소임을 다하기 위해 그녀와 함께 떨어져 내렸다. 생각해 보면 깊은 바닷속이 무덤이 되는 것도 그리 나쁘지는 않을 것 같았다. 모든 시간은 정지했고 지나치도록 고요한 물속에 가라앉는다는 것이 슬프지만은 않았다.

순간 벨라가 자신을 붙든 손을 놓더니 그를 밀어냈다.

당연히 자신을 계속 붙들고 있을 줄 알았는데 그만이라도 살아나라는 듯 그녀는 홀로 어둠 속으로 멀어져 갔다.

어둠을 밝히던 단 하나의 빛. 늘 어두웠던 그의 삶에 작은 촛불 하나라고 생각했던 그 빛은, 그가 가진 전부였다. 아주 작은 불빛이라 생각했던 그 빛이 여태껏 그의 어두운 삶을 밝혀 주어 외롭지 않게 벗하여 주던 환한 빛이었다.

그 빛 없는 세상을 나는 살아갈 수 있을까?

루카스는 차오르는 숨을 한계까지 참으며 모든 힘을 쥐어짰다. 그리고 초인적인 힘으로 마침내 그녀의 등 뒤에서 허리를 끌어안아 필사적으로 물 위로 솟아올랐다.

배의 잔해에 간신히 매달릴 수 있었다. 그러자 구명정에 매달려 있던 칼리아스와 티베리가 그들을 발견하고는 끌어올렸다. 머리 위로 포탄이 또다시 아슬아슬하게 비켜 갔다.

칼리아스는 그 포탄을 쳐 낼 기세였다. 설령 폭발 때문에 죽더라도 끝까지 굴하지 않고 맞설 거라는 듯 일어섰다. 그리고 저도 모르는 사이에 두 팔을 벌려 화염으로 배를 감쌌다. 마치 방패와 같은 형상이었다.

그사이 루카스는 벨라를 흔들었다. 벨라는 의식이 없었다. 숨을 쉬지 않았고 몸이 싸늘하게 식어 가고 있었다.

마지막까지 밝게 빛나던 그 보라색 눈은 감겨서 다시 떠질 줄을 몰랐다.

그녀를 지켜 주겠다고 다짐했다. 참다운 어른의 약속이 무언지 보여 주겠다고 했다.

그런데 그의 삶 속 유일한 빛이 이렇게 사그라들고 있었다. 심장도 뛰지 않았다. 빠르게 몸이 식어 갔다.

루카스의 눈이 커졌다. 세상이 모두 정지하는 기분이었다. 벨라의 코를 막고 숨을 깊게 불어 넣어 주는 것을 두어 번 반복한 후 아무 반응이 없자 이번엔 두 손에 깍지를 끼고 심폐 소생술을 시작했다.

머릿속이 하얗게 비워졌다. 그녀의 숨이 멎은 순간 세상 모든 것이 멈추어 버렸다.

루카스는 필사적으로 그녀의 심장을 압박하고 다시 숨을 불어 넣고를 반복했다.

기적이 일어나기를 바랐다. 그 어느 때보다도 절실히.

벨라. 나를 두고 가지 마.

내 삶의 모든 것은 너를 위해서였어. 넌 내가 살아가는 단 한 가지 이유였어.

제발 나를 이 어둠 속에 혼자 두고 가지 마.

내가 살기 위해 너를 지켰고, 너를 살리는 것이 나를 살리는 길이었어.

그러니 제발, 눈을 떠. 제발.

정신없이 그녀의 심장을 깍지 낀 손으로 압박하고 그녀의 차디찬 입술에 숨을 불어 넣었다.

어느 조각가가 여인상을 자신의 손으로 너무 아름답게 조각한 나머지 세상 그 누구도 눈에 들지 않아 신께 간절히 기도하였다고 했다.

감히 그 조각상을 입에 올리지도 못하고, 이 조각상처럼 아름다운 여인을 만날 수 있게 해 달라 조심스레 빌었다.

그러나 세상에 그 조각상이 둘일 수도 없었고, 자신이 열과 성을 다해 빚어낸 그 아름다움은 조각상에만 깃들어 있었다.

그래서 조각가는 아무도 사랑할 수 없었다. 오로지 자신이 빚어낸 그 여인만을 그리워하였다.

그리고 그 간절한 기도에 신은……

벨라는 물을 왈칵 토해 내며 심한 기침과 함께 숨을 들이켜기 시작했다.

기억을 곱씹은 루카스는 아련한 눈빛으로 멀어져 가는 벨라의 뒷모습을 바라보았다. 그리고 천천히 뒤를 따라 걸었다.

그녀가 살아 숨 쉬는 지금, 이 또한 얼마나 큰 기적인가.

차갑게 식어만 가던 그녀의 입술이 움찔하여 스스로 숨을 들이켜던 그 순간의 기적.

그녀가 살아 움직이는 이 순간을 함께하고 있다는 것 이외에 더는 소원이 없었다.

그 이상은 감히 바랄 수 없었다.

저녁에 주워 온 조개를 잔뜩 구워 먹고 배불러 하며 일찌감치 벨라는 잠에 빠져들었다. 모닥불이 타닥타닥 소리를 내며 타들어 가고 있었다. 루카스는 모기 퇴치용 건초들을 모닥불에 한 움큼 던져 넣었다. 뗏목에 쓸 목재를 다듬는 일은 아직도 계속되고 있었다.

통나무를 칼로 다듬어야 하니 좀처럼 진도가 나가지 않았다. 도끼 같은 기본적인 도구가 없으니 검기로 통나무를 벨 수 있는 것은 칼리아스뿐이었고, 티베리는 환자였고, 루카스는 뗏목을 엮을 나무줄기를 다듬다 보니 나머지 힘 빼는 잡일은 모두 벤자민의 차지였다.

이전에 육체노동이란 해 본 적 없는 그는, 칼리아스에게 구박이란 구박은 모두 받으며 쉴 새 없이 일하느라 생전 처음으로 손에 굳은살이 박였다. 앉았다 일어날 때마다 허리가 삐걱거렸고, 무릎 마디마디가 쑤시고 결렸다. 팔을 들어 올릴 때마다 어깨가 찢어질 듯 아팠고, 질 줄 모르는 나뭇짐을 지느라 등이 휠 지경이었다.

피곤이 쌓일 대로 쌓여 벨라처럼 일찌감치 잠들고 싶었지만 칼리아스가 눈을 부릅뜨고 노려보고 있었기 때문에 차마 쉴 수가 없었다.

그런데 오늘따라 칼리아스가 인상을 쓰고 앉아 딴생각에 빠져 있었다. 벤자민은 슬슬 눈치를 보다가 이제 슬쩍 졸아도 되겠구나 싶어 그 타이밍을 기다렸다.

그런데 루카스가 다듬은 나무줄기를 한 무더기 옆에 쌓아 놓고 가는 바람에 저절로 억 소리가 나왔다. 하지만 루카스 역시 내려만 놓고 칼리아스 근처로 다가가 아무 말 없이 모닥불만 뒤적이고 있었다.

"칼리아스 전하, 무슨 생각을 하십니까?"

루카스의 말에 팔짱 낀 채 한참 말이 없던 칼리아스가 천천히 입을 열었다.

"역시나 수영을 내가 가르치는 것이 좋을까……?"

세상 모든 근심을 다 짊어진 듯한 그의 입에서 나온 말에 벤자민은 어처구니가 없어서 피식 웃었다.

'뗏목을 언제 완성하느냐, 언제쯤 건너갈까 이런 고민이 아니라 수영?'

"전하, 코에서 또……."

루카스의 말에 칼리아스가 화들짝 놀랐다.

"농담입니다."

표정 없는 루카스가 내뱉은 말에 칼리아스는 펄쩍 뛰었다.

"그런 농담은 재미없다! 두 번 다시 하지 말라!"

칼리아스는 얼굴이 새빨개진 채 과도하게 흥분했다. 그 모습을 보며 루카스는 담담하게 말했다.

"정말로 벨라 아가씨를 사랑하십니까?"

칼리아스는 별것 아닌 그 말에 헉! 소리를 내며 손에 들고 있던 단검을 떨어뜨렸다.

"아니다! 절대로 아니다! 나는 같은 말을 반복하는 것을 좋아하지 않는다! 몇 번을 말했느냐, 나는 사랑 놀이 따위 할 여유가 없다. 그따위 것 말고도 할 일이 얼마나 많은……."

루카스는 칼리아스가 말을 다 끝맺기도 전에 말했다.

"책임질 수 없다면 사랑하지 마십시오."

칼리아스는 충격적인 말이라도 들은 듯 가슴이 철렁 내려앉았다. 뭐라고 변명이라도 해야 하는데 입이 얼어붙은 듯이 움직여지질 않았다.

"인스펙티오 공국의 공주와의 약혼이라도 깨뜨릴 각오 없이는 아가씨를 사랑하지 마십시오."

"그…… 그건……."

칼리아스는 쉽게 뒷말을 잇지 못했다. 루카스는 그런 칼리아스를 빤히 쳐다보다가 마저 입을 열었다.

"아가씨와 전하는 닮은꼴입니다. 두 분 다 그 자리에 원해서 선 것은 아니지만, 두 분 외에는 그 자리에 설 수 있는 분도 없습니다. 그리고 수많은 이의 운명을 어깨에 무겁게 짊어진 분이십니다."

루카스는 눈을 느리게 감았다가 떴다.

"어쩌면, 두 분은 서로 닮았기에 서로에게 잘 어울릴지도 모릅니다."

그 말에 칼리아스의 굳었던 표정이 조금은 느슨해졌다. 루카스의 시력이 남아 있지 않은 파란 눈동자가 모닥불 빛을 머금어 초록빛으로도 일렁였다. 그쪽 눈으로는 빛이나 간신히 느낀다는 것을 잘 알았지만 어쩐지 그 눈은 사람의 마음을 꿰뚫어 보기라도 하는 듯 묘하게 보는 사람의 마음을 뜨끔하게 했다.

"그렇기에, 또한 서로에게 누구보다도 더 깊은 상처를 줄 수 있는 존재입니다."

루카스는 천천히 칼리아스의 표정을 살펴보았다.

"상처 주지 마십시오. 진심으로 부탁드립니다."

"내…… 내가 무슨 상처를 준다고 그러느냐? 나…… 나는, 벨라를 아끼고 사랑해 줄 수 있다. 정말이다."

칼리아스는 그 말을 내뱉은 후에야 자신이 루카스에게 속마음을 들켰다는 사실을 진정으로 깨달았다.

루카스는 희미하게 입꼬리를 끌어 올렸다.

"벨라 아가씨가 전하의 첫사랑이라니 오히려 제가 영광입니다."

칼리아스는 머뭇거리다가 체념하듯 입을 열었다.

"실은 집사인 네가 벨라에게 수영을 가르치는 것조차 싫다. 기분 나쁘다. 나도 내 감정을 조금은 생각해 봤는데 아르티드 영애를 다른 사람에 비해 조금 더 특별히 생각한다."

칼리아스는 쓰게 입을 열었다.

"하지만, 아직 나도 내 감정이 무엇인지 잘은 모르겠다. 이런 감정을 느껴 본 자체가 처음이어서 누군가 비웃을까도 두렵다."

그의 표정은 시시각각 미묘하게 변했다.

"어쩐지 인정하면 내가 바보가 되는 것 같아서 부끄럽다. 버틀러 경은 이 사실을 아무에게도 말하지 말라. 나는 아직 확신이 없다. 그저……."

두서없이 횡설수설하다가 칼리아스는 스스로 입을 꾹 다물고 얼굴만 붉혔다. 그 모습에 루카스는 슬며시 미소 지었다.

"그렇다면, 단념해 주십시오. 페로하트로 돌아가는 대로, 늦어진 아가씨의 생일 연회를 거하게 치르고, 아가씨의 약혼을 추진할 겁니다."

루카스는 미소 짓고 있었지만, 그의 입에서 튀어나오는

말은 차가웠다.

“아시다시피 벨라 아가씨가 성년이 되어 모든 재산권이 아가씨에게 돌아갑니다. 저는 후견인으로서의 마지막 임무로, 아가씨의 안정적인 혼처를 준비할 것입니다. 아가씨는 여전히 목숨을 위협당할 만큼 재산이 많고, 그 재산을 굳이 탐내지 않아도 될 만큼 강한 배우자가 있어야 앞으로의 안전을 기약할 수 있습니다.”

그의 말에 칼리아스는 숨이 멈추는 것만 같았다.

“이미 아가씨는 황태자 전하를 위해 열애설에 휩싸이며 수많은 추문을 뒤집어썼습니다. 이 이상의 추문은 곤란합니다.”

루카스는 조용히 눈을 감았다가 떴다. 그나마 남은 미소를 싹 지운 그는 냉랭한 목소리로 나직하게 말했다.

“아가씨를 책임져 주십시오. 그렇지 않다면 깨끗하게 잊어 주십시오. 제가 드리고 싶은 부탁은 그뿐입니다.”

칼리아스는 눈만 크게 뜬 채 아무런 말을 하지 못했다. 바나나 잎으로 만든 침상에 가로로 비스듬히 누워 이들을 흥미롭게 지켜보던 티베리가 웃으며 말했다.

“그러게, 나와 혼인하는 것이 훨씬 더 좋지 않습니까? 나의 사랑스러운 아기 사슴을 품속에 가두고 든든하게 보호할 만한 사람은. 손도 못 잡고 코피나 흘리는 애송이보다 노련미 넘치는 제가…….”

티베리는 버터 미소를 가득 머금었다.

“자랑은 아니지만, 전 레이디들을 만족시키는 법을 아주 잘 알고 있어서 말입니다.”

대답 대신 칼리아스는 모닥불 곁에 놓인 코코넛 껍질로 만든 바가지를 온 힘을 다해 던져 티베리의 이마에 명중시켰다.
"개수작 부리지 말고 닥쳐라. 병든 죄수 놈아!"
루카스는 자리에서 일어서며 말했다.
"내일쯤이면 뗏목이 완성되겠군요. 물살을 건너기 위한 식량과 물은 이미 다 준비되었습니다. 서둘러 마무리하시고 일찍 주무셔서 체력을 비축해 두십시오."

눈을 뜨기 힘들 정도로 강렬하게 햇볕이 내리쬐고 있었다.
"이 앞의 무인도들 사이로 강한 해류가 흐르는데, 이것을 거슬러야만 아카이브 제도로 진입할 수 있습니다. 성인 장정 여섯이서 노를 저어야 넘어갈 수 있는 곳인데 우리는 다섯."
티베리는 그 말을 하며 주변을 둘러보았다.
"아슬아슬한 상황이지만, 젖 먹던 힘까지 모두 모아서 힘껏 저어 주십시오."
티베리의 말에 다들 결연한 표정으로 노를 붙잡았다.
"대략 1.5킬로미터 되는 거리인데, 물살 빠르기가 세계 최고급입니다. 게다가 여섯 시간마다 해류의 방향이 바뀝니다. 한 명이라도 노를 놓치면 다시 그 섬으로 되돌아가게 됩니다. 힘이 빠질수록 건널 확률이 낮아지니 한 번에 갑시다."

간만에 티베리가 진지한 표정이었다. 아직 완전히 회복되지 않아 그는 서 있는 것이 약간 힘들어 보였지만 벨라와 시선이 마주치자 윙크를 찡긋 날렸고 칼리아스는 주먹을 부르르 떨었다.

"어쨌거나 아카이브항에 도착하면 두고 보자."

칼리아스는 티베리와 벤자민이 도망치지 못하도록 밧줄로 뗏목에 한쪽 다리를 묶고, 그들의 팔을 노를 쥐게 하여 단단히 묶었다. 그리고 몇 번이고 제대로 묶였는지 확인했다.

"이런, 너무하시는군요. 저의 도움이 아니면 아카이브 제도로 진입하기 힘든데 저의 헌신을 이런 식으로 보답하십니까?"

티베리가 씨익 웃어 보였다.

"애초에 네놈이 나의 뒤통수를 치지 않았다면 여기 올 일도 없었다."

칼리아스는 티베리를 차갑게 노려보았다. 그러나 티베리는 전혀 기죽지 않고 싱글거렸다.

"어서 출발하자!"

칼리아스의 명령에 모두 노를 젓기 시작했다. 구령은 티베리가 외치기 시작했다. 그에 맞춰서 모두 열심히 노를 저었다.

벨라는 바다 밑을 보지 않으려고 애썼다. 루카스에게 수영을 배운 결과 허리 깊이 정도의 물에서는 어느 정도 뜰 수 있게 되었지만, 여전히 발이 닿지 않는 물은 아찔한 공포를 일으켰다.

노를 저으면서 바닥을 보는 순간 또다시 공황 상태에 빠질 것을 우려해 벨라는 고개를 들어 하늘을 바라보았다.

맑은 날을 골라 뗏목을 띄웠기에 하늘엔 구름 한 점 없고 평온하기만 한데, 바다는 세상을 모두 집어삼킬 듯 거세게 흐르고 있었다.

티베리가 뱃길을 알고 있었기에 망정이지 만약 그가 없었더라면 계속해서 처음의 무인도로 돌아갈 뻔했다.

한 번에 가자는 그의 말대로 벨라는 노를 부러뜨릴 듯 거세게 밀어내는 해류를 거슬러 몇 시간 동안의 사투 끝에 한 번에 바닷길을 거슬러 갈 수 있었다.

비교적 순탄한 뱃길이었다.

"2시 방향으로 뗏목을 틀어 주십시오! 좌현 방향 노 젓는 속도 빠르게! 좋습니다. 저 멀리 보이는 섬을 기준점으로 잡으십시오."

티베리는 잘 모른다 서투르다 시치미 떼던 것과는 달리 이쪽을 몇 번 와 본 적이 있는지 꽤 익숙한 듯 보였다.

"티베리, 보병 연대 지휘관 아니었어요? 뱃길에도 능숙하네요?"

벨라의 말에 티베리는 눈을 찡긋하며 말했다.

"어딜 던져 놔도 살아남는 것이 저희 집안 훈육 방식이라서 말이죠. 레이디."

그리고 점차 눈앞에 모습을 드러내는 아카이브 제도의 모습에 드디어 집에 돌아갈 수 있게 되었다는 생각에 감격했다. 몇 개의 작은 섬을 지나쳐 아카이브 제도에서 가장 큰 섬에 다다르자 눈에 익은 형태의 배들이 점차 하나둘 눈앞에 보였다. 그중 플란네르 국기를 단 상선이 지나가고 있었다.

"레이디 벨라."

티베리가 큰소리로 외쳤다. 벨라가 뒤돌아보자 티베리는 윙크를 하며 경례하는 시늉을 했다.

"저는 아직 레이디를 기다립니다. 저의 품에 안겨 진정한 여자가 되는 날을 기대해 주십시오."

그 말을 마치자마자 티베리는 단숨에 물에 뛰어들었다. 당황한 칼리아스가 그를 붙잡으려 했지만 이미 그는 저만치 잠수해 달아난 후였다.

"밧줄을 잘라 놨어! 놈이 언제 칼을 가지고 있었지?"

당황한 칼리아스의 시선이 벤자민에게 와 닿자 벤자민은 어색한 미소를 짓더니 그대로 물속에 뛰어들었다.

"두 놈이 언제 작당을? 진작에 죽여 버렸어야 했는데!"

얼빠진 얼굴로 서 있던 칼리아스가 분해서 어쩔 줄 모르자 루카스가 그를 달랬다.

"보아하니 이미 밧줄이 풀려 있었나 봅니다. 지금까지 묶여 있는 척 연기를 했던 것 같습니다."

칼리아스는 머리를 움켜쥐며 말했다.

"하아, 분명 매듭을 몇 번이고 확인했건만. 어쩐지 조용히 지내더라니. 끝까지 뒤통수를 치는구나. 지금까지의 행동이 모두 우리를 안심시키려는 수작이었던 건가?"

"어차피 쇠사슬을 구할 수도 없었고, 저들의 협력이 필요하던 상황이었습니다. 여기서 저들을 추격할 수도 없으니 우리는 페로하트행 선박을 찾아보는 것이 우선일 겁니다."

루카스의 말에도 칼리아스는 여전히 흥분을 가라앉히지 못하고 씩씩거렸다. 루카스는 담담하게 다시 입을 열었다.

"일부러 플란네르 상선이 지나가는 길 쪽으로 우리를 안내한 모양입니다. 지금 보니, 선착장이 여럿이어서 국가별로 다른 선착장을 이용하는 것 같군요."

칼리아스는 그 말에 눈썹을 찌푸렸다.

"간교한 놈. 여기서 우릴 다시 포로로 잡을 속셈인가? 페로하트 쪽 선착장으로 향했어야 했는데……. 저 상선이 우리를 뒤쫓아 오면 낭패다. 우리도 여차하면 뗏목을 버리고 물에 뛰어들어야 할 상황이군."

칼리아스는 불길한 생각에 주변을 둘러보았다. 그러나 플란네르의 상선은 티베리와 벤자민을 건져 올린 후, 뒤도 돌아보지 않고 제 갈 길로 가고 있었다.

혹여 다른 플란네르 측 선박이 그들을 알아차릴까 봐 칼리아스는 바나나 잎으로 만든 모자를 머리에 얼른 뒤집어썼다. 하지만 의외로 아무도 그들을 가로막지 않았다.

벨라는 멀어져 가는 플란네르 상선을 바라보며 착잡한 심정에 휩싸였다.

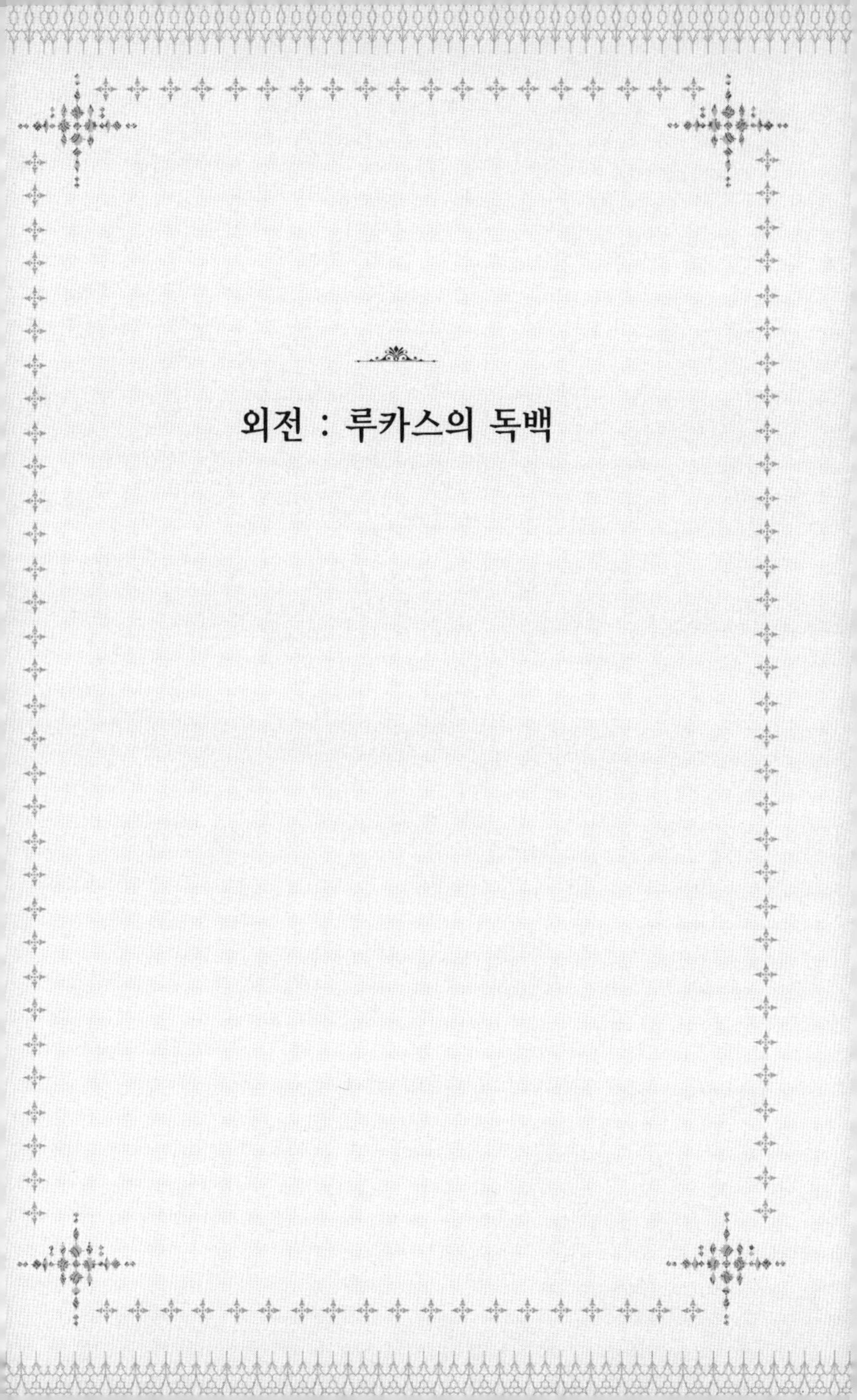

외전 : 루카스의 독백

외전 : 루카스의 독백

언제나 그녀는 위태로워 보였다.

나비.

아마도 나비라는 단어가 딱 어울릴 것이다.

고치 안에서 오랜 시간을 인내하여 날개를 활짝 펴고 날아오르면 되었을 나의 나비는 스스로 고치를 찢고 나오질 못했다.

그 번데기를 자신의 힘으로 찢고 나왔어야 했다. 그래야 고스란히 온전한 모습으로 날개를 펼 수 있었을 것이었다.

그러나 성급하게도 자신의 고치를 누군가에게 찢어 달라 하고 미성숙한 채로 젖은 날개를 펼쳤다.

그 탓에 아름다워야 할 날개는 고치로부터 외부에서 가한 압력에 일그러져 다 펴지 못한 채 절룩이며 날갯짓을 하게 되었다.

무지개 색으로 빛나야 할, 알알이 결 고운 비늘은 날기 위해 필사적으로 버둥거리다가 떨구어져 나갔고, 가냘픈 혈관이 모두 노출된 채 세상에 맨몸으로 남겨져야 했다.

그래도 제발 살아 줘.

당신은 나의 희망이었지 않나.

불완전해도 여전히 당신의 등에는 날개란 것이 달려 있지 않나.

한때 내가 모든 것을 걸고 섬겼던 여인. 내가 다비드 후작님께 입었던 목숨값의 대가로 그의 딸인 벨라 양을 성인이 될 때까지 보호해야 한다고만 생각했다.

그래서 원론에 충실했다. 당신은 고용주, 나는 고용인. 충성 외에 그 무엇이 더 필요한가.

그러나 그녀가 재산을 다 잃고 망가진 이후에야 깨달았다. 그녀에게 올바른 사랑을 준 이는 아무도 없었다는 그 사소한 사실을 말이다.

사랑받지 못했으니 당연히 사랑할 줄 모른다. 심지어 자기 자신을 사랑할 줄도 모른다.

어리석은 서류에 서명하여 우리의 고용 계약 관계를 깨뜨린 이는 바로 그녀 자신이었다. 아무리 재판을 뒤집으려고 증인을 모으고, 증거를 수집하려 다녀도 본인이 노력하지 않는데 판결을 뒤집을 수가 없다.

그런데, 이미 그녀는 나의 주인이 아닌데 왜 그녀의 주변을 맴돌고 있는가. 그 알 수 없는 행동의 이유를 깊숙하게 들여다보노라니 추악한 나의 목소리가 말한다.

그것 봐. 내 말을 듣지 않더니 꼴좋다. 나는 당신이 이렇게 될 거라 예상했다.

당신을 구하고자 목숨을 건 수많은 사람의 충성을 몰라보다니 자업자득이다.

……알면서 왜 막지 못했나.

망하기를 바랐던 것인가.

그래서 감히 닿을 수 없던 하늘의 별 같은 그대가 추락하여 내 손에 닿을 만한 거리에서 나의 도움을 기다리며 파닥거리기를 기다렸던 것인가.

원론에 충실하였으므로 나는 더 이상 책임이 없다. 나는 내 할 도리를 다했고 이 이상의 의무는 없다고 자신에게 면죄부를 주고 싶어 하는 것인가.

그런 생각이 들 때마다 나는 나의 추한 속삭임에 구역질이 난다.

당신은 아름다웠던 나의 별이었다.

당신이 처음 본 그날, 모친의 품에 안긴 작은 요정 같은 아이가 그 신비한 보라색 눈을 느릿느릿 깜빡이며 해맑은 표정으로 나를 신기하게 바라보던 것을 기억한다.

이렇게 작고 가녀리고 말간데 작은 얼굴 안에 오밀조밀하게 눈과 코와 입이 모여 있는 모습이라니. 오므린 손의 손톱은 또 얼마나 작고 정교한가.

너무 가늘어서 형체도 제대로 보이지 않는 속눈썹 사이로 그 무엇으로도 값을 매길 수 없는 보석 같은 눈동자를 떴다

감았다 하며 나의 모습을 비춘다.

인간이 이렇게 아름답고 소중한 존재이던가. 나는 할 말을 잃고 당신을 정신없이 들여다보았다. 성스럽다 못해 고귀한 얼굴이었다.

그때부터 그대는 나의 이상향이었고 꿈꿀 수 있는 최고의 신비함이었다.

인간이 가질 수 있는 가장 아름다운 모습의 표상은 당신이었다.

그런데…….

나는 최선을 다해 당신을 섬겼으므로, 이 모든 실패는 당신의 탓이라고 죽은 후에 다비드 후작님 앞에서 핑계 댈 생각만 하고 있는가.

저 멀리 가로등을 붙들고 숙취를 이기지 못해 구토하고 있는 당신이 보인다.

최고급 원단에 최고의 재단사가 재단한 옷만 걸치던 당신의 몸에 올이 풀린 싸구려 원단으로 만든 야한 드레스가 품위 없이 걸려 있는 것을 본다.

그대의 어깨에는 어느 몹쓸 놈이 남겼을지 모를 멍 자국과 생채기가 완연하다.

당신의 이모라는 마귀할멈 같은 그 망할 여자가 당신을 충동질시켜 돈 많은 집에라도 시집가야 한다면서 온갖 춤판에 끌고 다닌 것에 분노한다.

당신이 정숙과는 거리가 멀더라 하는 소문이 돌아 혼삿길이 막히게 한 것도 모자라 감당도 못할 사치를 부리게 하고,

사채를 끌어다 쓰는 법부터 가르쳐 준 것을 저주한다.

사채는 나중에 부잣집에 시집가서 갚으면 된다면서 모양새에만 신경 쓰라고 허튼소리나 지껄여 준 것을 원망한다.

당신은 그 사채에 억눌리지 않을 수 있었다. 내가 대신 갚아 주겠다고 했으나 당신은 뜻 모를 웃음을 흘리며 말했다.

"당신의 동정심을 사느니 그냥 사채 속에 살래. 종처럼 부리던 집사보다 못한 신세가 된 옛 주인을 비웃으려면 마음껏 비웃어!"

그러고는 도망가려고 했다. 도저히 두고 볼 수가 없어서 당신을 붙들었다. 당신은 다시 말했다.

"내 말뜻 못 알아들어? 당신 말 듣지 않더니 잘 됐다고 실컷 비웃기나 하란 말이야! 내 삶이야! 내가 알아서 할 거야! 어디까지 내 삶을 가둬 놓고 마음대로 조종하려 할 거야? 더는 꼭두각시로 살지 않아! 나는 내가 정한 대로, 내가 뜻한 대로 자유롭게 살 거라고! 내가 틀렸고 당신이 옳을 거란 선입견은 버려! 사창가를 가도 내가 가고, 술을 팔아도 내가 팔아! 그러니까 상관하지 말란 말이야! 이젠 내 아무것도 아니면서!"

이젠 내 아무것도 아니면서…….

그 말이 나의 심장에 아프게 날아와 박혔다.

그렇다. 나는 더 이상 당신과 연관이 없다. 그런데 왜 나는 당신이 망가져 가는 것이 내가 망가지는 것처럼 괴로운가. 이 찢어지는 심장의 고통은 무엇인가.

지긋지긋하게도 나의 말은 반대로 실천하였다. 청개구리

짓을 하며 내가 왼쪽으로 가라 하면 오른쪽으로 갔고, 똑바로 걸으라 하면 옆으로 걸었다.

무엇이 이렇게 당신을 엇나가게 했는가?

나는 그 질문을 수없이 내게 했다.

나는 왜 떠나가지 못하고 이렇게 당신의 주변을 끊임없이 맴도는가.

당신이 없는 이 삶이 후련하고 속 시원한 것이 아니라 왜 이렇게 불안하고 안타까우며 심장이 저릿저릿해지는가.

나의 영혼을 갉아먹는 것만 같던 당신은 나를 떠남으로써 나를 해방시킨 것이 아니라 더욱더 단단한 무언의 밧줄로 나를 속박시킨 것만 같았다.

약물 중독에 인간쓰레기인 작자가 당신을 무참하게 때리고 있다. 나는 내가 늘 들고 다니던 신사용 지팡이로 놈을 흠씬 두들겨 패 주었다.

당신은 오히려 나의 따귀를 때리며 그를 끌어안고 사과하고 빈다.

울컥하니 뜨거운 그 무언가가 내 목구멍에서 치밀어 오른다.

내가 그리도 소중하게 모셨던 이를 다른 이들이 함부로 대하는 것을 보고 견디기가 힘들다.

그러나 더욱 힘든 것은 당신의 냉대이다.

"우리 사이엔 아무것도 없어요. 우리는 서로의 연결 고리가 없어요. 그러니 더 상관하지 마요. 당신이 대체 나의 무엇이기에."

그 약물 중독자가 당신에게 가정을 이루게 해 주겠다면서

값싼 사랑 고백을 한다. 나는 그 말이 거짓임을 너무나도 잘 안다. 허울만 귀족 집안의 자제라는 그놈은 이미 유부남이다. 그런데 아무리 당신에게 그 사실을 말해 주어도 당신은 귀를 막았다.

"그는 나에게 사랑한다고 말해 줄 마지막 남은 단 한 사람이에요. 대체 당신은 누구세요? 저를 아세요? 난 당신을 몰라요! 당신 같은 사람 기억에도 없다고요! 날 닮은 다른 여자를 나라고 착각하는 거 아니에요? 나는 귀족가의 영애였던 적이 없어요. 원래가 나는 싼 티 나는 창녀예요. 더 이상 나를 수치스럽게 하지 말고 가요!"

그 썩을 놈이 약 살 돈만 홀랑 빼먹고 결국은 당신을 버렸다. 어리석게도 당신은 자신이 쓰지도 않은 사채를 짊어진 채 더 지독한 싸구려 집창촌으로 팔려 가고 있다.

저주받아 마땅한 그 놈팡이가 당신에게 약을 가르쳤다는 것이 더욱더 최악이다.

나의 아름다웠던 별은, 새빨간 립스틱을 입 주변까지 번지도록 우스꽝스럽게 바르고 피에로처럼 눈 화장이 섞인 검은 눈물을 흘리며 깔깔거리며 속옷 차림으로 길거리에서 비틀거리고 있다.

왜 당신을 바라보는 내 눈에서 눈물이 흐르는가.

어째서 당신은 그 헐벗은 어깨에 걸쳐 준 내 겉옷마저 바닥에 패대기친 채 이 추운 겨울날 맨발로 길바닥을 기어가는가.

왜 그렇게 울면서 미친 듯이 웃고 있는가.

그 웃고 있는 모습이 너무 슬퍼서 나의 눈에서 쉼 없이 눈물이 흘러내린다.

그제야 깨달았다.

나는 당신을 사랑하고 있구나.

나의 너무나 소중한 이가 신창에 가라앉는 모습을 지켜보는 것은 나 자신이 난도질당하는 것보다 더 잔인하고 아프구나.

길거리의 사람들은 당신의 현재 모습을 보며 약에 절어 환각 상태에 빠진 한 미친 창녀를 떠올렸겠지만, 나의 눈에는 당신이 얼마나 아름다웠는가만이 겹쳐져 보여 나의 시야를 흐리고 있다.

당신은 빛나야 할 존재였다.

나는 당신을 사랑하고 있었다.

너무 소중해 나는 당신의 날개를 꺾을까 두려워 가까이 다가가지도 못했다.

빛나는 당신이 하늘로 아름답게 반짝이며 날아오르기를 원했다.

당신이 고치를 스스로 찢고 나와 나비로 자라지 못한 것은 당신의 힘이 모자라서가 아니라, 당신이 지은 고치가 얼마나 외롭고 허전한 고치였는지를 깨닫지 못한 나의 탓이다.

당신이 얼마나 사랑받는 존재인지를 깨닫게 해야 했다.

당신은 그리젤리 저택의 모든 이들에게 사랑을 받으며 자랐으나 정작 본인이 그 사랑을 느끼지 못한 줄도 모르고 멀리서 바라만 보는 사랑을 해 주었다.

다들 그리하였다.

당신은 주인. 우리는 고용인. 우리가 거리를 둠으로써 당신이 자립하리라 생각했으나, 적어도 그 온기만큼은 느끼게 해야 했다.

우리는 서툴고 미숙했다.

당신이 어설펐던 것처럼 우리도 당신을 헤아리지 못했다.

그 아름답던 당신이, 손으로 꽃 한 송이 꺾기 마음 아파하던 당신이, 당신을 그 지옥으로 밀어 넣은 악마를 찔렀다.

어쩌면 당신의 손이 그를 찌른 것이 아니라, 필요할 때 바짝 다가가 주지 못했던 우리가, 그리고 내가 당신으로 하여금 악마를 찌르게 만든 것인지도 모른다.

아아. 나의 소중한 주인이시여 용서하시길.

이제 모든 것이 다 늦어 버린 후에 하는 나의 사랑 고백은, 안 하느니만 못한 후회가 되어 편지 위에 내려앉는다.

이 편지만이라도 당신의 손에 전해지게 해 달라 신께 생전 처음으로 간절히 빌어 본다.

부디 나의 죽음으로 당신이 다시 새로운 삶을 살기를.

아직도 당신의 삶은 창창하고 살아갈 날이 지나온 날보다 더 많이 남아 있다는 것을 잊지 말기를.

12. 시공간의 초월자

12. 시공간의 초월자

"전쟁 승패가 아직 안 났어요?"

벨라는 눈을 크게 떴다.

페로하트행 배에서 선장에게 조국과 플란네르의 대치 상황에 대해 듣던 중이었다.

"전쟁이란 그렇게 간단하지 않다."

칼리아스는 심각한 표정으로 생각에 잠겼다. 그간 함께 지내며 본 얼빵한 표정은 어디로 가고 페로하트행 배를 탄 이후 언제 그랬냐는 듯, 그는 냉철하고 카리스마 넘치는 본래의 모습으로 돌아가 있었다.

"이안과 라울린과 캐시도 아직 군에 있겠네요."

벨라는 마른침을 꼴깍 삼켰다. 티베리 때문에 플란네르에서 지나치게 시간을 허비했다. 그사이 그리젤리 사람들에게 무슨 변고라도 생겼을까 봐 초조해졌다.

'푸딩처럼, 내가 그들을 지켜 주지 못하면 어쩌지?'

벨라는 발끝을 쳐다보았다. 고개를 들 수 없었다.

'지켜 주고 싶었는데…….'

떠날 때는 함께였는데 돌아갈 때는 함께하지 못했다. 녀석의 해맑게 웃는 얼굴이 보고 싶었다. 손을 뻗으면 고개를 치켜들어 벨라의 손을 핥곤 하던 그 노란 털 뭉치 녀석이 그리웠다.

벨라는 남들이 눈치채지 못하게 손등으로 눈물을 슬쩍 거두었다. 당장 군에 차출된 세 사람의 목숨까지 놓치면 안 되었기에 정신 차려야 했다.

'그들을 지켜 주라고 푸딩이 나를 구해 준 것인데 약해져서는 안 돼.'

벨라는 눈물을 멈추기 위해 고개를 들어 하늘을 바라보는 척했다.

"벨라."

칼리아스가 다가와 그녀를 불렀다.

"무슨 일이시죠, 전하?"

벨라가 그를 빤히 쳐다보았다. 그는 말없이 벨라의 눈동자를 바라보고 있었다.

어색한 분위기가 부담스러워서 벨라는 주변을 둘러보았다.

다른 사람 핑계를 대어 자리를 뜨고 싶어도 가까이엔 아무도 없었다.

"할 말이 있다. 산책이라도 하면서 갑판 위를 걷고 싶다."

칼리아스는 뭔가 따지려는 것처럼 쌀쌀한 표정으로 말하

면서도 귀는 새빨개져 있었다.

그의 모습은 꼭 먹은 게 체하기라도 한 듯 보였다. 식은땀을 흘리면서 미간은 찡그렸고, 손을 뻗으려는 건지, 주먹 쥐려는 건지, 내밀었다 뒤로 뺐다, 다시 주먹 쥐었다, 폈다 해가며 그는 자신의 손을 가만두지 못했다.

벨라는 그의 얼굴을 빤히 쳐다보았다. 벨라가 손을 빼려 하자 그는 화들짝 놀라 빠져나가지 못하게 끌어당겼다. 장갑이라 당기면 손이 풀려날 수 있었지만, 벨라는 어쩐지 황태자의 기분을 거스르고 싶지 않아 가만히 있었다.

지금 칼리아스는 초인적인 힘으로 자신을 절제하는 중이었다. 잘못하다가 손바닥에서 또 불이 나면 벨라가 위험할 수 있었다. 흥분하는 순간 벨라가 플란네르의 경비병처럼 숯덩이가 될까 봐 절대로 절대로 긴장을 놓을 수가 없었다.

'이래서는 아르티드 영애의 손도 마음대로 잡지 못하겠지 않나.'

칼리아스는 곰곰이 생각했다. 다른 것도 아니고 왜 벨라를 떠올릴 때마다 초대 황제가 썼다는 성스러운 불을 피워낼 수 있는지 자신도 이유를 알아야만 했다.

그런데 자꾸만 그의 머릿속에는 흑역사만이 떠올랐다.

벨라가 일곱 살일 때 청혼했던 일, 귀족 부인들 틈바구니에서 거품 입욕제를 구하러 갔던 일, 춤 더 추려고 했는데 벨라가 쌩하니 도망가 버렸던 일, 오페라 하우스에서 나오기도 전에 가십성 기사가 퍼졌던 일, 벨라가 티베리와 염문 뿌린다는 추측성 기사에 자신의 이름이 언급되었던 일, 벨라의 집사로 변장해서 다녀야 했던 일 기타 등등.
하나같이 그로서는 결코 다시 떠올리고 싶지 않은 창피한 기억들이었다.
창피해 죽겠는데 왜 그녀를 생각할 때마다 자신의 손에서는 불길이 이는 것인지…….
칼리아스는 벨라를 힐끔 쳐다보았다. 보라색 눈동자가 자신을 향해 미소 지었다.
순간 숨이 멎는 듯했다. 눈이 부셨다. 그녀의 아름다운 눈동자가, 기다란 속눈썹이, 매끈한 콧날이, 부드러워 보이는 입술이…….
향수를 뿌리지 않았는데도 그녀에게서 달콤한 꽃향기가 풍기는 것 같았다.
세상 어디에서 다시 만날 것인가. 죽음을 향한 그의 운명을 바꾸기 위해 목숨을 걸고 적지까지 와 줄 그런 이를…….
그런 그녀를 갖고 싶다는 생각이 들었다.
아름다운 버베나 꽃.
나만 간직하고 나만 바라보고 싶다.
너와 함께라면 어쩐지 남은 내 인생이 외롭지 않을 것 같다는 생각이 든다.
이 순간을 지키고 싶었다. 언제까지라도 그녀와 함께 햇살 아래 손잡고 서 있고 싶은 기분이었다.
칼리아스는 얼굴을 붉히며 고개를 다시 돌렸다.
'이전에 내가 그토록 절실하게 지키고 싶은 것이 있었던가?'
선조들은 모두 이 능력을 뽑아 쓰지 못했고 칼리아스 역시 자신이 쓸 수 있으리라 기대도 하지 않았던 능력이었다.

벨라는 꿈에서 미래를 내다보았다고 했다.

혹시 신께서 미리 점찍어 둔 운명의 커플인 것은 아니었을까?

순간 칼리아스의 손에서 불이 붙었다.

"으악!"

정작 벨라보다도 칼리아스가 더 깜짝 놀라 비명을 지르며 벨라의 손을 털어 냈다. 붙었던 불이 순식간에 사라졌다. 벨라는 불을 보지 못하고 칼리아스의 비명에 도리어 놀랐다.

칼리아스는 괜찮은 척 다시 벨라의 손을 쓱 잡았다.

왜 하필 벨라인가.

칼리아스는 난해한 방정식을 풀듯 미간을 잔뜩 구기며 생각에 생각을 더해 갔다.

그리고 그녀와 춤을 췄던 승전 연회의 밤을 떠올렸다. 그리고 그녀가 왈츠를 출 때 꽃송이처럼 벌어지던 치맛단을 떠올렸다.

우린 제법 잘 어울리는 상대였어.

그 생각을 하자마자 가슴이 미친 듯이 콩닥콩닥 뛰었다.

마주 잡았던 손, 턴을 돌아 자신의 허리에 살포시 손을 감으며 안겨 오던 그 모습이…….

"전하! 옷에 불이 붙었습니다!"

벨라의 비명에 칼리아스는 얼른 소매를 털어 불을 껐다. 그리고 벨라의 타다 만 장갑이 바닥에 떨어지자 황급히 발로 밟아 불을 껐다.

선원들이 물동이를 들고 달려와 칼리아스의 몸에 쫙 끼얹었다. 난데없는 물벼락에 칼리아스는 푸우 하는 소리를 내며 얼굴로 흐른 물을 손으로 닦아 냈다.

"괜찮으십니까?"

칼리아스의 동공이 미묘하게 떨려 왔다.

그의 시선은 바닥에 떨어진 장갑으로 향했다.

장갑이라도 끼고 있어 다행이었다. 자신의 곁에 있다가 벨라는 언제 화상을 입을지 모를 일이었다.

"저주인가 축복인가?"

칼리아스는 멍하니 벨라를 바라보며 혼잣말로 중얼거렸다.

순간 이러다가 그녀를 평생 안을 수 없으면 어찌할까 하는 생각이 머리를 스쳤다. 칼리아스의 눈동자가 요동쳤다. 끔찍한 일이어서 식은땀이 흘렀다.

"전하, 정말 체한 것 아닙니까? 안색이 심상치 않습니다."

벨라가 하는 말에 칼리아스는 어금니를 깨물었다.

그녀를 안을 수 없는 것에 왜 이리 절망감이 드는지 이유를 되짚어 보았다.

혹시, 이것이 소위 말하는 사랑이라는 감정인가?

칼리아스는 멍하니 서서 벨라를 바라보았다.

괜히 일곱 살짜리 벨라에게 청혼한 것이 아니었던 모양이었다.

자신의 가슴을 이렇게 뛰게 하고, 불붙게 하는 사람, 그리고 절망시킬 수도 있는 사람.

다른 모든 것은 잃어도 결코 잃고 싶지 않은 단 하나의 존재.

칼리아스는 최면이라도 걸린 듯 들릴락 말락 한 작은 소리로 자신에게 말했다.

너를 빼앗기지 않기 위해서.

너를 지키기 위해서.

'그래서 삼재된 선조의 능력을 끄집어낼 수 있었던 걸까?'

그런데, 그 사실을 자각하자마자 정작 벨라의 곁에 다가가기 두려워졌다.

'시도 때도 없이 불붙는 손바닥을 조절할 수가 없어.'

눈앞의 벨라가 불길에 휩싸이는 모습을 상상했다. 상상만으로도 아찔한 현기증이 밀려왔다.

칼리아스는 저도 모르게 뒤로 한 발 물러섰다.

벨라는 오늘따라 황태자의 행동을 도통 이해할 수 없었다.

창백하게 질린 표정의 칼리아스는 멍하니 서 있다가 벨라에게 말했다.

"피…… 피곤하다. 그만 물러가라."

그리고 도망치듯 배 안으로 들어가 버렸다.

벨라는 먼저 산책하자고 사람을 불러 놓고 도망가 버린 칼리아스의 뒷모습을 뚫어지게 바라보았다.

페로하트에 도착하자마자 항구에는 황태자를 맞이하기 위한 군대가 대기 중이었다. 국방 장관 하이아드 백작이 마

중 나와 기다리고 있었다.

'환영식인가? 우리가 도착하기도 전에 누군가 소식을 알린 걸까?'

벨라는 신기한 듯 그 모습을 보았다.

칼리아스가 배에서 내려 땅에 발을 딛자마자 하이아드 백작이 정중하게 인사하며 말했다.

"폐하께서 명령하시기를 유폐 형에 처하라 하셨습니다."

벨라는 그 모습에 당황했다.

"잠깐만요! 겨우 플란네르에서 탈출했다고요! 도착하자마자 숨 돌릴 여유도 없이 이게 뭔가요!"

칼리아스는 팔을 내밀어 벨라에게 멈추라는 듯한 신호를 보냈다. 그러자 하이아드 백작이 말했다.

"칼리아스 님께서는 이제 더 이상 황태자가 아니라 국법을 거스르고 단독 행동을 한 죄인이므로 대가를 치러야 한다는 전언입니다."

그렇게 칼리아스는 하이아드 백작에 의해 연행되어 가면서 뒤돌아보았다. 벨라는 그 모습을 하염없이 바라보다가 또 다른 병사들이 다가오는 것을 보고 주변을 두리번거렸다.

"같이 가 주셔야겠습니다."

루카스는 벨라와 자신을 연행해 가려는 무리에게 나섰다.

"무슨 일입니까?"

"국법을 어기고 적국에 체류하였으므로 조사가 필요합니다. 당신들은 지금 간첩 혐의가 있습니다."

벨라는 황당하다는 듯 말했다.

"간첩 혐의라뇨! 그게 말이 되나요? 저는 플란네르에 강제로 억류되어 있었어요. 만국 박람회 관람한 사람이 모두 플란네르에 체류했었으니 전부 다 간첩인가요?"

"자세한 것은 조사해 보면 압니다."

그렇게 해서 끌려가나 싶었으나 순간 루카스가 그들에게 종이 뭉치를 내밀었다.

"그간의 행적에 대해 상세히 적은 문서입니다. 혹시 쓰일 데가 있을까 하여 기록해 두었던 자료들입니다. 황제 폐하께서 궁금해하실 만한 것이 적혀 있으므로 이것을 받으십시오. 저희는 바로 황제 폐하를 알현하려던 참입니다."

벨라는 배를 타는 동안 루카스가 조용히 뭘 하나 싶었다. 그새 저 많은 문서를 작성했을 줄은 미처 몰랐기에 혀를 내둘렀다.

"간첩 혐의는 저희가 황제 폐하를 알현하면 자연히 풀릴 겁니다. 체류 기간 중 황제 폐하께 드린 비밀 서신이 있으니 황제 폐하께 여쭤보십시오. 알현을 허락하실 겁니다."

벨라는 루카스 덕에 체포되는 일을 면하고 바로 수도로 향했다. 그리고 얼결에 황제를 알현하게 되어 버렸다.

신기하게도 황제는 벨라와 루카스의 알현을 허락했다. 벨라는 아무 말이나 하다가 루카스를 곤란하게 할까 봐 입을 꾹 다물었다.

황제에게 향하는 레드 카펫 길은 웅장하고도 길었다. 승전 연회 때는 연회장이나 들어가 봤지 국정을 돌보는 곳에 가 보는 것은 처음 겪는 일이었다. 속으로는 떨렸지만, 그리젤리에서 익혔던 예법을 떠올리며 한 치의 망설임 없이 코끝을 세우고 도도하게 걸었다.

그리고 그 길의 끝에 있는 황금빛 옥좌에 앉아 있는 황제 테오도르 알리크 엑세리온 카나이브를 마주하게 되었다.

그 위압적인 금빛 눈동자는 금방이라도 변덕을 부려 벨라의 운명을 바꾸려 들겠지만, 벨라는 전혀 주눅 들지 않고 그 앞에 나아가 공손히 인사를 올리고 고개를 조아렸다.

"그래, 이 아가씨가 아르티드가의 차기 후작인 벨라 엘 아르티드인가?"

승전 연회 때 클라라 황녀 때문에 졸지에 황족이 앉는 자리에 앉아 얼굴을 마주쳤던 적이 있음에도 황제는 벨라의 존재를 이제 처음 안 것처럼 굴었다.

"그리고, 이쪽이 내게 청원을 올린 아르티드가의 집사 루카스 버틀러 경?"

그의 말에 루카스는 고개를 숙이고 있다가 공손히 품에서 손수건에 싸인 물건을 꺼내 시종이 든 쟁반 위에 올려놓았다.

"말씀드렸던 플란네르 측의 개량된 후장식 소총용 금속 탄피입니다."

시종이 루카스가 가져온 것을 채 가져오기도 전에 황제는 입을 열었다.

"금속 탄피라면 유감이다만, 이미 플란네르에서 사용하는 것을 입수한 바 있다. 그대들이 플란네르에 있는 동안 접전 지대에서 어렵지 않게 구했다. 굳이 이미 가지고 있는 것으로 공을 세웠다고 하기에는 문제가 있지 않은가? 교전이 벌어지는 동안, 우리 군은 가만히 있었으리라 생각하는 건가?"

벨라는 순간 입술을 깨물었다. 푸딩을 잃어 가며 구해 온 금속 탄피가 무용지물이라니!

그러나 루카스는 전혀 동요하지 않고 말했다.

"먼저 제가 가져온 것을 살펴 주십시오."

시종장이 쟁반 위의 것을 황제에게 보이도록 손수건을 잘 풀어서 바쳤다.

"이미 군이 입수한 바 있다 했는데……."

순간 황제의 미간이 찡그려졌다.

"이것은……."

루카스가 고개를 조아리며 정중히 말했다.

"플란네르의 차세대 카트리지입니다. 기존의 것이 단순히 센터파이어형 금속 탄피였다면, 이것은 그것을 규격화한 것입니다. 종류는 탄환 구경에 따라 두 가지입니다. 여러 종류의 다른 총기에 상관없이 사용 가능합니다."

벨라는 화들짝 놀라 루카스를 쳐다보았다. 언제 또 저런 것을 따로 구한 것인지 알 수 없었다.

한편 루카스가 가져온 것이 충격적이라는 듯 황제는 시선을 떼지 못했다.

"오싹할 정도로군. 도대체 몇 수 앞을 앞서가고 있었던 것인가?"

"저는 약속을 지켰으므로 폐하께서 제게 약속한 것을 지켜 주시길 원합니다."

루카스가 무엇을 황제에게 요구하는 것인지 알 리 없는

벨라는 그저 루카스를 바라볼 뿐이었다.

"흐음."

황제는 몇 번이고 그것을 들여다보다가 흔쾌히 입을 열었다.

"좋다. 내 친히 아르티드가의 차기 후작을 위한 성대한 성년식을 궁에서 치르게 해 주지."

간첩 혐의도 단숨에 벗고, 황궁에서 성년식을 치르며 정식으로 후작 작위를 받는 영광을 얻게 된 벨라는 황궁을 나오면서 루카스에게 물었다.

"루카스, 어떻게 된 거예요? 그 규격화된 카트리지는 뭐고요?"

루카스는 별것 아니라는 투로 짧게 말했다.

"티베리의 비서 일을 잠시 해 주고 빼돌렸습니다. 숨겨 뒀더군요."

"눈에 잘 띄는 곳에 뒀을 리는 없잖아요."

"그래서 눈에 잘 안 띄는 곳을 찾아봤습니다."

그뿐이었다.

남들 같으면 생색을 몇 번이고 내도 될 만한 사항을 루카스는 당연하다는 듯 말하고는 그 뒤로 그 일에 대해 언급하지 않았다.

"아무런 준비 없이 플란네르로 간 건데 루카스는 언제 황제 폐하께 서신까지 보내고 거래를 청한 거였어요?"

그 말에 루카스는 역시나 가볍게 대답했다.

"아가씨께서 무엇을 선택하시든, 그 선택을 실현 가능하게 하는 것이 제 일입니다."

"그래도 황궁에서 성년식을 올리고 황제 폐하께 직접 작위를 받다니……."

이 정도의 공이면 본인의 공으로 돌려도 될 만한 일이었다. 그런데 루카스는 자신의 이야기는 전혀 보태지 않고 그것을 모두 벨라의 영광으로 돌렸다.

루카스는 늦었다는 듯 첨탑의 거대한 시계를 힐끔 보고는 마차를 빌려 벨라가 탈 수 있게 했다.

순간 루카스는 뒤를 돌아보았다.

벨라의 손이 루카스의 손을 잡았다. 벨라의 눈가가 붉어져 있었다. 벨라는 웃으며 다른 한 손으로 눈가를 슬쩍 닦았다.

"왜 그러십니까? 혹시 무슨 문제라도?"

황궁에서의 성년식 자체로도 영광인데 웬일인지 벨라는 목구멍이 울컥하고 뜨거워지는 것만 같았다.

"루카스, 고마워요."

개인적 사심이라고는 전혀 없는 사람. 있던 공도 모두 자신에게 돌려주는 사람, 사지에서 간신히 살아 돌아오는 와중에도 자신이 그다음 나아가야 할 길을 미리 준비하는 사람.

벨라는 차마 말을 잇지 못하고 그저 루카스의 손을 잡을 뿐이었다. 크고 단단한 손. 그러나 벨라에게 한없이 따뜻한 손.

당신이 없었다면 제가 어떻게 존재할 수 있었을까요?

루카스는 벨라에게 붙잡힌 손을 빼려고 했으나 그녀는 그럴수록 다른 한 손까지 얹어 그의 손을 꼭 감싸 쥐었다. 당황한 루카스가 벨라의 그렁그렁한 눈을 바라보았다. 벨라는 그의 손을 천천히 자신 쪽으로 끌어당겨 느릿하게 그의 손등에 입술을 맞추었다.

쪽.

루카스의 눈동자가 요동을 쳤다. 그러나 벨라는 눈물 가득한 눈으로 환히 웃으며 이보다 더 행복할 수 없다는 듯한 표정으로 그의 손등에 느릿하게 입맞춤을 했다.

그 입맞춤이 끝나기도 전에 루카스는 손을 쓱 뺐다. 그러고는 고개를 돌려 그녀를 외면한 채, 원래 하려던 듯 마차의 문을 열고 그녀가 오르는 것을 에스코트할 뿐이었다.

루카스가 손잡아 주길 바라며 벨라는 다른 한 손으로는 치맛단을 걷고 반대편 손을 내밀었다. 그러나 루카스는 자신의 소매를 내밀뿐 벨라의 손을 잡아 주지 않았다.

순간 머쓱해진 손을 어찌할 줄 몰라 당황한 벨라는 무표정한 루카스의 얼굴을 보며 왠지 모를 서운함을 느꼈다. 그리고 그의 소매에 손을 얹어 그의 부축을 받으며 마차에 올랐다.

그리젤리로 가는 동안 벨라와 루카스 사이에는 아무런 말도 없었다.

벨라는 루카스를 힐끔 쳐다보고는 그가 수첩에 그녀의 성년식까지의 일정을 메모하는 것을 보며 창문으로 고개를 돌렸다.

목숨을 걸고 플란네르를 탈출하여 표류까지 해 가며 돌아온 페로하트였다.

하루쯤은 쉬어도 되고 벨라시아에서 묵어도 될 일이었다. 압송되어 간 칼리아스의 안부도 궁금했고 앞으로 페로하트의 후계 구도가 어찌 돌아가는지, 전쟁 상황은 어찌 되었는지 정보를 수집해도 될 상황이건만 루카스는 당연하다는 듯 일정을 서두를 뿐이었다.

마치 손등에 키스 받은 적이 없다는 듯, 그는 수첩에 벨라가 그리젤리로 가서 준비할 목록과 마무리해야 할 일정을 적어 넣고 나서야 고개를 들어 벨라를 바라보았다.

벨라는 무심한 척 창밖만 바라보다가 그가 자신을 쳐다보아 준 것이 반가워서 저도 모르게 희색을 띠었다.

손등에 왜 두 번이나 입맞춤했는지 물어보면 대답할 생각이었다.

'루카스, 내가 받은 생의 최대 축복은 당신이 내 곁에 있는 거예요.'

그 말이 하고 싶었다.

단순히 고용주와 고용인 관계를 넘어서 가족도 해 줄 수 없는 헌신을 해 주는 그가 자신에게 어느덧 특별한 존재가 되었노라고 말할 생각이었다.

루카스가 먼저 입을 열었다.

"준비를 마치는 대로 황궁에서 성년식을 치른 후, 포르위네 성으로 거처를 옮기게 되실 겁니다. 그 성은 본래부터 아가씨의 것, 지금까지 무단으로 점거하여 가주인 척 무례하게 굴어 온 찰스 님을 성에서 내보낼 예정입니다. 그 전에 마무리해야 할 일을 메모해 보았습니다. 아가씨께서도 참고하셔서 그리젤리에서의 생활을 정리하도록 하십시오."

"그리젤리에서의 생활을 정리하라고요?"

벨라는 확인하듯 재차 물었다.

"이제 아가씨는 성년이고, 후견인으로서의 제 의무는 거기까지입니다."

딱 잘라 말하는 것에 벨라는 그에게서 풍겨 오는 쌀쌀한 느낌에 아찔한 기분이 들었다.

"후견인으로서의 의무가 거기까지?"

"앞으로 아가씨를 보좌하게 될 보좌관을 섭외하겠습니다. 아가씨께서 후작직을 계승하시는 순간부터 지금까지 공석으로 있었던 여러 가지 직책을 하나하나 겸하게 되실 겁니다. 이에 따라 각 직무에 효율적인 보좌관을 서너 명 정도……."

"보좌관을 서너 명 정도?"

벨라의 눈이 커졌다. 그러자 루카스는 정정하듯 말을 이어 갔다.

"아, 너무 적습니까? 이안이 대여섯 명은 뽑아야 한다고 말했으나 그 정도까지는 아니고 서너 명이 처리할 수 있을 만큼 실무에 밝은 자를 선발하려고 합니다."

"지금까지 그 일을 해 온 사람이 계속 이어서 하면 안 돼요?"

벨라의 말에 루카스는 무표정한 얼굴로 대답했다.

"저는 성주 대리로서의 권한을 더 이상 수행할 수 없습니다. 이제는 아가씨께서 결정하고 추진해 가실 일입니다. 그간은 제가 처리했으나 앞으로는 보좌관들과 상의하여 정하십시오."

벨라는 확인하듯 다시 물었다.

"그간 보좌관 없이 루카스 혼자 그 많은 일을 다 처리했다는 거예요?"

"책임 관계가 복잡해지는 것을 막고자 저 혼자 무단으로 처리해 온 점 용서를 구하겠습니다. 제 임의로 처리한 것이 추후 문제 생길 경우, 모두 저에게 그 책임을 돌리면 됩니다."

정말로 루카스 혼자 다 처리했던 모양이었다.

"그게 가능해요? 보좌관을 대여섯 명이나 뽑아서 처리해야 할 일을 루카스가 다 혼자 처리했다는 게 말이 되는 거예요?"

벨라의 말에 루카스는 별 고민도 없이 바로 대답했다.

"제가 혼자 처리해야 포리나 장원에서 벌어지는 전체적인 부분을 파악하고 아가씨께 미칠 화를 싹부터 자를 수 있었습니다. 그래서 제가 자처한 일이니 신경 쓰지 마십시오."

"그럼 그대로 루카스가 내 보좌관을 이어서 해 주면 되겠네요."

벨라는 그가 그간 엄청난 강도의 일정을 소화해 내고 있었다는 사실을 깨닫고 화들짝 놀랐다.

"아닙니다. 저에게도 버거운 일이었습니다. 이제는 후견인으로서의 무거운 짐을 벗고 일개 집사로 조용히 지내고 싶습니다. 더 이상 아가씨께서 집사의 입김에 휘말린다는 풍문을 남기고 싶지 않습니다. 저와의 고리는 철저하게 끊어 내시고 아가씨께서는 새로운 후작으로서의 삶을 사시면 됩니다."

벨라는 루카스의 말에 그만 울컥하고 말았다.

"고생만 실컷 하고 뒤로 물러나겠다는 거예요? 그 말이 무슨 뜻인 줄 알아요? 모든 권한을 내려놓는다는 것은 아무런 공도 가져가지 않겠다는 뜻이나 마찬가지잖아요! 제가 루카스의 입김에 휘말리면 얼마나 휘말린다고 그래요? 보좌관은 보좌관대로 뽑고, 루카스가 수석 보좌관을 맡아 주세요. 그래서 내 곁에서 계속해서 도와줘요."

루카스는 감정을 읽을 수 없는 담담한 목소리로 대답했다.

"새 술은 새 부대에. 아가씨, 정적은 찰스 님과 카스웰 단장님뿐만이 아닙니다. 포르위네 시의회는 이미 그들의 인맥으로 가득 차 있고, 여러 가지 요직에도 그들의 손길이 닿지 않는 곳이 없습니다. 그간 저는 무소불위의 권력을 휘두르며 그들을 억누르는 정책으로 일관해 왔으므로 그들 역시 반격의 기회를 노리고 있을 겁니다."

모르는 바는 아니었지만, 루카스가 정리해서 말하니 새삼스레 두려움이 밀려왔다.

"이쯤에서 제가 빠져 주는 것이 정적으로부터 아가씨를 보호하는 길입니다. 성년식을 치른 이후에는 저와는 거리를 두시길 요청드립니다."

그의 말에 기가 막혔다.

"루카스, 왜 거리를 둬야 하는데요! 이럴수록 나를 도와서 내가 정적들을 처리하고 제대로 후작직을 수행할 수 있게 보좌해 줘야 하는 거 아니에요?"

벨라에게 루카스는 고개를 저어 보였다.

"저는 본디 그림자. 빛 속에 나설 처지가 아니었습니다. 이대로 조용히 집안이나 돌보며 여생을 보낼 수 있게 해 주십시오. 그것이 지난 제 후견인 활동이 마음에 드셨다면 제게 내려 주실 최고의 상입니다."

"싫어요! 명령이에요! 루카스! 내 수석 보좌관이 되어 줘요!"

루카스는 벨라의 말에 그저 조용히 그녀의 보랏빛 눈동자를 바라볼 뿐이었다.

"루카스 없는 일상은 생각해 본 적이 없어요! 루카스! 난 루카스 없이 아무 일도 할 수 없어요. 그러니 루카스 지금처럼 날 도와줘요!"

벨라의 말에 그가 차분하게 대답했다.

"아가씨께서는 이제 성인입니다. 자신의 일은 스스로 알아서 하십시오."

그 말이 벼락처럼 벨라의 심장에 내리꽂혔다.

성인이니 자기 일은 스스로 알아서 하라니……!

루카스에게 아무 말도 하지 못했다. 더 이상 반박해 봐야 자기 일을 스스로 처리하지 못하겠다는 어린아이의 철없는 소리로 들릴 것만 같았다.

'루카스, 난 그게 아닌데…….'

언제나 곁에 있어 위안이 되는 존재. 그 어디서든 나를 지켜 줄 것같이 든든한 사람. 그가 가까이에 있으면 세상 그 어디도 다 안전한 요람 같았는데 그는 이제 무거운 후견인의 짐을 벗어나고 싶다고 말했다.

그는 한 번 내뱉은 말을 거두는 사람이 아니었다.
이것이 그의 손등에 키스한 것에 대한 대답이리라.
벨라는 왠지 모를 서운함에 눈물이 툭툭 떨어져 내렸다. 의식과는 상관없는 일이었다. 마치 중요한 무언가를 잃어버린 것 같았다. 가슴이 뻥 뚫려 시린 바람이 드나드는 듯한 기분이었다.
울지 않으려고 입술을 깨물었지만 그래도 눈물이 자꾸만 흘러내렸다. 벨라는 그에게 여전히 어린아이로 비치고 싶지 않아 이를 악물고 말했다.
"이런저런 이유 다 떠나서 그냥 내 곁에 있어요. 그냥 항상 내 곁에 있어 주기만 하면 돼요."
그 말에 루카스는 차갑게 말했다.
"집사직마저 그만두어도 되겠습니까?"
마차 안에는 정적만이 감돌았다.

그리젤리에 도착하자마자 저 멀리서 유모 낸시가 신발도 신지 않고 달려 나왔다. 그리고 마차에서 내린 벨라를 갈비뼈가 으스러지도록 끌어안았다.
"아가씨!"
마치 죽었다 살아난 사람을 보듯 낸시는 눈물 콧물 다 쏟으며 벨라를 끌어안고 오열했다. 그 뒤로 리체와 그리젤리 사람들이 달려와 벨라를 반갑게 맞이했다.
"우리만 먼저 떠나고 남은 네 걱정에 하루도 마음 편할 날이 없었어."
리체가 환히 웃었지만, 눈가에는 눈물이 글썽글썽했다.
"이렇게 다시 보게 되다니 꿈만 같아."
"아가씨! 아가씨이! 으흑!"
낸시는 벨라가 숨도 못 쉬게 두 팔에 힘을 꾹꾹 줘 가며 그녀를 끌어안았다.
"하루도 빠지지 않고 기도했어요. 제발 우리 아가씨 무사히 돌아오게 해 달라고요."
그녀의 목소리가 울먹이느라 떨렸다. 덩달아 벨라의 눈시울도 뜨거워졌다.
"걱정 끼쳐서 미안해. 하지만 낸시의 기도 덕분인지 날아오던 총알도 피해 가지 뭐야."
루카스가 뒤에서 짐가방을 든 채 사람들과 눈이 마주치자 안으로 들어가자는 듯 고갯짓을 했다.
벨라는 사람들이 저마다 울면서 따라오는 바람에 피식 웃고 말았다. 누가 보면 부고 소식 듣고 온 줄로 착각할 것 같았다.
심지어 메이드장 브렌다마저 손수건으로 눈가를 꾹꾹 찍고 있었다. 그 모습을 보고 벨라는 그녀에게 먼저 다가가 와락 끌어안았다.
"브렌다, 신경 써 줘서 고마웠어요."
"아가씨, 제가 한 게 뭐 있겠습니까?"

브렌다의 코가 빨개진 모습은 처음 보았다.

"이럴 게 아니라 아가씨 피곤하실 텐데 안에 들어가서 여장부터 풀어야 합니다. 다들 자제해 주세요. 목욕물부터 준비하겠습니다."

벨라는 안으로 들어가다가 요란하게 개 짖는 소리에 고개를 돌렸다. 순간 벨라는 꿈을 꾼 것만 같았다. 목줄이 매여진 푸딩이 짖어 대고 있었다.

벨라는 멍하니 서서 그 개를 찬찬히 다시 들여다보았다. 눈을 비벼 보았다. 노랗고 복실거리는 긴 털, 흰 양말을 신은 듯한 네 발. 새까맣고 반짝이는 눈과 분홍 코.

벨라는 마치 죽은 가족의 영혼을 마주한 듯 그 자리에 서서 이 믿을 수 없는 순간을 다시금 찬찬히 돌이켜 보았다.

그런데 녀석은 벨라를 보고 사납게 짖어 대는 것이었다. 하지만 그 모습이 전혀 밉거나 무섭지 않았다. 그 개에게 다가가려는 순간 브렌다가 벨라를 이끌었다.

"새끼를 낳아서 한창 예민합니다. 차차 친해지면 되니 일단 안으로 들어가십시오."

벨라는 그 말에 눈을 크게 뜨고 자세히 쳐다보았다. 그 개의 배 아래에서 꼬물거리는 노란 강아지들이 무슨 일인가 싶어 고개를 빼꼼 내미는 거였다.

"푸딩의 손녀와 증손자들입니다. 푸딩이랑 많이 닮았죠? 아가씨 돌아오신다는 소식에 채소 장수 윌리 씨가 데리고 왔습니다."

브렌다는 푸딩이 돌아오지 않은 것에 대해 묻지 않고 다독이듯 벨라의 어깨에 손을 얹었다.
벨라의 눈에서 또다시 눈물이 반사적으로 주르륵 흘러내렸다.
혹시나 했던 기대가 실망을 동반해 찌르르한 슬픔으로 다가왔다.
세상 그 어디에도 이제 푸딩이 없다.
알면서도 문득 깨달을 때마다 마음이 시큰거렸다. 몇 번을 반복해도 아픔이 무뎌질 것 같지 않았다.
푸딩을 대신할 만한 개는 없었다. 아무리 그 겉모습이 닮았더라도 말이다.
벨라는 저택 안으로 들어가다 말고 다시 한번 뒤돌아보았다. 호기심 어린 강아지들과 눈이 마주쳤다.
'아니다. 그래도 감사하자.'
벨라는 눈물을 닦으며 애써 미소 지었다.
'내가 슬플까 봐 자손이라도 남겨 두고 간 그 녀석에게 감사하자.'
그리젤리에는 푸딩에 대한 추억이 어디에나 서려 있었다.
'네 덕에 나는 무사히 살아서 저택으로 돌아왔고, 이렇게 널 닮은 개들을 보며 마음의 위안을 얻을 수 있겠지. 그렇게라도 널 기억할 수 있게 해 줘서 고마워.'
벨라의 뒤를 따라 저택 안으로 들어온 낸시는 점점 발걸음이 느려지더니 소파를 하나 붙잡았다. 그러고는 발걸음을 멈추고 가쁜 숨을 내쉬었다. 벨라는 어쩐지 낸시의 안색이 좋지 않아 보여 곁으로 다가갔다.

"낸시, 어디 아파?"

낸시는 웃어 보이며 괜찮다고 손을 저었지만, 말을 할 수가 없는지 한 손을 가슴 정중앙에 대고 있었다. 낸시의 이마에 식은땀이 송골송골 맺혀 있었다.

"정말 괜찮은 거 맞아? 브렌다, 의사를 불러와."

한사코 낸시는 손을 내저었다.

"전혀 괜찮지가 않은데? 말도 못하잖아. 어떻게 된 거야?"

벨라는 낸시를 부축해 소파에 앉혔다. 그러고는 곁에 앉아 낸시의 손을 두 손으로 꼭 잡고 어루만졌다.

"심장병이 있습니다."

브렌다의 말에 낸시가 원망스러운 듯 그녀를 쏘아보았다.

"낸시, 정말이야? 언제부터 아팠던 거야? 설마 날 걱정하느라 생긴 거야?"

낸시는 힘겹게 고개를 저었다.

"원래부터 심장병이 있어서 몸이 좋지 않았습니다. 인제 그만 쉬어야 한다고 해도 아가씨 곁에 있어야 한다고 한사코 고집을 부려서요."

브렌다의 말에 낸시는 그만하라는 듯 계속 고개를 저었다. 그러나 브렌다는 차라리 이참에 잘됐다는 투로 계속해 말했다.

"아가씨가 인질로 붙들렸다는 말을 들은 후 급속도로 악화되었습니다. 오늘도 누워 있어야 한다고 의사가 말했는데 아가씨를 반기려고 벌떡 일어나 달려가는 바람에 무리했습니다."

벨라는 눈을 크게 뜨고 낸시의 손을 더욱 힘차게 꼭 쥐었다.

문득 과거의 삶에서 낸시를 해고하던 순간이 떠올랐다.

'넌 해고야.'라고 말한 순간 영혼이 빠져나가는 것처럼 보였던 텅 빈 낸시의 눈망울이 떠올랐다.

'이렇게 아픈 몸을 숨기고 그간 내 곁을 지켜 준 거였어?"

벨라는 목구멍이 뜨거워졌다.

'혹시 그날 이후로 낸시가 사라진 것은 심장병으로 죽은 거였어? 그 후 내가 충격받을까 봐 사람들이 쉬쉬하고 행방을 알려 주지 않았던 건가?'

"낸시이!"

벨라는 그만 눈물이 터져 버리고 말았다.

과거의 삶의 낸시에게 너무 미안해서 목이 메었다. 낸시를 와락 끌어안고 그녀의 어깨에 고개를 파묻었다.

'낸시도 나 때문에 죽었던 거구나. 그랬구나.'

과거의 무심함에 심장이 찢어지는 것처럼 아팠다.

"아이고, 아가…… 아가씨, 울지…… 마…… 세요."

낸시는 숨을 헐떡거리면서도 벨라의 등을 열심히 다독거렸다.

"금방 괘…… 괜찮아질 거예요. 괜…… 한…… 걱정 하지 마…… 세요."

이 상황에서도 벨라가 먼저인 낸시는 벨라의 두 뺨을 그녀의 통통한 손으로 감싸 쥐고서 웃으며 말했다.

"아가씨께서…… 무사하시니 저…… 저도 곧 괜찮아…… 질…… 거예요. 우리 웃어요."

벨라는 낸시의 따듯한 미소를 보며 자신도 억지로 웃으려 했지만, 자꾸 눈물이 나서 눈앞이 흐려졌다.

"미안해. 걱정 끼쳐서 미안해. 두 번 다시 낸시 걱정하게 하지 않을게. 정말이야. 약속해."

벨라는 연신 낸시의 뺨에 눈물로 범벅된 얼굴을 비비며 그녀를 꽉 끌어안았다.

"마음고생 시켜서 정말 미안해. 내가 잘못했어. 다시는 위험한 짓 하지 않을게. 정말 미안해."

벨라가 끅끅거리면서 울자 낸시는 벨라를 다독이며 말했다.

"아니에요. 아가씨는 언제나 저의 자랑입니다. 위험천만한 곳에 다녀오셨지만 이렇게 무사히 돌아와 주셔서 감사합니다. 그거면 됐어요. 아가씨를 이렇게 다시 안아 볼 수 있어서 신께 감사드립니다."

어느새 낸시는 언제 숨 가빴느냐는 듯 태연함을 가장하며 활짝 웃어 보였다.

"원래 날 때부터 심장이 남들보다 조금 안 좋았어요. 아가씨 때문에 그런 거 아니랍니다. 절대로 아니에요. 걱정하지 마셔요."

엄마 품이란 이런 느낌일까.

벨라는 낸시의 따뜻한 품에 안겨 그녀의 체취를 기억하려는 듯 계속해서 냄새를 들이켰다.

엄마가 없어서 외로운 줄 알았어.

아니야. 그렇지 않았어.

낸시는 나를 낳지는 않았지만, 가슴으로 나를 낳아 준 사람인걸.

냇시, 고마워. 나를 이토록 아껴 주고 걱정해 주어서 고마워.

한참 흐느낀 끝에 벨라는 브렌다가 가져다준 차가운 물 한 잔을 마시고 정신을 차렸다. 그리고 왕진 온 의사에게 낸시를 맡기고는 브렌다가 물을 데워 놓은 욕실로 들어갔다.

김이 모락모락 나는 뜨거운 욕조에 몸을 누이며 벨라는 천장을 바라보았다. 온통 익숙한 이 공간. 이곳에 들어서자 집으로 돌아왔구나 하는 사실이 피부에 와닿으며 깊은 안도감과 함께 짙은 피곤이 밀려왔다.

똑똑 노크 소리와 함께 밖에서 브렌다가 말했다.

"목욕과 식사 후에 빅터 브롬웰 선생이 아가씨를 뵙길 청했습니다만 내일 뵙자고 말씀드릴까요?"

벨라는 살포시 잠들려다가 그 목소리에 정신을 차렸다.

"아니에요. 급한 사안이면 뵙자고 전해 주세요."

"이것입니다. 피곤한 아가씨를 염치없이 뵙자고 해야 할 만큼 상황이 녹록하지 않습니다."

빅터는 벨라를 지하 창고로 안내했다. 몇 겹으로 잠가 놓은 창고 문이 열리자 벨라는 숨을 죽였다.

짐을 모두 빼내고 바닥을 드러낸 지하 창고는 휑했다. 벨라가 잘 보게끔 양초를 군데군데 켜 두어 선의 형태가 더욱

음산하게 보였다.

"무슨 악마 소환이라도 했나 봐요?"

벨라는 왠지 무서운 기분에 주저하며 안으로 들어갔다.

"악마 소환 같은 종류의 마법진은 이것과 다른 문양입니다."

빅터는 들고 있던 책의 문양을 벨라에게 보여 주었다.

"악마 소환에 대한 마법진을 보십시오. 확연히 차이가 나지요."

"그럼 이것은 무슨 마법진일까요?"

벨라의 말에 빅터는 열심히 책의 앞뒤를 넘겨 보며 말했다.

"그것이…… 실은 저도 자료 조사를 한다고 했으나 일반적인 마법진이 아니어서 아직도 잘 모릅니다. 고대의 마법은 이미 사라진 지 오래입니다. 그나마 누군가를 저주하거나 조종하기 위한 흑마법에 대한 중세 자료 정도가 남아 있습니다."

벨라는 저도 모르게 하품을 하고 말았다.

"죄송해요. 지금껏 쉬지 않고 여기까지 오느라 많이 피곤했나 봐요."

"제가 더 죄송합니다, 아가씨."

빅터는 진심으로 미안해하며 어색한 미소를 지었다.

"아무것도 알 수 없는데 왜 꼭 오늘 뵈어야 하는 거였죠?"

"아, 그것이……."

빅터는 마법진 아래에 새겨진 기하학적인 문양을 가리키며 말했다.

"다른 것은 알 수 없지만, 이 문장만은 해석했습니다."

"문장요? 이게 문장이에요?"

벨라는 눈을 크게 뜨고 그 이상한 무늬를 바라보았다.

"네. 이것은 고대어입니다. 해석하자면 다음과 같습니다."

[선택받은 이여, 어둠의 날에 약속의 땅으로 오라.]

벨라는 들을수록 더 알 수 없는 문장을 멍하니 바라보았다.

"귀신 씨낱알 까먹는 소리 같네요."

벨라의 말을 듣고 뒤에서 루카스가 무미건조한 음성으로 말했다.

"씨나락입니다."

벨라는 얼굴이 화끈해서 괜히 발끈해 보았다.

"나도 그렇게 말했어요! 여튼……."

재빨리 화제를 돌리며 벨라는 마법진 안에 있는 상자를 가리켰다.

"아무도 열 수 없다는 상자가 바로 저것이에요?"

"여기서 '선택받은 이'란 아르티드가의 혈통을 가리킬 가능성이 높습니다. 고대어에서 말하는 '어둠의 날'이란 달이 뜨지 않는 그믐날인데 오늘이 마침 그믐입니다. 오늘이 아니면 또 한 달을 기다려야 하기에……."

빅터는 문장에 대해 설명하다 말고 벨라를 말렸다.

"함부로 안에 들어가지 마십시오!"

벨라는 마법진 안을 가로질러 가다가 빅터의 말에 "잉?" 하며 뒤를 돌아보았다.

철컥.

순간 그렇게도 열리지 않던 상자가 혼자서 열렸다.

"꺅!"

마치 유령이 상자를 열기라도 한 듯 벨라는 깡충 뛰어 뒤로 물러섰다.

철컥.

상자가 도로 닫혔다.

벨라는 깜짝 놀라 마법진 안에 조심스레 한 발을 다시 내디뎠다.

아무 일이 일어나지 않았다.

조심스레 마법진 안으로 다른 발을 마저 내디뎠다.

철컥.

상자가 저절로 또 열렸다.

빅터와 루카스가 벨라의 뒤를 따라 마법진 안으로 들어가자마자 상자는 철컥 소리를 내며 저절로 닫혔다. 벨라는 그들에게 뒤로 물러서라는 손짓을 했다.

벨라 혼자 마법진 안에 남자 상자는 다시 열렸다. 그리고 눈부신 광채를 내기 시작했다.

"안에 든 것이 뭡니까! 아가씨!"

빅터가 흥분해서 외쳤다.

벨라는 무언가에 홀리듯 그 빛나는 상자로 향했다.

그 안에는 마력석을 비롯한 여러 가지 이름 모를 보석이 담겨 있었고 맨 위에 바스러질 듯 낡은 양피지 같은 것이 하나 올려져 있었다.

"이게 뭐죠?"

벨라는 무심결에 그것을 들어 올렸다.

"벨라 아가씨! 그런 오래된 유물은 건들면 바스라집……!"

빅터가 비명을 지르듯 외쳤으나 이미 때는 늦었다. 그것은 먼지처럼 팍삭 바스러지더니 벨라의 손 위에서 쏟아져 내렸다.

"안 돼애! 으헉!"

빅터가 머리를 쥐어뜯으며 비명을 질렀다.

그러나 순간 바람이 휙 불어 지나가듯 벨라의 옷자락이 흩날렸다.

"나의 후손에게."

벨라의 귀에 속삭이듯 음성이 들렸다.

어쩐지 귀에 익은 목소리였다.

"바로 너로구나. 나에게 이 고민거리를 안겨 준 것이."

또 그 목소리가 바로 곁에서 속삭이듯 말했다.

유령인가 오싹하여 벨라는 뒤를 돌아보았다. 이상했다. 빅터는 머리를 쥐어뜯고 있는 그대로 멈춰 서 있었다. 루카스 역시 미동도 하지 않고 그 자리에 멈춰 서 있었다. 마치 시간이 정지한 느낌이었다. 이것이 꿈인가 싶어 벨라는 느리게 눈을 감았다 떴다.

"네가 만진 것은 내가 주문을 걸어 둔 마법 스크롤이니 걱정하지 마라."

낭랑한 남자의 목소리가 들렸다. 언젠가 흐린 기억 저 너머에 담아 둔 아빠의 목소리인 것도 같았다. 낯설지가 않았다.

"아빠?"

벨라는 반신반의하듯 중얼거렸다. 하지만 실제로 말이 입

밖으로 튀어나오지는 않았다. 그저 몸만 약간 움직일 수 있을 뿐이었다.

"나는 리 엘 아르티드. 사람들은 나를 시간을 거스르는 마법사라고도 하고, 그 가진 능력으로 모든 일을 제멋대로 되돌린 것은 아니냐는 의심을 하기도 하지."

아아……!

벨라는 탄식하듯 한숨을 내쉬었다. 아빠의 목소리가 아닌 것이 어쩐지 아쉽기도 하고 이 목소리가 유령의 것은 아닌지 불안하기도 했다.

아니면 꿈을 꾸고 있는 것인지도.

진짜 자신의 몸은 목욕하다 말고 욕조에서 잠들어 있을지도 모른다.

"사람들은 나를 신을 넘보는 자라 하여 두려워했어. 하지만 아무리 그런 능력이 있다 해서 무한하게 시간을 거스를 수 있는 것은 아니야. 나는 신처럼 유능하지 않아. 그랬다면 이런 마법 스크롤을 남기는 것이 아니라 네가 있는 시간이 어딘지 좌표를 알아내서 네 앞에 나타나는 쪽을 택했겠지. 나도 무작정 옮겨 갈 수 있는 것은 아니야. 공간이든 시간이든 정확한 좌표를 알아야 갈 수 있어."

벨라는 그의 말을 이해하려고 모든 신경을 집중해서 들었다.

"나는 많은 사람을 잃었어. 그리고 혼자 남겨졌지. 그 슬픔을 극복하기 위해 나는 결국 시간을 거슬렀어. 그리 많은 시간을 거스르지 않아도 돼. 내가 사랑하는 이의 마지막 날 하루 전으로만 돌아가도 충분해. 하지만 정확히 그 하루 전으로 거슬러 올라가는 것이 십 년, 이십 년의 어느 모를 날로 거슬러 올라가는 것보다도 더 힘들어. 고도의 수련이 필요하거든."

벨라는 그 목소리가 하고자 하는 말의 뜻을 이해할 수가 없었다.

왜 내게 이런 말을 하는 걸까?

벨라는 입술을 깨물며 뒤를 돌아보았다. 여전히 빅터와 루카스는 멈추어진 시간 속에 있었다. 여기서 뛰쳐나가고 싶었지만 마법진 밖으로 움직일 수 없었다.

그 다정한 목소리가 말을 이어 갔다.

"하지만 놀랐어. 내가 걸어 놓은 봉인 마법을 이기고 스스로 시간을 거스를 후손이 있다는 사실은 나에게 큰 깨달음을 주었지. 더 이상 나는 그들을 그리워하며 닫혀진 시간 속에 살지 않아도 돼. 네 덕에 진정으로 자유로워지는 법에 대해 깨달았어. 고맙다, 나의 후손."

벨라는 점점 더 뜻 모를 말에 눈만 크게 떴다.

"처음, 텔레포트 포인트를 이곳에 만들었을 때, 나는 거대한 폭발과 함께 사라질 뻔했어. 그리고 간신히 시간을 돌려 구사일생으로 살아남았지. 대체 누가 이런 엄청난 짓을 저질렀는지 화가 났어. 이 대지를 모두 날려 버릴 폭발력은 살아 있는 생명체가 견뎌 낼 수 있는 것이 아니었지. 그래서 되돌린 삶에서는 이곳에 텔레포트 포인트를 만들지 않겠다고 결심했어. 그런데 어느 순간 궁금한 거야. 대체 이 강력한 폭발은 무엇이었을까, 모두 다 죽여 버리겠다는 듯 사납게 타오르는 이 지옥의 불길을 일으킬 만한 원흉이 무엇인지 한 번쯤은 알아보고 싶다는 몹쓸 호기심이 발동했지."

지옥의 불길?

벨라는 가면 갈수록 더 못 알아들을 소리에 빅터라면 알아들을까 하는 생각을 했다.

"일곱 번. 무려 일곱 번을 나는 이 지옥의 불길에서 아무것도 구하지 못했어. 그만큼 이 불길은 맹렬했고 이것에 깃든 사악한 기운은 이루 말할 수가 없었지. 그래서 생각을 바꿨어. 대체 이 불길을 누가 보냈는가. 나는 따져 묻고 싶었어. 대체 살아 있는 생명체에게 어떤 억하심정이 있기에 마족의 왕이 타고 다니는 드래곤의 불길보다도 흉측한 이것을 내가 사는 이 순간으로 보내 버린 걸까?"

벨라는 무슨 이야기인지 알아듣고 싶어서 입술이 바짝바짝 타는 것 같았다.

"그러다가 여덟 번째로 시간을 돌려서야 간발의 차이로 이 불길을 일으키는 물건을 몇 개 건져 낼 수 있었지."

물건이란 말에 벨라의 고개가 갸웃거려졌다. 목소리는 담담하게 이어졌다.

"여기에 쓰인 것이 무슨 말인지는 잘 모르겠지만 꼭 깃발 같군. 네가 살게 될 후대에는 이러한 나라들이 존재하는 걸까? 나는 수없이 그것을 다시 보고 또 돌려 보았어. 네 덕에 내 수명이 확 줄어 버릴 지경이었지. 하지만 반복되는 그 화염 속에서 나는 그 물건을 좀 더 많이 건져 낼 수 있었지. 후대의 마법사는 대체 어떻게 물건에 마법이 깃들게 하는지 잘 모르겠지만, 이것들에는 지독한 사념이 깃들었더군. 그리고 나의 아내가 그 사념에 깃든 기억을 조금이나마 읽어 냈지."

벨라는 그가 말하는 아내가 혹시 건국 신화 속의 인간을 도왔다던 그 엘프인가 하는 생각을 했다.

"아내는 그 사념을 읽고 한참을 충격받아서 울고 또 울었어. 이렇게 살의로 가득한 것은 처음 만져 보았다 했지. 반드시 상대를 죽여 버리겠다는 단호한 사념만이 채워진 그 물건을 보며 나는 괜한 일을 아내에게 시켰다는 마음에 함께 울었어. 역시 이 텔레포트 포인트는 절대로 만들지 않아야 하는 걸까?"

독백은 계속해 이어졌다.

"그런데 오히려 아내가 이 텔레포트 포인트는 꼭 만들자고 했어. 희미하지만 너의 존재도 함께 읽힌다고 말했어. 내게 간절히 호소하더라고 전하더군. 무엇을 호소한 걸까. 불행히도 그 이상을 읽어 내는 것은 우리로서도 무리였어. 하지만 이것만은 잘 알아. 네가 과거의 나에게 간절한 편지를 보내온 셈이란 것을 말야."

어쩐지 말하는 이가 미소를 지은 것 같은 느낌이 들었다.

"그래. 나의 후손, 용감하고 강한 이여, 나는 너를 위해 이 텔레포트 포인트를 만들었어. 부디 너의 선택이 옳았기를. 그리고 너의 앞날에 축복이 깃들기를."

별 가루 같은 것이 벨라의 몸을 휘감아 지나가는 듯 반짝거렸다.

"안 됩니다! 절대로 만지면 안 되는데! 으허어억! 벌써 만져 버린 겁니까?"

빅터가 괴성을 질렀다. 벨라는 화들짝 놀라 뒤를 돌아보았다. 빅터는 흥분해서 발을 동동 구르고 있었고 루카스는 여전히 무표정한 얼굴로 자신을 바라보고 있었다. 정지 상태는 아니었다. 적어도 숨들은 쉬고 있으니까.

"아무 소리 못 들었어요?"

벨라의 말에 빅터가 절망하며 울부짖었다.

"양피지 부스러지는 소리 똑똑히 들었습니다. 으아아악! 이것은 학계에 길이 남을 유물이었을 텐데!"

그는 정신줄을 놓은 듯 횡설수설했다.

"잠시 시간이 멈췄었는데 못 느꼈나요?"

벨라의 말에 빅터는 그것이 핑계라고 생각했는지 버럭 했다.

"고고학적 유물을 없애 버리고 둘러대려면…… 뭐…… 뭐라고 말씀하셨습니까? 시간이 멈추었단 겁니까?"

"마법 스크롤이었어요. 초대 가주 리 엘 아르티드의 목소리가 담겨 있는……."

"네?"

빅터는 믿을 수 없다는 듯 멍한 표정을 지었다.

"무슨 말씀을 전하셨습니까?"

루카스의 말에 벨라는 진지한 눈빛으로 뒤돌아섰다.

"이 근처에 있는 텔레포트 포인트를 처음 만들었을 때 거대한 폭발이 있어서 시간을 돌려 간신히 살아남았대요. 그 폭발 현상에 대해 알아보다가 그것을 보낸 이가 자신의 후손이었고 그 텔레포트 포인트가 꼭 필요하다고 호소하는 염원을 느꼈대요."

벨라는 자신이 요약한 것이 맞는지 다시 한번 기억을 더듬으며 말했다.

"그는 자신의 손으로 후손의 마력을 봉인했대요. 그래도 한 뛰어난 후손이 그 봉인을 이기고 이 텔레포트 포인트를 사용하는 것을 자랑스럽게 여기는 것 같았어요."

벨라는 마른침을 삼켰다. 자신의 요약이 틀린 것이면 어쩌지 하는 불안감이 들었다. 하지만 왠지 요점이 그것일 듯했다.

그의 목소리는 화내는 투가 아니었다.

'오히려 자랑스러워하는 듯한 느낌?'

자신의 직감이 맞는지 확신은 없었지만 직접 느끼기엔 그랬다.

'흉악한 지옥의 불길을 후손이 보냈다는데 과연 잘했다고 다독여 주는 말이었을까?'

벨라는 루카스와 빅터가 그 목소리를 들었더라면 좀 더 중요한 것을 알아차리지 않았을까 하는 생각에 안타까워했다.

'왜 선조는 나만이 들을 수 있는 그런 전언을 보낸 것이었을까?'

빅터가 그녀에게 다가왔다. 마법진 안으로 들어왔는데도 더 이상 상자는 닫히지 않았다.

"상자 안에 왜 이 귀한 보석들이 들어 있지? 이유 없이 봉인까지 걸지는 않았을 텐데."

학자적 호기심에 빅터는 턱을 괸 채 그 안의 것을 물끄러미 들여다보았다.

벨라는 함부로 만지지 말라는 만류를 뒤로하고 상자에 손을 넣어 그 안에 있는 것들을 꺼내 보았다.

“이 검은 보랏빛 보석이 마력석? 이 노란 것은 무엇이고 이 초록색은 무엇이지요? 그리고 이 붉은 보석은 한 개뿐이고 상당히 독특한데요?”

아마도 과거의 삶에서 벤자민이 그리젤리 저택을 싹 철거해 버린 후 빼내 간 것이 이 보석들이었으리라.

시세를 감히 환산하기도 어려울 정도의 양인 마력석만으로도 놀라웠지만 노란색, 초록색, 붉은색 보석은 벨라로서도 태어나 생전 처음 보는 것이었다.

“아! 찾았습니다! 저 노란색은 정령석일지 모릅니다!”

빅터는 고대 문헌을 훑으며 말했다.

“만약 저것이 정령석이라는 가정하에 초록색 보석은 정령석과 쌍을 이루는 소환석일 겁니다. 우오오옷! 이것은 문헌상으로만 존재하던 전설적인 유물로 학계에서 알게 된다면 그야말로 엄청난 발견이라 할 겁니다!”

벨라는 이전에 빅터가 읽어 준 건국 신화를 떠올리며 피식 웃었다.

“동화 속 이야기라고 하실 땐 언제고 이렇게 확신을 하는 거예요? 언제나 단정은 금물이라고 하지 않으셨어요? 이것이 정령석과 소환석이면 이 빨간 보석은 드래곤의 심장쯤은 된다는 거예요?”

농담이라고 한 말인데 조용해서 뒤돌아보니 빅터는 기절

초풍하기 직전인 듯 창백한 얼굴로 떨리는 가슴을 진정시키느라 애쓰고 있었다.

"정말 이게 드래곤 하트예요?"

확인하듯 벨라는 되물었다. 빅터는 미친 듯이 고개를 끄덕여 댔다.

뒤에서 가만히 보고 있던 루카스가 입을 열었다.

"얼핏 봐도 이 마법진의 하얀 점 개수와 저 상자 속 보물들 개수가 맞는 것 같은데 이것들은 저 위에 얹어 두라고 넣어 둔 겁니까?"

벨라는 눈을 크게 뜨고 마법진을 바라보았다.

마법진 위의 점은 세 가지였다.

○, ●, ◎

벨라와 빅터가 그 점을 세어 보는 사이, 루카스는 이미 눈대중으로 개수 파악을 모두 마친 후에 입을 열었다.

"여기에서 ○는 마력석 개수와 일치합니다. ●는 하나뿐이므로 이것이 드래곤 하트를 가리킬 겁니다. ◎의 자리에는 정령석과 소환석을 짝 맞춰 놓으라는 의미가 아니겠습니까?"

빅터는 루카스의 말에 책과 마법진을 다시 한번 들여다보더니 고개를 끄덕였다.

"맞는 것 같군. 이대로 놓아 볼까? 그런데 여기 이 직선은 무엇을 뜻하는 거지?"

"글쎄요."

빅터의 말에 루카스도 딱히 떠오르는 것이 없는 듯 고개를 저었다.

"선조께서 일부러 개수를 맞춰서 넣어 주신 건가요? 일단 보석을 마법진에 기호대로 놓고 생각해 봐요."

벨라는 그 말을 하며 상자 안의 보석들을 순서대로 늘어놓기 시작했다.

한참 맞춰 놓고 난 후 허리를 폈다. 그러나 아무 변화가 없었다. 벨라는 어색한 웃음을 터뜨리며 말했다.

"이게 아닌가?"

가만히 마법진을 들여다보던 루카스는 그중 한 군데로 다가가 위치를 바꾸어 놓았다.

"여기가 틀렸습니……."

루카스가 그것을 바로잡자마자 순간 마법진에서 눈부신 하얀 섬광이 뻗쳐올랐다.

"앗!"

벨라는 너무 눈부셔서 두 손으로 눈을 가렸다.

번쩍.

세상을 점멸하는 그 찬란한 백색이 모두의 시야를 가렸다.

정신을 차리고 보니 새까만 어둠 속이었다.

작은 불빛이 일었다. 루카스가 품에서 성냥을 꺼내어 붙인 불이었다. 그는 재빨리 주변에서 횃불을 발견하고는 성냥으로 횃불을 밝혔다.

화르륵.

횃불이 타오르며 일렁거렸다. 그 은근한 빛으로 세 사람은 주변을 둘러보았다.

넓은 공간이었다. 마치 군대가 주둔해도 될 만한 거대한 공간이었다.

그저 입을 크게 벌리고 감탄하는 벨라와는 달리 빅터는 바닥과 천장의 재질을 살펴보며 돌을 손가락으로 문질렀다.

"생긴 형태는 인위적으로 만들어진 공간 같은데 표면에 녹아 흐른 흔적을 보니 꼭 화산 동굴 같습니다. 엄청난 양의 용암이라도 터져 나간 걸까요? 이렇게 네모반듯한 공간에 암석이 녹아 흐른 자국이라니 특이합니다."

루카스는 빅터가 조금 더 잘 살펴볼 수 있도록 주변을 횃불로 비추었다.

주변보다 높게 쌓인 정사각형의 제단 위에 있는 것 같았다. 그리고 그들이 서 있는 자리에는 지하 창고에 그려진 마법진과 같은 것이 그려져 있었다.

"으갹!"

벨라는 발을 내디뎠다가 비명을 질렀다.

"아가씨, 무슨 일입니까?"

루카스의 말에 벨라는 소리를 빽 질렀다.

"여기! 여기! 해골이 있어요!"

루카스가 다가와 그곳을 횃불로 비추자 불탄 재 사이로 누군가의 유골이 보였다.

"이런, 사람 뼈가 맞습니다."

빅터가 미간을 찡그리며 그 불탄 재를 발로 톡톡 건드려 보았다.

"이상하군요. 외부로 드나드는 통로가 있나? 하지만 대체 여기가 어디에 있는 건지, 뭐 하는 곳인지 모르겠습니다. 이렇게 큰 공간이 여태 눈에 띄지 않았던 것도 이상한데?"

루카스는 가만히 듣고 있다가 말했다.

"뼈의 형태를 보니 대략 삼십 대 정도의 출산을 한 적 없는 여성입니다. 살인 사건일까요?"

루카스는 해골에 가까이 다가가 그 주변을 자세히 살피다가 말했다.

"매우 강한 열에 의해 불탄 것 같은 모습입니다. 이 자리에서 사망한 것 같은데 이 넓은 공간에서 이런 고온에 노출될 수 있다니 상식적으로 이해가 되지는 않습니다."

벨라는 눈만 크게 뜨고 있다가 조심스레 루카스에게 물었다.

"고온? 저온? 무슨 차이인데?"

루카스는 몸을 일으키며 말했다.

"이런 열린 장소에서 별다른 도구 없이 시신에 불을 붙이면 기껏해야 4~500도 정도의 열에 노출됩니다만, 도자기를 굽는 가마 같은 것의 도움을 받아 불 조절을 하면 1300도 이상의 고온을 얻을 수 있습니다. 뼈의 상태가 고르지 않은 온도에 노출되었는지 반은 타서 재가 되었습니다. 특별한 도구 없이 여기서 이런 고온을 얻는 것은 사실상 무리에 가깝습니다."

그는 주변을 둘러보았다.

"그렇다고 다른 곳에서 죽은 후 이곳으로 옮겨 온 것 같지 않습니다. 남아 있는 뼈의 형태는 괴로워하며 긴 듯한 모습이니 말입니다."

최후까지 발악한 것 같은 그 해골의 포즈에 벨라는 오싹한 기분이 들었다.

그 공간을 한 바퀴 빙 돌아 훑어보기까지 한참이 걸렸다. 정말 거대한 공간이었다. 이상한 것은 이 정사각형 공간 안에 그 어느 출구나 연결 통로도 없었다는 점이었다.

"저 해골은 천장에서 뚝 떨어지기라도 했나?"

빅터는 어두워 잘 보이지 않는 위를 바라보았다.

"우리 여기 갇힌 거예요?"

벨라가 불안해하자 빅터는 벨라의 어깨를 다독여 주었다.

"그럴 리가요. 일단 우리가 처음 왔던 곳으로 되돌아갑시다."

벨라는 허둥지둥 마법진 위로 올라갔고 빅터와 루카스는 몇 발짝 뒤에서 따라오고 있었다. 벨라가 마법진 위로 들어간 순간 처음의 그 백색 섬광이 눈앞을 하얗게 물들였다.

"헛!"

벨라는 화들짝 놀랐다. 지하 창고에 되돌아와 있었다.

"브롬웰 교수님! 지하 창고로 돌아왔……!"

벨라는 신나서 뒤돌아보았다가 깜짝 놀랐다. 돌아온 것은 자신뿐이었다.

"교수님! 루카! 어디 있어요?"

벨라는 두려움에 질려 소리를 빽 질렀다.

그러나 둘은 아무 곳에도 없었다. 자신보다 먼저 나온 것인가 싶어서 치마를 양손으로 걷고 황급히 뛰어 1층에서 브렌다에게 외쳤다.

"브렌다! 교수님과 루카 못 봤어?"

"같이 가셨지 않습니까?"
브렌다는 안경을 추켜올리며 벨라를 빤히 쳐다보았다.
더럭 겁이 난 벨라는 다시 지하 창고로 달렸다.
"루카! 루카!"
당황하여 마법진 위로 달렸다. 순간 다시 섬광으로 눈앞이 새하얗게 변했다.
"아가씨!"
빅터의 목소리가 들렸다.
"어이쿠! 저희 둘만 여기에 갇힌 줄 알고 깜짝 놀랐습니다. 허허."
안도의 숨을 내쉬며 빅터가 말했다.
"마법진 위로 올라가면 지하 창고로 돌아갈 수 있나 봐요!"
벨라의 말에 빅터가 고개를 저었다.
"아닙니다. 저희 둘 다 마법진에 서 봤습니다만 전혀 발동하지 않더군요."
"설마? 그럴 리가? 저는 되던데요."
벨라는 다시 마법진 위로 혼자 올라가 보았다.
슉.
눈을 떠 보니 다시 지하 창고였다.
마법진 밖으로 발을 내디뎠다가 다시 발을 마법진 안으로 끌어당겼다.
슉.
또다시 그 어둠의 공간에서 빅터와 루카스의 황망한 눈동자와 마주쳤다.

"아. 내가 열쇠일까?"

벨라는 감탄사를 내뱉었다.

"제가 정말 마력을 가지고 있나 봐요!"

벨라는 흥분해서 외쳤다. 그러고는 마법진 밖으로 달려와 빅터의 손을 잡고 다른 손을 루카스에게 내밀었다. 루카스는 그 손을 물끄러미 바라보고 있다가 썩 내키지 않는다는 듯 조심스레 자신의 손을 얹었다. 벨라는 두 손을 꼭 쥔 채 그들과 함께 마법진 안으로 들어갔다.

슉.

지하 창고로 돌아와 있었다.

"아!"

십년감수한 듯 빅터의 외마디 탄식이 들렸다.

"하마터면 그 해골 꼴이 될 뻔했네!"

"그 해골 하니까 생각났는데요!"

벨라는 마법진 밖으로 뛰쳐나와 지하 창고 밖으로 나서며 말했다.

"선조께서는 분명 후손의 간절한 염원을 느끼고 텔레포트 포인트를 만들었다고 했어요! 그 거대한 폭발이란 것이 무엇일까요? 내가 풀어야 할 과제인 걸까요? 선조가 말한 그 후손이 누굴까요? 내가 낳을 미래의 자손일까요? 궁금해요! 설레어요! 루카스! 가주만이 볼 수 있는 서재를 이제는 저도 들어가 볼 수 있죠? 그렇죠? 당장 포르위네 성으로 가서 서재에 있는 기록을 찾아볼까요?"

흥분한 벨라를 말리며 루카스가 말했다.

"오늘은 이만 주무시고 내일 일찍 출발하기로 하겠습니다."
"아니에요! 잠 다 깼어요! 궁금해 미치겠어요! 이 텔레포트 포인트에 대해 좀 더 잘 알고 싶어요! 빨리 마차 준비해 줘요!"
흥분해서 폴짝 뛰는 그녀를 루카스는 무표정한 얼굴로 등을 떠밀어 위층으로 데려갔다.
"하나도 졸리지 않다니까요! 브렌다! 홍차 진하게 한 잔 줘요! 그거 마시면 당장 포르위네로 갈 수 있어요!"
루카스는 격앙된 벨라의 어깨를 꾹 눌러 소파에 앉혔다. 브렌다가 홍차를 준비해서 돌아와 보니 벨라는 소파에 앉았던 그대로 푸하…… 하고 잠들어 있었다.
"아가씨께서 잠드셨군요."
브렌다는 그럴 줄 알았다는 듯 탁자에 찻주전자와 찻잔을 내려놓았다.
"피곤하실 만도 하죠. 그래도 한 모금쯤은 드실 줄 알았는데 직전에 잠드신 모양입니다."
브렌다처럼 높낮이 없는 톤으로 루카스 또한 대꾸했다.
"등이 소파에 닿자마자 잠드셨습니다."
브렌다는 입꼬리를 살짝 끌어 올리며 미소 지었다.
"이럴 때 보면 돌아가신 후작님이랑 똑같으셔요."
그녀는 찻주전자로 시선을 돌렸다.
"남은 홍차라도 한 잔 드시겠어요? 브랜디를 섞어 드릴까요?"
브렌다는 그의 대답을 듣지도 않고 고용인들이 사용하는 찻잔을 가지러 자리를 떴다.

루카스는 잠든 벨라의 얼굴을 바라보며 서 있었다. 조용히 바라보기만 하던 그는 벨라가 숨은 제대로 쉬고 있는지 살피기 위해 코에 살짝 손가락을 가져다 대었다.

건강한 숨이 쌕쌕 드나드는 것을 확인한 후 그는 손가락을 거두었다가 머뭇거리던 손을 뻗어 벨라의 뺨을 쓸어 보았다. 장밋빛 뺨은 따뜻하고 보드라웠다.

소파에 반도 차지 않던 작은 소녀는 어느새 성인이 되어 있었다. 이제 갓 피어나는 꽃송이는 눈부시게 아름다웠다. 찬란하고도 강렬했다.

엄지손가락으로 조용히 귀밑을 쓸어내리다가 그녀가 자신의 손등에 느릿하게 입 맞췄던 생각이 떠오르자 불에 덴 듯 얼른 손을 떼었다.

그는 다른 손으로 자신의 손등을 문질렀다. 아직도 그녀의 입술이 손등을 스쳐 가던 감촉이 선연했다.

그는 조용히 눈을 감았다.

'이왕 결심한 거, 후견인 말고 데릴사위는 어때?'

다비드 엘 아르티드 후작은 웃으며 말했다.

'아닙니다! 절대로 안 됩니다!'

루카스는 정색을 하며 거절했다.

'이런. 참으로 한결같구나. 내 딸이 아직 코흘리개라 마음에 들지 않는 건가?'

거절은 염두에 두지 않았다는 표정으로 그가 되물었다. 오히려 흥분한 쪽은 루카스였다.

'후작님께서 베푸신 덕이 항상 좋은 결과로 돌아오지는 않았습니다. 배신하고 돈만 떼먹은 자도 겪어 보셨잖습니까? 후작님께 누가 될까 걸음 한 번 함부로 걸을 수 없었고, 제게 실망하실까 봐 흐트러진 모습으로 일어날 수도 없었습니다. 제가 후작님께 드린 것이 아무것도 없는데 왜요! 제가 다 망쳐 놓으면 어쩌려고 그러십니까!'

루카스의 어깨가 바르르 떨렸다. 후작은 그저 싱긋 웃을 뿐이었다. 그러더니 그가 천천히 대답했다.

'너라면 가족으로든 배우자로서든 혹은 법적 대리인일지라도 내 딸에게 최선을 다할 것을 믿는다. 믿음에 이유가 있어야 하나?'

루카스의 한쪽 눈썹이 추켜올라 갔다.

'후작님!! 사람을 이렇게 쉽게 믿으시니 자꾸만 암살 시도에 말려드는 겁니다. 사람은 그렇게 선한 존재가 아닙니다.'

최근의 암살 시도 후유증으로 침대에서 일어나지도 못하면서 후작은 눈부시게 웃으며 말했다.

'대가를 바라고 도운 적 없어. 그저 내 마음이 따라가는 대로 충실하게 살아왔을 뿐, 내가 이만큼 베풀었으니 반드시 이만큼 거두어들여야 한다고 생각해 본 적도 없었어. 너처럼 최선을 다하고 살아온 사람이 이후에도 최선을 다해 살아가지 않겠나?'

루카스는 어금니를 꽉 깨물었다. 사람을 믿지 말라고 몇 번이나 조언했으나 그는 듣지 않았다. 한마디 더 하고픈 것을 꾹 눌러 참고 있는데 다비드는 쓸쓸한 눈빛으로 웃으며 말했다.

'내가 죽으면 벨라는 어떻게 되는 걸까?'

'약한 생각을 가지면 안 됩니다! 후작님, 반드시 회복하셔서 벨라 아가씨가 성인이 되어 행복하게 사는 모습까지 지켜보실 겁니다.'

'그럴까?'

'네! 반드시요!'

루카스는 지그시 감았던 눈을 떴다.

'후작님, 이 버거운 짐을 지고 여기까지 왔습니다. 제 마지막 소임은 아가씨를 훌륭한 배우자와 짝을 이루게 해 드리는 겁니다. 저와는 감히 비교도 되지 않을 완벽한 배우자를 반드시!'

벨라는 입맛을 다시며 포근한 이불 속에서 뒤척거리다가 눈을 떴다.

'분명 홍차를 마시려고 했던 것 같은데 이불 속이라니!'

벌떡 일어나 주변을 둘러보니 침실이었다.

허탈한 기분에 도로 털썩 드러누워 긴 한숨을 내쉬었다.

"빨리 포르위네로 가야 하는데!"

아래층에서 슬그머니 풍겨 오는 맛있는 냄새에 입맛을 다셨다. 생각해 보니 주방장 샐리의 요리를 맛본 지도 까마득했다.

"성의를 봐서 아침 식사만이라도 하고 갈까?"

샐리의 요리를 맛보자마자 벨라는 맛있다 맛있다를 연발하며 배불러 더 이상 들어가지 않을 때까지 먹고 말았다.

"아, 배불러, 더 이상 들어갈 공간이 없어."라고 말하는 동안 앞에 놓인 후식을 보자 언제 그랬냐는 듯 싹싹 먹어 치웠다.

"역시 샐리 최고!"

벨라는 미소를 한껏 지었다. 세상 그 어디를 가도 샐리의 요리 솜씨를 능가할 사람은 없었다.

"아가씨, 벨라시아로 먼저 출발하셔야 합니다."

벨라의 식사가 끝나기를 기다리던 루카스가 말했다.

"왜요? 바로 포르위네 성으로 가서 가주만이 들어가 볼 수 있는 방으로 가면 될 텐데. 난 성인이라고요."

벨라는 과거의 삶에서 있었던 성대한 성년식을 떠올렸다.

"아마도 성에서 안으로 들여보내 주지 않을 가능성이 큽니다. 수도로 가서 황궁에서 황제 폐하를 알현하고 성년식을 치른 후 군대와 함께 포르위네 성으로 가는 순서가 좋겠습니다."

루카스의 말에 벨라는 고개를 저었다.

"내 것을 내가 보러 가는 데 황제의 허락이 필요해요?"

그러자 루카스가 대답했다.

"아가씨께서 성년이 되면 제가 후견인을 그만두는 조건인데 아직 후견인을 그만두지 않았기 때문입니다."

"아……."

벨라는 짧은 탄식을 내뱉었다.

"황제 폐하의 공인을 받으면 그쪽에서도 무시할 수 없습니다. 하지만 저는 견제를 받을 것이 뻔하므로 하루빨리 아가씨를 보좌할 보좌관을 새로 뽑으셔야 합니다."

그때 똑똑 노크하는 소리가 들렸다. 리체였다.

"아가씨, 보좌관으로 리체 님은 어떠십니까?"

루카스의 말에 벨라는 눈을 크게 뜨고 리체를 쳐다보았다.

"이게 어떻게 된 일이지? 리체 네게는 미리 이야기된 거니?"

"너와 버틀러 경이 자리를 비운 동안 내가 실무를 조금 봤어. 실수도 했지만 점차 나아질 거야. 그간 네게 큰 도움을 받았는데 이젠 너를 돕고 싶어. 아니지, 돕게 해 주십시오, 후작 예정자 나으리."

리체는 환하게 미소 지어 보였다.

"이 일이 얼마나 힘든데!"

벨라는 펄쩍 뛰었다.

"힘든 건 아는데, 그래도 다른 사람이 맡는 것보다는 제가 맡는 것이 낫지 않을까요? 아르티드 영애?"

"그건 그렇긴 하지만……."

"저뿐만 아니라 몰리도 같이 일했는데 몰리도 계속 함께 일하게 해 주세요."

리체는 이미 결심을 했다는 듯 웃으며 말했다.

"저도 롬바르트가의 가주가 되겠다고 결심한 순간부터 외할아버지의 뜻을 이어받은 겁니다. 외할아버지의 억울한 누명을 벗겨 드리려면 귀족 사회에 조금씩 발을 들여야 하고 보좌관만큼 세상 돌아가는 일을 빠르게 파악할 수 있는 자리는 없죠. 결코 실망시켜 드리지 않겠습니다."

벨라는 그런 리체가 고마워서 눈가에 눈물이 글썽글썽해졌다.

"어머! 왜 울어? 울 상황이 아닌데!"

리체의 말에 벨라는 의자에서 일어나 리체를 와락 끌어안으며 그녀의 어깨에 고개를 얹었다.

"고마워. 정말 고마워. 나와 함께 고생길을 함께 헤쳐 나가 줄 결심을 해 줘서 고마워. 그리고 미안해."

"얘는……. 내가 네게 받은 것이 너무 커서 나도 이젠 네게 도움이 되고 싶어. 네가 아니었다면 빚 대신 팔려 가 밑바닥 인생을 살게 되었을 거야. 날 구해 줬는데 이쯤이야 당연히."

벨라는 울먹거리며 그녀의 어깨에 뺨을 비비다가 고개를 들었다.

"리체, 그런데 공적인 일일 땐 서로 존대하고 사적인 자리에서는 지금처럼 서로 말 놓자. 갑자기 존대하니 조금 서운해지려고 해."

"서로 존대, 좋지. 잘 부탁해, 벨라."

벨라는 리체를 꽉 끌어안았다. 루카스가 보좌관직을 맡지 않겠다고 한 것이 슬펐지만 그 자리를 리체가 대신해 준다고 생각하니 외롭지만은 않을 것 같았다.

"에구, 좀 더 쉬다가 가시지, 벌써 수도로 가는 거예요?"

낸시는 아쉬움에 눈가가 붉어진 채 벨라를 배웅했다.

"낸시, 많이 걸으면 또 심장이 아플지도 모르니까 그만 나오래도 꼭! 낸시, 건강해져야 해."

벨라는 짐짓 엄격한 표정을 지으며 낸시를 쳐다보았다.

"아가씨, 금방 돌아오세요."

낸시는 품에서 손수건을 꺼내어 참았던 눈물을 닦았다.

"제가 따라가야 하는데……."

낸시의 말에 벨라는 고개를 저었다.

"아니야, 낸시. 내가 후작직을 승계하더라도 여기는 종종 들를 거니까 걱정 말고. 낸시는 지금 장거리 이동을 견딜 수 있는 몸이 아니야. 첫째도 안정, 둘째도 안정, 알았지? 꼭? 내가 결혼하는 것도 보고, 아이들 낳아서 낸시에게 안겨 주는 것도 보고, 그 아이들이랑 크리스마스 파티 흥겹게 벌일 때도 꼭 곁에 있어야 해. 이건 명령이야!"

그 말에 낸시는 울다 말고 피식 웃음을 터뜨렸다.

"네네. 누구 명령이신데 감히 거역하겠어요? 오래오래 건강하게 살아서 아가씨 행복하게 사시는 모습 꼭 곁에서 지켜볼게요."

낸시는 벨라를 포근히 끌어안으며 벨라의 양 볼과 이마에 입맞춤했다.

"아가씨 덕분에 행복했어요. 아가씨는 언제나 저의 빛나는 보석이랍니다. 아가씨 가시는 곳곳마다 제 축복의 기도가 함께할 거예요."

"낸시! 계속 행복하게 해 줄 거라니까! 바람이 차니까 얼른 들어가."

벨라는 낸시의 등을 떠밀며 이제 그만 작별의 인사를 했다.

"아가씨, 사랑해요."

"응, 나도, 낸시!"

마차에 오른 벨라는 언제까지고 손 흔드는 낸시에게 빨리 들어가라 손짓했다. 그럼에도 마차가 떠나 작은 점 하나가 되어 지평선에서 사라질 때까지 낸시는 그 자리에 서서 손을 흔들고 또 흔들었다.

"와, 진짜로 그렇게 말했어?"

리체가 눈을 동그랗게 떴다.

"응. 진짜라니까. 사랑스러운 나의 아기 참새라고.'

"으웩! 가뜩이나 느끼한데 말까지 어쩜 그렇게 기름질 수 있을까?"

벨라가 티베리의 흉내를 내며 말하자 리체는 배꼽을 잡고 웃었다.

"그나저나, 루카, 뭘 그렇게 들여다보고 있어요?"

벨라는 마차 안에서 계속 서류를 한 장 한 장 들여다보고 있는 루카스를 보며 물었다.

리체는 얼굴을 붉히며 대신 입을 열었다.

"내가 처리한 서류들에 오류가 조금 있어서, 그거 바로잡는 거야. 이안 씨가 처리한 서류에서부터 내가 한 것까지 쭉 검토. 내가 조금 더 잘했어야 했는데 당시에 달리 물어볼 데도 없고 해서……."

그러자 루카스가 여전히 서류만 쓱쓱 넘겨 보면서 대꾸했다.

"아닙니다. 이 정도면 잘 처리하신 겁니다. 이안 녀석이 실수한 부분을 보고 따라 하셔서 그런 것이니 신경 쓰지 마십시오. 그 외에는 잘 처리하셨습니다."

"루카, 흔들리는 마차 안에서 읽는 건 눈 아파요. 쉬엄쉬엄해요."

"괜찮습니다. 벨라시아 저택에 도착하기 전에 마칠 겁니다."

어차피 말려도 듣지 않을 그였기에 벨라는 미간을 찡그리며 고개를 돌렸다.

"참, 그 뒤로 이안에게서 편지 없었어?"

"보병으로 간 거니까, 그나마 낫지. 하지만 대륙 봉쇄 작전 때문에 일촉즉발 상태인 것은 맞아."

리체가 그간 있었던 일을 벌써 보좌관이 된 듯 요약정리 해주었다. 그 말을 들으면서 벨라는 고개를 끄덕였다. 하지만 마음 한편으로는 계속해서 라울린과 캐시가 마음에 걸렸다.

이안이야 과거의 삶에서 입었던 부상을 지금은 입지 않았기 때문에 잘 지낼 거라 믿어 의심치 않았다.

하지만 루카스를 대신해 병역을 짊어진 캐시만큼은 자꾸만 마음에 걸렸다. 과거의 삶 그대로 흘러갔을 뿐, 캐시는 삶이 아무것도 나아진 것이 없었다.

"루카, 캐시의 가족 구성이 어떻다고요?"

여전히 루카스는 서류에서 시선을 전혀 떼지 않은 채 자동으로 대꾸했다.

"위로 오빠들이 있었으나 모두 전사, 그 공로로 국방 장관에 하이아드 백작이 추대되었습니다. 캐시 밑으로 차기 하이아드 가문의 가주가 될 남동생과 막내 여동생이 있다고 합니다만 공식 석상에 아직 막내 여동생이 나선 적은 단 한 번도 없습니다."

가만히 듣고 있던 리체 동생 몰리가 조심스레 끼어들며 말했다.

"그 막내 여동생이 실은 캐시의 딸인 것 같아요."

"어멋, 그 이야기를 너는 어디서 들은 거니?"

그 말에 리체의 눈이 휘둥그레졌다.

몰리는 말을 할까 말까 망설이다가 입을 열었다.

"주둔지에 있는 호박 마차 술집에서 라울린에게 유난히 들러붙던 여자가 있었거든요."

몰리는 리체를 힐끔 쳐다보았다.

"그날 라울린도 무척이나 취했고 여자가 권하는 술을 거절하지 않고 다 마셨다가 인사불성이 되었어요. 그 여자가 라울린을 보쌈해 가려고 했었는지 수상하게 행동하니까 캐시가 이 남자는 처자식이 있다는 식으로 대답해서 그 여자를 저지했는데 여자가 말도 안 되는 거짓말 하지 말라고 대들더라고요."

몰리는 조심스럽게 말을 덧붙였다.

"그때 술이 반쯤 깬 라울린이 내 딸 보고 싶다고 우는 바람에 그날부로 추근대던 여자들 다 떨어져 나갔다잖아요."

벨라는 입을 다물지 못했다.

라울린에게 숨겨 둔 딸이 있었다니!

그 사실만큼은 과거의 삶에서 알지 못했던 것이었다.

"몰리, 그렇다고 해서 캐시의 막내 여동생이 실은 라울린의 숨겨 둔 딸인 걸 어떻게 아니? 부정확한 소문은 입에 담는 것이 아니……."

리체가 동생 몰리를 타이르려 하자 몰리는 고개를 저었다.

"두 눈으로 똑똑히 봤어. 카라는 당신 딸이 아니라 내 여동생일 뿐이라고 그 이름 입에 담지 말라고 그러는데 라울린은 자기가 그 앨 버려서 그런다고 술김에 울던걸."

순간 리체의 눈초리가 가늘어졌다.

"그런데 네가 그걸 어떻게 직접 봤지?"

몰리의 얼굴이 새빨갛게 달아올랐다.

"바른대로 말해 봐. 네가 어떻게 주둔지에 있는 술집에서 벌어진 일을 생생하게 목격한 거냐고."

리체의 말에 식은땀만 뻘뻘 흘리던 몰리가 치마에 얼굴을 파묻으며 말했다.

"미안해, 언니! 나 실은 제스로 기사님과 사귀는 중이야.

그날 제스로 기사님이 주둔지로 면회 가신다기에 따라갔다가 본 거야. 술집엔 처음 가 봤어. 난 칵테일 딱 한 잔만 마셨다고!"

"너! 엄마가 이 사실은 아시니?"

자매간의 다툼으로 번진 모습에 벨라는 그만 웃음을 터뜨리고 말았다.

"몰리랑 제스로 기사님이랑? 푸하하하! 만국 박람회에 같이 가서 서로 마음이 맞았구나? 그리젤리 1호 커플 탄생인가?"

"얌전한 고양이가 어딜 먼저 올라간다더니! 저택을 빠져나가서 술집에서 데이트를 해? 백작가의 영애가 품위 없이!"

리체는 술집에서 데이트했다는 말에 발끈했다.

"언니, 거기는 그렇게 이상한 데 아니야. 그냥 푸짐하게 안주 만들어 주고 그 동네 사람들 반주 한잔 걸치는 곳이라 사실상 음식점이나 마찬가지야. 그 집 새끼 돼지 구이가 그렇게 맛있다길래!"

"그래도 그렇지 결혼도 안 한 젊은 아가씨가 겁도 없이 거길 왜 가!"

"제스로 경과 같이 있었으니까 괜찮았어. 화내지 마! 나도 이제 성인인데 연애는 내 자유 아니야?"

"사람들 시선이란 게 있잖아!"

리체와 몰리가 계속해서 싸울 분위기이자 벨라는 둘 사이에 끼어들었다.

"자자, 자매 다툼은 이따가 마저 이어서 하기로 하고, 그래, 라울린의 숨겨진 딸이 캐시의 막내 여동생이었다는 거지? 라울린과 캐시 사이에 딸이 있었다고?"

몰리는 입을 꾹 다물더니 언니 리체를 슬쩍 곁눈질했다. 벨라는 고개를 끄덕이며 말했다.

"리체, 몰리가 중요한 정보를 알아 왔으니까 지나치게 나무라지는 마. 몰리 아니었으면 아무도 모를 뻔한 일이었어."

리체의 얼굴에 언짢은 기색이 역력했지만 몰리에게 마저 말하라는 듯 잠자코 있었다.

"언니. 엄마에게는 비밀로 해 줘. 딱 한 번이었어. 앞으로 몰래 외출하는 일은 없을 거야."

리체가 마지못해 고개를 끄덕이자 몰리는 그제야 벨라를 향해 입을 열었다.

"라울린 클라레이 경의 술버릇이 취하면 우는 건지 몰랐어요."

몰리는 질색이란 듯한 표정을 지으며 고개를 절레절레 저었다.

'취했습니다. 이제 그만 돌아가시죠.'

캐시는 탁자에 엎드린 라울린의 어깨를 흔들었다.

'내가 그 아이를 버렸어. 내가 버렸다고!'

라울린은 인사불성이었다. 몸도 제대로 가누지 못할 지경이었다. 평소에 이렇게 자제심을 잃을 정도로 마시지 않았다. 술이 센 편이라고 자랑까지 하던 그였다. 그런 그가 어린아이처럼 엉엉 울었다.

라울린의 옆에 찰싹 들러붙어 앉아 폭탄주를 권하던 여자가 의미심장한 미소를 지으며 라울린에게 속삭였다.

'취했으니까 내 방으로 가요. 내가 아픈 마음을 위로해 드릴게요.'

그러거나 말거나 라울린은 계속 눈물을 뚝뚝 흘리며 울고 있었다. 덩치 큰 남자가 훌쩍이는 모습을 보던 캐시의 미간이 찡그려졌다.

'대장, 여기서 자꾸 꼴불견인 모습 보일 거예요? 그만 돌아가요, 더 추한 꼴 보이기 전에.'

'그러니까 내 방으로 가자고요.'

여자는 어지간히도 라울린이 마음에 들었는지 찰거머리처럼 들러붙어서 떨어질 줄을 몰랐다. 캐시가 라울린의 어깨를 자꾸 흔들자 여자는 캐시의 손등을 짝 소리 나게 때렸다.

'내가 점찍은 남자예요. 끼어들어서 이게 무슨 수작이에요? 서로 외로운 밤을 위로하겠다는데.'

'카라, 카라, 카라아……!'

완전히 정신줄을 놓은 남자의 뒷모습은 그야말로 밉상에 진상이었다. 캐시의 참을성이 한계에 이르고 있었다. 하지만 라울린의 눈물이 진심이란 것을 알기에 차마 발길을 돌릴 수 없었다.

'버렸어, 버렸어……. 나란 인간은 자격이 없어. 도저히 견딜 수가 없었어. 부끄러워서 고개를 들 수가 없어.'

그 꼴을 보던 캐시는 이를 악물고 다시 인내심이란 단어를 가슴에 새기고 또 새기며 라울린에게 물었다.

'대체 무엇을 견딜 수가 없었길래요? 말해 봐요.'

라울린은 고개를 떨군 채 흐느끼며 대답했다.

'도저히, 전쟁터에 그 애를 데리고 다닐 자신이 없었어. 남의 손에 맡겨 놓고 나가서 전사라도 해 버리면 그 아이 꼴이 어찌 될지 눈앞이 깜깜했어. 설령 살아남는대도 돌아오는 데 몇 달이 걸릴지 몇 년이 걸릴지도 모르잖아! 결국 카라 혼자 세상에 버려지기는 마찬가지라고. 크흑.'

라울린은 두 손으로 얼굴을 짚은 채 허리를 바짝 숙여 앉았다. 푸우 하고 내뱉는 그의 숨결에서 독한 술 냄새가 진동했다.

'내 아버지란 사람도 그렇게 전쟁터에 나가서 다시는 돌아오지 않았다고. 그걸 어떻게 그 애에게 겪게 해? 그래서 버렸어. 뒤도 안 돌아보고 도망쳐 버렸어.'

그의 어깨가 격하게 떨리고 있었다. 상대 여자는 그런 라울린의 어깨를 끌어안으며 뱀처럼 간교하게 웃었다.

'뒷이야기는 우리끼리만의 은밀한 곳에 가서 마저 하기로 하죠. 얼른 날 따라와요. 잘생긴 장교 양반. 내가 그 슬픔 다 잊을 만한 기가 막힌 밤을 선물해 줄게요.'

좀처럼 일어날 생각을 하지 않는 라울린의 팔을 그녀가 잡아당겼다. 그러나 라울린은 흐느끼기만 할 뿐 꿈쩍도 하지 않았다. 그러자 여자는 술집 종업원들을 불러서 라울린을 자기 방으로 데려가게 해 달라고 했다. 순간 캐시가 막아섰다.

'놔두세요. 이분은 제가 데려갑니다. 부대로 복귀해야 해요.'

'무슨 소리야? 보자 보자 하니까 웃겨. 술 마시러 나왔으면 당연히 외박이지, 복귀하려면 당신이나 해요! 남의 일 상관하지 말고!'

두 여자가 서로 노려보고 있는 사이 술집 종업원들이 라울린을 일으켜 세웠다. 그는 발걸음도 스스로 내디딜 수 없을 만큼 취해서 휘청거렸다.

'그분 놔두라니까요!'

캐시가 날카롭게 소리쳤다. 상대 여자는 코웃음을 팽 쳤다.

'참견하지 마요!'

캐시가 참을 수 없다는 듯 술집 종업원 하나의 팔을 확 꺾어 젖히며 말했다.

'놔두라고 말했을 텐데? 이분 처자식도 있고 엄연히 유부남이라고요. 놔둬요!'

상대 여자가 가소롭다는 듯 깔깔 웃었다.

'어머머 별꼴이야! 결혼반지도 낀 적 없는 손이던데. 어디서 말도 안 되는 거짓말을 해요? 아, 샘나서 그러는가 보다. 당신 상관 같은데 혹시 그쪽이 이 사람 짝사랑하나 보죠? 그딴 거짓말로 어떻게 해 보시겠다? 웃겨!'

캐시는 정색을 하며 지지 않고 말했다.

'믿든 못 믿든, 사실입니다. 임자 있는 남자이니 건드리지 마시…….'

짝 소리와 함께 캐시의 고개가 옆으로 돌아갔다.

'남의 배꼽 아래 일은 참견하는 것이 아니랬어! 어디서 짝사

랑이나 하다 굴러온 게 남 잘되는 꼴을 못 봐서 수작이야?'

순간 라울린이 취중에 그 여자 등을 확 떠밀어 버렸다. 무방비한 상태로 등을 떠밀린 여자는 옆 테이블에 와장창 뒹굴며 엎어지고 말았다.

'어맛! 왜 이래욧!'

그녀가 온갖 음식 얼굴이 묻든 채 고개를 들자 눈이 게슴츠레하게 풀린 라울린이 그만 가 보라는 손짓을 하고 있었다.

'애 엄마 보는 앞에서 수작질하는 쪽은 그쪽이니 그만 가 봐.'

그 여자의 눈이 휘둥그레졌다.

'무슨 소리예요? 애 엄마라니?'

라울린은 완전히 술이 떡이 된 채로 키들거리며 웃었다.

'진짜 애 엄마 앞에서 못하는 소리가 없네. 누구 죽일 일 있어? 내 딸이 보고 싶어서 주정 좀 했기로서니 애 엄마 보는 앞에서 나한테 수작거는 그쪽 꼴이 더 보기 흉해. 에이씨, 저리 가.'

조금 멀리 떨어진 테이블에서 그쪽을 지켜보던 몰리와 제스로의 눈이 커졌다.

'카라 어머니, 염치없지만 카라 딱 한 번만 만나 보면 안 되겠습니까?'

취해 흐늘거리면서도 그는 정신을 잃지 않으려고 안간힘을 쓰고 있었다.

'정말로, 정말로, 내가 염치가 없다는 것은 잘 알지만, 딱 한 번만. 제발 딱 한 번만. 그 아이가 어떻게 컸는지 딱 한 번만 보게 해 주십시오. 정말 딱 한 번!'

그러더니 라울린은 균형을 잃어 쓰러진 건지, 일부러 무릎 꿇으려고 몸을 낮춘 것인지 알 수 없는 동작으로 쿵 소리 나게 무릎을 꿇었다.

'기억에서 지우려고 해도 자꾸만 생각나. 그 아이를 두고 비겁하게 도망치듯 나오던 그 순간이. 비록 자격 없는 아비이지만, 카라 딱 한 번만 만나서 안아 보면 안 될까?'

당황한 것은 캐시 쪽이었다.

'대장, 왜 이러세요? 여기 우리만 있는 것 아니에요! 조용히 해요!'

'카라가 보고 싶어. 카라가 보고 싶다고!'

라울린은 캐시 앞에 무릎을 꿇고 고개를 푹 수그리며 같은 말만 반복했다.

'라울린, 카라는 당신 딸이 아니고 막내 여동생일 뿐이에요. 자꾸 이상한 소리 하지 마요! 보는 눈이 몇인데 그런 말 입에 담지 마세요!'

캐시가 상황을 어떻게든 무마해 보려고 주변 눈치를 보았다. 그러고는 라울린처럼 무릎을 낮추고 그의 어깨를 흔들어 댔다.

'카라 한 번만 보게 해 줘. 불쌍한 내 딸 한 번만 보게 해 줘.'

라울린은 계속 주정하며 마룻바닥을 손으로 쿵쿵 내리쳤다.

그때 마침 술집 안으로 이안이 몇몇 사람들을 끌고 왔다. 아마도 라울린이 추태를 부리고 있다는 말을 듣고 온 듯했다.

'정신 차려! 라울린!'

이안이 라울린을 흔들어 보았으나 이미 그는 인사불성이

라 이안을 알아보는 것 같지 않았다.

'와 씨! 가지가지 하네, 미친놈! 술 깨면 무슨 수로 감당하려고!'

그리젤리에서부터 낯익었던 병사들이 이안의 뒤로 따라 들어와서 이안과 힘을 합쳐 라울린을 떠메고 밖으로 나갔다. 제스로는 염려 말고 먼저 가라는 듯 캐시에게 손짓해 보였다.

'제스로, 정말일까요? 라울린 클라레이 경하고 캐시 사이에 딸이 있는 건가요?'

몰리의 물음에 제스로는 헛기침을 하고는 조용히 말했다.

'둘 사이의 분위기가 이전부터 묘하곤 했어. 둘 사이에 분명 무슨 사연이 있을 거라고들 짐작했는데 그 짐작이 사실이었나 보군. 충분히 그럴 것 같았어. 라울린 대장이 그리젤리로 오기 전에 캐시의 검술 선생이었다는 소문도 있었고. 하지만 대반전인걸? 서로 소가 닭 보듯 관심 없는 척해 대던 두 사람 사이에 실은 숨겨 둔 딸이 있다니!'

벨라는 황궁에서 황제가 직접 주관해 주는 성대한 성인식을 치렀다. 루카스가 황제에게 바친 것이 그렇게 대단한 것이었나 하는 생각에 감탄사가 절로 나왔다.

물론 황제가 즉위식을 하는 대강당이 아니라 작위를 수여

할 때 쓰이는 별관에서였지만 그래도 가문의 영광이라 할 만했다.

벨라시아에 도착하자마자 한 달 동안을 성인식 준비에 힘 쓰느라 루카스는 눈코 뜰 새 없이 바빴고, 벨라는 리체 자매와 함께 틈틈이 돌려받을 권한에 대해 빅터 선생과 법률 고문 헨리 와이즈먼 변호사의 집중 과외를 받았다.

벨라는 자신의 왼쪽을 힐끔 바라보았다. 늘 드레스 차림이었던 리체는 고풍스럽고 이지적으로 보이는 보좌관 전용 예복을 세련되게 걸치고 어깨를 꼿꼿하게 편 채 진지한 표정을 하고 있었지만, 그녀의 어깨가 조금씩 바르르 떨리는 것을 보고 피식 웃었다. 사실 벨라도 떨고 있는 중이었다.

둘의 시선이 마주치자 서로 왜 웃는지 안다는 듯 미소를 교환하며 고개를 바로 했다.

오른쪽에 서 있던 몰리는 얼굴이 창백하게 질린 채 간신히 자세를 유지하고 있었다. 바지를 처음 입어 보는 그녀로서는 발목이 드러나 보인다는 사실이 아직 익숙하지 못한 듯했다.

'바지가 얼마나 편한데 그래. 몰리도 이제 곧 활동적인 복장에 익숙해지면 치마 입기가 싫어질걸?'

벨라는 몰리에게 눈웃음을 보낸 후 황실의 절차에 따라 시종들을 따라 별관으로 향해 걸었다.

맨 뒤에 따라오는 루카스는 권한을 벨라에게 돌려주는 의미로 화려한 장식이 된 받침대 위에 들린 아르티드가의 가보, 마정석이 박힌 지팡이를 정중히 받쳐 들었다.

벨라는 걷는 도중 리체에게 살며시 물었다.

"증인은 반드시 온다고 했지요?"

"네. 벨라 님. 보안을 위해 다른 마차 편으로 올 겁니다."

리체는 제법 보좌관다운 말투로 짧게 대답한 후 벨라에게 물었다.

"정말 변호사와 건달들을 대동하고 올까요?"

"그럴 거예요. 그러고도 남을 상황이잖아요."

벨라의 말에 리체는 못마땅한 듯 코를 찡그렸다.

"참 치졸하네요."

"그런 사람들이니까 무단으로 성을 점거하고 힘없는 조카의 재산을 흥청망청 써 온 거겠지요. 뒷감당할 생각이 있었다면 그러지 않았을 거예요."

"앞날을 몇 발짝 미리 알고 준비하시다니 정말 대단하세요. 아무리 꿈에서 미래가 보인다고는 해도 이렇게 구체적으로 다 보이는 걸까요?"

리체가 감탄하며 말하자 벨라는 그저 속으로 조용히 웃었다.

아직도 리체에게는 꿈이 아니라 직접 겪었던 일이라고 말해 주지 않았다. 어차피 리체는 자신을 믿어 주는 진정한 친구였고 굳이 과거의 그녀가 얼마나 추락했었는지 알려 주어 상처입힐 필요는 없었다.

지금의 리체는 과거의 리체가 아니었다. 열심히 사는 그녀에게 전혀 알릴 필요 없는 미래였기에 과감히 생략할 수 있었다.

벨라는 뒤를 힐끔 돌아보았다. 루카스가 따라오는 모습을 보며 만감이 교차했다.

성년이 되어 벨라가 모든 재산을 빼앗기고 맨몸으로 쫓겨났던 과거의 어느 날.

루카스는 서명의 부당함을 어떻게든 논리적으로 설명하려고 애썼다. 그러나 벤자민도 찰스도 애초에 그의 말을 들을 생각이 없었다.

'억울하면 법대로 하자고, 법! 법대로 해!'

벨라를 위해 맞서 싸워 줄 최후의 보루였던 루카스는 그날 오히려 체포되어 끌려갔다. 찰스는 그가 후견인 지위를 이용해 아르티드가의 재산을 빼돌리고 횡령했다는 죄를 뒤집어씌웠다.

루카스는 끌려가던 순간에도 열심히 자신의 주장을 논리적으로 펼쳤으나 법정에서 보자는 말 한마디에 그의 저항은 소용이 없었다. '억울하면 법 대 법으로 맞붙어 봅시다' 하는데 그 자리서 당장 상황을 뒤집을 수가 없었다.

그래서 그는 법률 투쟁을 벌여 결국 횡령과 배임 혐의를 벗어났지만 이미 그땐 벨라가 모든 것을 자포자기한 후였다.

소송하자고 루카스가 끊임없이 설득했지만, 벨라는 그의 손을 뿌리쳤다. 이제 와서 그의 말을 순순히 듣기 싫었다.

'소송은 마리앤 이모가 소개해 준 변호사를 통해서 할 거야, 저리 가! 당신 도움 필요 없어!'

오기로 그렇게 우겼다. 그리고 패소했다.

그랬는데 이번 생이라고 해서 찰스가 가만히 앉아 손 놓고만 있었을 것 같지는 않았다. 분명 루카스가 후견인 지위를 반납하자마자 그를 체포하려 할 거였다. 루카스에게 미리 말해 두었는데 루카스는 별말이 없었다.

'알아서 하겠습니다. 아가씨께서는 후작직 승계에 관한 일에만 집중해 주십시오.'

루카스가 하는 일을 믿지만 그래도 걱정되는 것은 사실이었다.

"몰리 보좌관! 발밑을 조심하세요!"

리체의 날카로운 목소리에 벨라는 정신을 차렸다. 떠느라 발밑을 제대로 보지 않은 몰리는 헛발질하다 벨라의 드레스 자락을 밟지 않으려고 깡충 뛰어 뒤로 물러섰다. 세 사람 모두 지나치게 잘하려다가 떠는 서로의 모습에 그만 킥킥킥 웃고 말았다.

가는 길에 칼리아스의 보좌관 에클레르가 급히 뛰어가는 모습이 보였다. 그리고 그 끝에는 칼리아스의 모습이 보였다.

벨라는 깜짝 놀라 가던 길을 잠시 멈추고 칼리아스를 향해 걸었다.

"칼리아스 전하! 무사하셨습니까?"

에클레르에게 무언가 설명하던 칼리아스는 벨라와 시선이 마주치자 환한 미소를 지으며 조용히 한 손을 들어 올려 인사를 대신했다.

"배에서 내리자마자 하이아드 백작에게 연행되어 가셔서 걱정했어요! 황실의 일이라 감히 소식을 알아보지도 못하고 얼마나 애태웠는지 아세요?"

다가온 벨라의 빨갛게 물든 장밋빛 뺨을 보자 칼리아스는 저도 모르게 심장이 쿵쿵 뛰어 숨이 가빠졌으나 겉으로는 여전히 싸늘한 척, 냉정한 척, 최소한의 미소만 지어 보였다.

"그런 쓸데없는 걱정을 왜 하는가? 오늘 성년식 초대장에도 쓰여 있지 않나? 황태자의 축복 시간이 따로 있을 텐데?"

벨라는 당황하여 고개를 숙이며 말했다.

"저는 그게 카이런 님이신 줄 알고……."

"흐, 나의 황태자 자리는 누가 대신할 수 있는 자리가 아니다. 그 당연한 사실을 아르티드 영애는 모르는가. 아니지, 이제는 아르티드 후작인가? 여하튼 성년식 진행 때 보도록 하지."

그의 거드름 피우는 모습을 보고 벨라는 그가 잘 지냈다는 사실을 깨닫고 기뻐했다.

시야에서 멀어져 가는 벨라를 보며 칼리아스는 혼자 회심의 미소를 지었다.

'내 황태자 자리는 이제 더 이상 누군가가 갈아 치울 수 있는 자리가 아니다.'

칼리아스는 손바닥에 불덩어리를 잠시 피워 내며 만족스러운 표정으로 바라보았다.

하이아드 백작에 의해 연행되어 황궁에 들어섰을 때, 마침 황궁의 제일 큰 올리브 나무를 털던 중이었다.

원래대로라면 칼리아스가 지나가는 황족 전용 길에는 올리브 한 알 튀지 않을 거리였으나 그날따라 돌풍이 일어 그만 올리브를 수북하게 담은 바구니를 쫙 끼얹어 버리는 불

상사가 일어났다. 올리브 나무를 털던 인부들이 비명을 질렀으나 이미 때는 늦었다.

그때 칼리아스는 보란 듯이 성스러운 불로 방패 모양의 거대한 불의 장막을 휘둘렀다. 당연히 칼리아스의 일행에게 올리브가 닿기도 전에 타서 떨궈져 나갔다.

순식간에 벌어진 일에 10초간 정적이 일었다. 다들 보고도 믿지 못할 광경에 멍하니 서 있다가 모두 무릎을 꿇고 칼리아스를 향해 절했다.

특히나 대신들은 몇 번이고 칼리아스를 향해 성스러운 페오스의 검을 보여 달라 졸라 댔다. 모두가 요청하니 어쩔 수 없다는 듯 귀찮은 표정으로 칼리아스는 손바닥에서 검을 뽑아내듯 검의 형태를 한 불기둥을 몇 번이고 끄집어내 과시했다.

그 광경을 본 자는 애고 어른이고 할 것 없이 바로 칼리아스의 앞에 무릎을 꿇었다. 속으로 얼마나 깨소금 맛인지 모를 일이었다.

황제는 본디 칼리아스가 끌려오면 심하게 나무란 뒤 첨탑에라도 가두어 둘 생각이었다. 섣부른 행동으로 황태자로서의 품위를 구긴 것은 둘째 치고 한 나라에 황태자가 둘일 수는 없는 일이었다.

뒤늦게 황태자가 된 카이런에게 돌아온 칼리아스의 존재는 나라의 통치 체계를 뒤흔드는 위험한 일이었기에 카이런이 확고한 황태자 지위를 거머쥘 때까지 칼리아스를 격리시키려 했는데 칼리아스가 행하는 기적에 그만 입이 떡 벌어지고 말았다.

페오스의 검.

초대 황제 페오스 이외에는 아무도 쓸 수 없었다던 그 전설의 검을 칼리아스가 자유자재로 끄집어내 쓰고 있었던 것이었다.

그 모습을 본 사람들은 관리건 농민이건 시정잡배건 상관없이 모두 칼리아스 앞에서 무릎을 꿇고 신의 가호가 있기를 바라며 경배했다.

이미 칼리아스는 신성한 존재로서 신의 살아 있는 현신이나 마찬가지였다.

그 모습을 본 황제는 바로 큰 소리로 외쳤다.

'황태자로 복귀한 것을 기쁘게 생각한다, 아들아.'

무사히 돌아와 기쁘다며 끌어안고 다독여 주었다. 성대한 파티라도 연다던 황제는 칼리아스에게 쌀쌀맞은 목소리로 귓가에 속삭였다.

'공공장소에서 불의 성검을 꺼내지 말아라. 지금은 과학과 이성의 시대이다. 네가 행하는 그 기적이 논리적으로 설명 가능할 때까지 대중 앞에서 드러내는 것을 삼가고 비밀에 부쳐라. 추후 누가 묻거든 자세한 것은 나중에 내가 공표할 것이니 기다리라 하여라.'

칼리아스 역시 회심의 미소를 지으며 황제의 귀에 속삭였다.

'황태자는 카이런 아닙니까? 이미 황명으로 정하신 일을 이리 쉽게 뒤집으셔야 쓰겠습니까? 저는 그저 황자의 자리에서 카이런의 앞날을 축복하겠습니다.'

황제의 눈썹이 꿈틀했다. 칼리아스는 환하게 웃으며 말을 이어 갔다.

'저는 더 이상 황태자가 아닙니다. 번복할 생각으로 박차고 나오지 않았습니다. 그간 저의 부족함으로 인하여 퇴위하실 결심을 자꾸만 하게 해 드려 죄송했습니다. 저처럼 부족한 자식 대신 믿음직한 카이런이 앞으로 잘해 나갈 것입니다.'

'지금 내게 시위하는 것이냐?'

황제의 말에 칼리아스는 아무것도 모르겠다는 척 대답했다.

'원하시던 대로 되지 않았습니까? 더 이상 저는 황실의 앞날에 위협이 되고 싶지 않습니다. 한발 물러서서 카이런의 시대를 응원하겠습니다.'

이미 많은 사람이 칼리아스가 행하는 기적을 목격했다. 덮으려 해도 덮어질 상황이 아니었다. 그저 당분간 쉬쉬해 달라는 것도 소용없는 일이라 말하듯 칼리아스는 웃어 보였다.

'원하는 것이 무엇이냐?'

심각한 표정으로 황제는 말했다. 칼리아스는 빙그레 웃기만 할 뿐 대답하지 않았다.

황제는 미간을 일그러뜨리며 낮게 중얼거렸다.

'괘씸한 녀석 같으니라고. 이제 천심이 네게 있다고 자랑하는 것이냐? 그깟 머리카락 색이나 기적을 행하는 걸로 네가 정치를 잘할 수 있으리라고 생각한다면 오산이다! 세상은 단지 그것만으로 돌아가는 것이 아니다!'

칼리아스는 천연덕스럽게 고개를 조아리며 말했다.

'그래서 어렵사리 벗은 황태자 자리, 다시 받지 않겠습니다. 저는 정치와 멀어지고 싶습니다. 간신히 이전의 카이런처럼 즐기며 살아갈 기회를 얻었는데 제가 그 무거운 짐을 왜 다시 짊어져야 합니까?'

황제는 그만 화를 참지 못하고 언성을 높이고 말았다.

'지금 이 상태로는 누가 카이런이 황태자라고 인정하겠느냔 말이다! 불쏘시개만 던져 놓고 너는 지금 발뺌한다는 것이냐?'

그 말이 나오길 기다렸다는 듯 칼리아스가 날카롭게 눈빛을 반짝이며 미소 지었다.

'제가 황태자직을 벗어 버릴 수 없는 운명이라면, 앞으로 두 번 다시 제게 다시 양위한다 하시고 선황으로 물러서신다는 말씀은 하지 마십시오. 폐하께서 양위하신다면 저도 당장 카이런 녀석에게 양위하겠습니다.'

황제는 아들을 매섭게 노려보았다. 이제 더 이상 자신의 위엄이 위태로울 때마다 벌이던 정치적 쇼를 할 수 없게 된다는 뜻이었다. 그건 그도 나름의 결심을 해야 하는 모양이었다.

한참 칼리아스를 노려보던 그는 한숨을 쉬며 마지못해 고개를 끄덕였다.

'그리하겠다. 그러니 황태자 자리를 다시 맡아다오.'

칼리아스는 굳은 표정으로 한마디 더 덧붙였다.

'그리고, 혼인 상대는 제가 고르게 해 주십시오.'

황제의 눈이 커졌다.

'고얀 놈, 주장할 것을 주장해라. 혼인 같은 국가 대사를 네 멋대로 하겠다는 것이냐? 인스펙티오 공국과의 약혼 서약은 어찌하고 말이냐? 그로 인해 맺은 조약들을 모두 파기하면 그 뒷수습은 누가 한단 말이냐?'

칼리아스는 눈썹 하나 까딱하지 않고 여전히 미소 지은 얼굴로 차갑게 말했다.

'어차피 제국의 지금 상황을 보십시오. 플란네르가 도발하자 보란 듯이 주변국들이 플란네르 편을 들었습니다. 이게 우리가 처한 현실입니다. 인스펙티오 공국은 그럼 끝까지 우리의 편을 들어주었습니까? 미적지근하게 아무것도 하지 않음으로써 저들을 도와준 셈이었습니다. 이래도 그 약혼 서약이 아직도 유효하다고 보십니까?'

'어리석기는! 국제 관계란 그렇게 쉽게 생각할 일이 아니다. 약혼 서약을 파기하자마자 바로 그들은 플란네르의 편을 들 것이다.'

'고립. 제국의 현실은 고립이었습니다. 우물 안 개구리처럼 외부 정세를 판단하지 않고 내부의 승리에만 도취해 있다가 어느 날 정신이 들어 보니 뒤통수를 맞았습니다. 이것은 이제 시작입니다. 우리가 고립되었다는 사실을 인정하셔야 합니다.'

'칼리아스, 그깟 대중의 인기를 등에 업고 기고만장해졌구나. 그러다 큰코다칠 것이다. 정치란 단순히 당장의 현상만을 바라보고 하는 것이 아니다. 그 너머의 두 수 세 수까지 내다보고 해야만 하는 것이다.'

화가 머리끝까지 치민 황제에게 칼리아스는 환하게 웃어 보이며 말했다.

'그러게 말입니다. 그래서 자질이 모자란 제가 황태자 자리를 고사한 것인데 말이죠. 참 이상합니다. 혼인 문제만 해결해 주면 고분고분 말 잘 듣는 황태자를 얻을 수 있으실 텐데요.'

몇 번이나 연습한 성년식 행진이었는데 벨라는 걸음걸음이 낯선 기분이 들었다. 실수할까 봐 떨렸지만 티 내지 않으려고 계속해 미소를 지었다.

중요한 건 숙부 측을 향한 과시였고, 기선 제압이었다.

'아마도 루카스가 손써 주지 않았다면 숙부는 포르위네 성에서 성년식을 하라 해 놓고 차일피일 미뤘겠지. 더 많은 재산을 빼돌릴 시간을 확보하려고.'

벨라는 저 멀리 아르티드가의 친인척 자리에 와 있는 찰스를 힐끔 쳐다보았다. 슈르츠가에서는 직접적인 연관은 없었지만 콜레트 고모할머니께서 슈르츠 일가를 잔뜩 끌고 와 누가 보면 슈르츠 가문 쪽 성년식인 줄로 착각할지 모를 일이었다.

아르티드가는 원래가 자손이 드물고 귀했기에 방계 친척이라고 해도 증조할아버지 쪽 자손이라든가, 6대조쯤 거슬러 올라가 친족 관계를 따져 초대한 사람들이 참석했기에 모두 긁어다 모아도 몇 사람 되지 않았다. 그리고 그들이 모두 찰스에게 포섭된 이들이어서 벨라에겐 있으나 마나 한 사람들이었다.

벨라는 지하 창고 보물 상자 안에 들어 있던 마법 걸린 양피지에서 흘러나오던 목소리를 떠올렸다.

초대 가주가 자손에게 마력을 봉인하는 마법을 걸었다고 했다.

'혹시 그게 자손도 드물어지는 마법이었을지도?'

벨라는 씁쓸하게 혼자 피식 웃었다.

친척이라도 많았다면 이렇게 외롭게 자라지는 않았을 거였다.

'대신 가족보다 더 끈끈한 정으로 이어진 고용인들이 있었으니까 괜찮아.'

"……고 아르티드 후작을 대신하여 나 테오도르 알리크 엑세리온 카나이브 황제가 새로운 아르티드가의 가주의 탄생을 축하하는 바이다. 새로운 아르티드 후작은 고개를 들라."

황제는 아르티드가의 가보인 마법 지팡이로 기사를 임명할 때처럼 양쪽 어깨에 번갈아 얹은 후 벨라의 양손에 지팡이를 쥐여 주는 것으로 벨라의 성년식과 후작 계승식을 마무리해 주었다.

사실 너무 떨어서 중간에 어떤 과정이 있는지 기억도 나지 않았다. 순간 이동이라도 한 것처럼 정신을 차려 보니 식이 끝나 가고 있었다. 루카스가 고갯짓으로 지팡이를 들어 올리라는 신호를 보냈다.

벨라는 얼결에 지팡이를 들어 올렸다. 그리고 우레와 같은 박수 소리에 파묻혀 느리게 눈을 감았다 떴다.

황태자 칼리아스는 벨라에게 축복의 말을 건넸다. 원래도 예뻤지만, 성년식을 치르기 위해 맞춰 입은 드레스는 마담 플로라의 장인 정신이 깃들어 있어 벨라를 더욱더 특별하게 돋보이도록 했다.

'예쁘다…….'

칼리아스는 기계적으로 외웠던 말을 입으로 내뱉으면서도 머릿속은 멍할 뿐이었다.

'웨딩드레스 입은 모습은 이보다 더 아름답겠지?'

봄날의 청초한 자목련처럼, 신부 차림을 한 그녀가 아래서 위를 올려다보고 있었다. 칼리아스는 마른침을 꿀꺽 삼켰다.

"전하! 불조심!"

벨라의 다급한 목소리에 칼리아스는 퍼뜩 정신을 차렸다. 이미 한바탕 손으로 불 쇼를 한 후였다.

그의 손에 들려 있던 꽃다발이 그야말로 활활 불타서 이를 지켜보던 관중이 모두 경악의 비명을 질렀다. 얼떨결에 칼리아스는 손에 든 불타는 꽃다발을 공중으로 휙 던졌다.

"불이야!"

시종들이 달려 나와 급한 불을 밟아서 껐다. 칼리아스는 헛기침을 하며 상황을 수습해 보려 했지만 이미 늦은 것 같았다. 저 멀리서 찰스 엘 아르티드가 박장대소하며 소리쳤다.

"축복한답시고 불벼락을 내리다니, 아르티드가의 앞날에 흉조가 끼었다는 증표인가?"

뒤에 서 있던 루카스가 재빨리 커다란 꽃 한 송이를 칼리아스에게 내밀었다.

"불길 속에서도 이 한 송이만은 흠 없이 살아남았습니다."

칼리아스는 루카스가 하려는 말을 깨닫고는 그 꽃을 받아 들었다.

"이 꽃송이처럼, 아르티드 후작은 갖은 고난에도 굴하지 않고 아름답게 피어나 세상을 밝히고 있다! 그 어떤 불길도 아르티드 후작의 앞날을 막지 못할 것이다!"

칼리아스는 원래 그런 퍼포먼스를 보여 주려고 그랬다는 듯 시치미 떼고 큰 소리로 외치며 벨라에게 자신의 이름을 걸고 축복을 내렸다.

관중들은 칼리아스의 말에 환호성을 내지르며 준비해 둔 바구니에 든 꽃잎을 너도나도 공중으로 뿌려 댔다.

이제야 아르티드 후작이 되었다는 사실이 실감 나는 순간이었다. 벨라는 저도 모르게 눈물이 글썽거려졌다. 그리고 재치 있게 순간을 넘어가게 해 준 루카스가 너무나도 고마웠다. 언제나 그가 뒤에 있었기에 오늘의 자신이 있었다. 벨라의 눈가가 분홍빛으로 물들었다.

벨라가 모든 의식을 마치고 별관을 나서려는 순간 찰스가 길을 가로막았다.

"축하한다, 벨라. 숙부로서 너의 성장을 자랑스럽게 지켜보았다. 하지만 다른 말로 하자면 이제 네가 저 흉악한 자의 손아귀에서 벗어나는 순간이기도 하니 짚고 넘어갈 것은 바로 하고 가자."

보나 마나 루카스를 걸고넘어질 생각인 듯 보였다. 벨라는 과거와 똑같은 찰스의 작태에 코웃음이 나왔다.

'그때는 당신이 루카스를 꽤나 괴롭히는 데 성공했지. 하지만 지금은 달라. 내가 루카스 편이거든?'

"덕분입니다, 숙부님."

벨라는 가식적인 미소를 지으며 공손히 찰스에게 인사했다.

"이제 네가 정식으로 아르티드 후작이 되었으니 알아 가야 할 실무가 무척 많을 게다. 내가 차차 그 실무들을 가르쳐 주마."

"괜찮습니다, 숙부님. 루카스 버틀러 경에게 실무 상당량을 인수인계 받았고, 헨리 와이즈먼 법률 고문을 통해 법리적 해석을 모두 마쳐 놓았습니다. 준비 다 해 두었으니 숙부님께서 걱정하지 않으셔도 됩니다."

벨라는 방긋 웃었다. 그 모습에 찰스는 눈살을 찌푸리며 말했다.

"내가 누누이 말했지만, 저자는 너를 가두고 세뇌시킨 인간이다. 너는 그 세뇌에서 이젠 풀려나야 한다. 그간 후견인이 저자라서 네게 접근할 기회를 모두 박탈당했지마는 이제 너는 성인이니 무엇이 옳고 그른지 직접 판단해야 한단다. 그러니까 내가……."

"네. 무엇이 옳고 그른지 직접 판단할 수 있습니다. 숙부님."

벨라는 한마디도 지지 않고 대답했다. 그럴수록 숙부의 인내심이 바닥나기 시작했다.

"그간 내가 포르위네 성을 지키고 있었기 망정이지 너의 재산이 모두 저놈의 손에 넘어가 공중분해 될 뻔했다는 사실을 아느냐?"

그는 참지 못하고 드디어 속내를 드러냈다.

"저놈이 네 재산을 제멋대로 주물러 사사로이 횡령도 하고 비리를 눈감아 주어 다른 이들에게 사적 이익을 취하게 해 준 사실을 알고 있느냐? 내가 그 증거를 가지고 왔다! 어서 저놈을 끌어내어 엄중한 법의 심판을 받게 해야 한다!"

찰스는 루카스를 향해 손가락질해 댔다. 그 허공을 팍팍 찔러 대는 손가락이 벨라는 몹시도 못마땅했다.

"숙부님, 버틀러 경은 단 한 푼도 유용한 적 없습니다. 제가 법리적인 검토를 마쳤다고 말씀드렸지 않나요?"

벨라는 찐 고구마에 이빨도 안 들어가는 소리에 웃음이 나왔지만 애써 꾹 참으며 태연하게 그의 말에 대꾸했다.

"이러니까 세뇌되었다고 하지 않았느냐! 벨라, 진실에 눈을 떠야 한다! 저놈이 얼마나 철저하게 세뇌시켰으면 네가 이러겠느냐. 이 숙부가 책임지고 진실을 알게 해 주마."

찰스는 자신이 데려온 사람들을 약속해 둔 손짓으로 불러 모았다. 완력으로라도 루카스를 끌어낼 심산인 듯했다.

"벨라, 너도 이 증거들을 보면 생각이 달라질 것이다. 브릴류든 저택 부지와 그 인근 과수원 땅을 십자 장미 수도원에 기부하는 척하고, 실은 허드슨 남작가에 말도 안 되는 금액으로 팔아넘긴 자료가 여기 있다. 허드슨 남작은 저놈에게 매수되어 그 땅을 구입한 뒤 녀석에게 되파는 수법으로 그의 재산 축적을 도왔다."

그는 토지 거래 장부를 들고 왔다.

"봐라. 이래도 숙부가 허튼소리를 하는 것으로 보이느냐? 녀석은 너의 후견인으로 있는 동안 수많은 배임과 횡령죄를 저질렀다. 이 숙부가 녀석의 수법을 하나하나 파헤쳐 주마!"

찰스는 루카스의 서명이 된 계약서를 벨라에게 흔들어 보이며 모함하기 시작했다.

"게다가 허드슨 남작이 증인으로 함께 따라왔다. 이것보다 더한 증거가 필요하겠느냐?"

벨라는 대답 대신 피식 웃었다. 그리고 뒤돌아보며 말했다.

"준비해 둔 우리 측 증인 좀 보여 드려 주십시오, 리체 보좌관."

"네, 후작님."

리체가 데려온 사람은 수도승 복장을 한 사람이었다. 허드슨 남작이란 사람이 그 사람을 보자마자 얼굴이 흑색이 되며 슬슬 뒷걸음질로 물러났다.

"그 사람이 누구든 간에 상관없……."

찰스가 자신 있게 말하다가 옆을 보니 허드슨 남작이 뒤도 돌아보지 않고 도망가고 있었다.

"허드슨 남작! 지금 어디 가는 거요! 이봐! 거기 멈춰!"

벨라는 그 모습에 헛웃음이 나왔다.

"숙부님, 증인이 도망가네요? 대체 무슨 이유일까요?"

벨라의 이죽거림에 갑자기 찰스가 주먹을 움켜쥐었다.

"알았다! 루카스 네놈이 허드슨 남작에게 협박을 해 두었구나! 허드슨 남작! 돌아와! 그렇게 가 버리면 어쩌란 말이냐!"

찰스는 당황하여 고래고래 소리 질러 그를 부르다가, 정

안 되겠는지 돌아서서 굳은 표정으로 말했다.

“하여튼, 브릴류든 저택 부지 문제는 재판을 신청할 것이다. 반드시 루카스 네놈을 콩밥 먹여 버리고 말 테다. 그리고 지금 내가 증거를 확실하게 확보한 건은 그뿐만이 아니다.”

그는 확신에 가득차 외쳤다.

“타섹 양조장의 경영권으로 인한 금전적 손실도 분명하게 재판으로 시시비비를 가릴 것이며, 구휼 창고를 무단으로 개방하여 그 안에 든 구휼 곡식을 기부하는 척하고 사사로이 빼돌렸다는 증거도 여기 있다.”

그는 자신이 매우 좋은 패를 들고 있다고 여기는 듯했다.

“타섹 양조장의 셋째 아들이 내게 증언해 줄 것이고, 구휼 창고를 담당한 창고지기 마치도 입장을 밝힐 것이며…….”

찰스가 주절주절 말하는 것을 듣기 지겨워진 벨라는 조용히 있다가 한마디 던졌다.

“아, 그러세요? 마침 제게 에밀리라는 애 엄마가 청원을 했어요. 타섹 양조장 집 아들 누군가가 흥청망청 돈을 쓰면서 여러 여자에게 사기 결혼을 했대요. 그 집 아들이 쓴 돈의 출처를 안다고 제보했는데 우연히 겹치네요? 우리 법정에서 그 이야기도 가려 볼까요?”

벨라의 말에 찰스는 뭔가 켕기는 구석이 있는지 헛기침을 해 대기 시작했다. 그가 입을 열기도 전에 벨라는 말을 계속 이어 갔다.

“구휼 창고지기는 억울하겠어요. 포르위네 성에 사는 가장 굶주린 불쌍하고 가난한 사람을 구휼하느라 그 곡식을 내다 썼는데 정작 그 굶주린 사람은 배가 덜 찼나 봐요. 도대체 누구 배인지 구경하고 싶네요."

벨라는 몰리에게 손을 내밀어 다른 서류 봉투를 받아 들었다.

"전임 창고지기가 그간 썼던 이중장부 내역을 친절하게도 제게 가져다주더라고요? 우리 이것도 법원에서 시시비비를 가려 볼까요?"

벨라는 리체와 몰리를 쳐다보며 말했다.

"리체, 몰리, 숙부님께서 말씀하시는 건들에 대해서는 법원에 제출할 서류 준비가 완벽하게 끝났지요?"

리체는 살며시 웃으며 대답했다.

"그럼요, 후작님. 누구 분부인데요. 바로 법원에 접수하러 갈까요?"

찰스의 이마에 식은땀이 송골송골 맺히기 시작했다.

'그딴 것으로 루카스의 발목을 잡으려고 했다니. 치졸하기는.'

벨라는 속으로 찰스를 비웃었다.

찰스 딴엔 루카스를 어찌해 보겠다고 짜낸 계략이었겠지만, 이미 겪어 본 일이었다.

과거의 삶에서 찰스는 루카스를 무고하려다가 오히려 자신의 비리가 들통나 벤자민에게 탈탈 털리고 아르티드가에서 쫓겨나는 신세가 되었다.

그 사건을 가장 흥미진진하게 지켜보았던 것이 이모 마리앤이었다. 혹시라도 벤자민을 도우면 아르티드가의 재산 일부라도 떼어먹을 수 있을까 싶어 벤자민에게 적극 협조했다.

그런 한편으로 벤자민에게 다른 종류의 소송을 걸고 아르티드가의 재산을 벨라에게 돌려 달라고 호소하던 파렴치한 이모였다. 그녀가 들려줬던 일들을 기억해 내고 증인과 서류를 준비해 둔 참이었다.

'다른 사건들은 각기 달라졌지만, 이 일들은 어찌 과거에서 한 치의 오차도 없을까?'

벨라는 혀를 끌끌 찼다.

아직 벨라가 별관을 빠져나가지 못하고 누군가와 설전을 벌이고 있는 모습을 본 칼리아스는 벨라의 곁으로 다가왔다. 찰스는 자신이 불리해졌다고 생각했는지 안절부절못하며 도망갈 기회를 엿보았다.

"무슨 일인가 아르티드 후작?"

칼리아스가 다가오자 벨라는 빙그레 미소를 지으며 말했다.

"숙부님께서 원칙과 순리를 찾으시기에 이참에 원칙과 순리가 뭔지 보여 드리려고요."

찰스는 비명 지르듯 외쳤다.

"내게 협박이라도 할 셈이냐? 너는 지금 절대다수이고 나는 혼자인 것을, 비겁하게 원칙과 순리를 논하다니! 벼…… 변호사에게 다시 자문을 구해야겠구나. 나중에 보자, 벨라."

절대다수와 혼자 좋아하네. 당신이 끌고 온 어깨들이 딱 봐도 지금 몇 명인데 혼자라고 우겨?

벨라는 속으로 코웃음을 쳤다. 그런 찰스의 앞을 루카스가 막아섰다.

"비켜! 비키라고!"

찰스가 루카스를 밀어 보았으나 루카스는 꿈쩍도 하지 않았다.

"뭐야! 지금!"

어쩔 줄 모르고 루카스를 피해 보려고 애쓰는 찰스에게 벨라가 한 걸음 다가섰다.

"이참에 무단 점거했던 포르위네 성을 내놓으시고 이만 물러가 주시죠?"

"무엇이? 숙부에게 무슨 버르장머리 없는 말이냐? 내겐 그 성에 살 권리가 있다! 나도 아르티드 후손이다. 직계란 말이다. 직계!"

찰스가 버럭 화를 냈다. 그러나 벨라는 눈 한 번 깜빡이지 않고 그를 노려보았다.

"우리 사실 관계를 따져 볼까요? 직계는 제가 직계입니다. 당신은 방계조차 될 수 없어요. 지금까지는 속아서 숙부라고 불러 드렸지만 이제 더 이상은 숙부라고도 불러 드릴 수 없습니다. 지금이라도 순순히 떠나시면 당신의 치부는 덮어 두고 아르티드 성씨라도 쓰는 것을 허락해 주겠지만 그렇지 못하신다면 저는 철저하게 사실을 파헤칠 겁니다."

"무슨 사실? 이게 숙부한테 할 소리냐? 아르티드 성씨라도 쓰는 것을 허락해 주겠다니! 나는 토레스 엘 아르티드의 아들 찰스 엘 아르티드다! 돌아가신 형의 딸에게 후작 자리를 양보한 신사적인 숙부란 말이다!"

찰스의 말에 벨라는 미간을 팍 찡그렸다.

"정말 그럴까요?"

벨라는 찰스를 싸늘하게 노려보며 말했다.

"당신은 내 할아버지의 혈통을 잇지 않았습니다."

"이건 모욕이다! 어찌 숙부에게 이런 씻을 수 없는 모욕을 가한단 말이냐! 벨라! 제정신이냐? 어떻게 네가 내게 이럴 수 있느냐? 어처구니가 없어서 치가 떨리는구나!"

찰스가 광분하여 외쳤다.

"네가 아무리 권력욕에 눈이 멀었어도 그렇지 네가 자랄 동안 포르위네 성을 굳건히 지켜 준 숙부를 하루아침에 누명을 씌워 내쫓을 생각을 했느냐? 저놈의 머리에서 나온 흉계냐? 제발 정신 차려, 벨라!"

그러나 벨라는 코웃음만 칠 뿐이었다.

"망신을 당하는 것은 피하게 해 드리고 싶었습니다만, 조용히 우아하게 이야기하여 넘어가기를 포기한 것은 당신입니다."

그에 맞춰 경멸의 눈빛 또한 담아 보냈다.

"당신의 어머니는 내 할아버지 토레스 엘 아르티드 후작의 하녀였죠. 아내를 잃고 어린 아들마저 목숨이 오늘내일하는 상황이 되자 할아버지는 감당하지 못하고 술에 의존하는 날을 보내셨습니다. 때론 술에 기억이 끊겨 그날 있었던 일을 제대로 기억하지도 못하는 상태가 종종 있었죠. 당신의 어머니는 그 점을 노렸습니다."

"당신의 어머니라니! 말버릇이 그게 뭐냐 벨라! 너와 피는 섞이지 않았어도 네겐 친할머니나 마찬가지인 분이다! 함부로 그렇게 칭하는 것 아니다!"

찰스는 흥분해 벨라에게 달려들었지만, 호위 기사인 제스로가 그런 찰스의 두 팔을 거칠게 붙잡고 저지했다. 그러자 찰스가 데려온 건달들이 제스로를 협박하듯 에워쌌다.

술에 취한 토레스가 눈을 떴을 때는 해가 중천에 걸려 따가운 뙤약볕이 침대 위로 내리꽂고 있었다. 눈뜨자마자 그의 눈에서는 저도 모르게 눈물이 굴러떨어졌다.

아내를 죽게 하고 태어난 아들이 원망스러웠다. 그런데 그 아들마저 잘 먹지 못하고 시름시름 앓았다.

유모를 두지 않고 직접 아이를 기르고 싶다고 했던 아내 엘레노어였다. 직접 품에 안고 기르며 젖 먹여 키우고 싶다 하여 그리하라 했는데 그렇게 허망하게 세상을 떠날 줄은 몰랐다.

부랴부랴 집사가 유모를 구해 보았으나 마침 유일하게 젖먹이를 기르고 있는 집은 정원사 가드너 가족뿐이었다.

그렇게 급하게 유모도 마련하였는데 아이는 잘 먹긴커녕 토하고 노랗게 변해 갔다.

아이가 곧 죽을 거란 생각에 그 모든 것이 자신의 탓인 것만 같았다.

'내가 미워한 탓인가? 제 어미를 죽게 만들고 태어났다고 해서 원망했던 탓인가?'

아이가 아픈 것이 자신이 미워해서 하늘이 그 마음을 노여워한 것이란 생각이 들었다. 견딜 수가 없었다. 엘레노어가 죽고 없다는 것을 잊기 위해 술을 마셨고, 아이가 죽었다는 소식이 들려올까 봐 취하도록 마셨다.

하늘 아래 사무치게 외로웠다.

지독한 두통에 머리가 쪼개지는 듯 아팠다. 집사를 부르려고 더듬더듬 몸을 일으키는데 등에 뭔가가 닿았다.

서늘한 기분에 토레스는 뒤를 돌아보았다. 하얀 알몸이 자신의 등 뒤에 있었다.

"으악!"

깜짝 놀란 토레스의 비명에 집사가 달려왔다. 그리고 제 주인의 침실에 벌거벗은 한 여인이 무릎 꿇고 앉아 있는 모습을 보고 말았다. 집사는 그 여인을 살펴보고 황당해했다.

"너는 현관 청소 담당 마가렛 아니냐?"

벌거벗은 여인은 얼굴을 붉히며 회심의 미소를 지었다.

"일단 그 벗은 몸부터 가려라!"

집사가 황급히 팔에 걸치고 있던 수건을 마가렛에게 던지고는 바닥에 널브러진 옷가지들을 주워 들었다.

"네가 대체 왜 내 침대에 있던 거지?"

경악한 토레스가 묻자 마가렛은 수줍게 웃으며 말했다.

"어제 물을 한 잔 가져다 달라고 하셔서 들고 왔다가 취하신 후작님께서 저를 엘레노어 마님과 착각하셔서 그만……."

"나가!"

토레스는 베개를 집어 던지며 고함을 질렀다. 마가렛은

보란 듯이 헐벗은 몸으로 옷가지를 끌어안고 달려 나갔다. 펑펑 우는 것은 추가 옵션이었다.

"내가 침대에 다른 여자를 들일 리가 없어!"

그는 머리를 쥐어뜯으며 괴로워했다.

"아무리 취해서 정신을 잃었어도 그럴 리가 없다! 집사를 놔두고 현관 담당 하녀에게 물을 가져다 달라 개인적으로 부탁할 일이 어디 있겠는가?"

소문은 쉽게 돌았다. 후작님의 방에서 벌거벗은 하녀가 옷가지를 안고 울면서 달려 나왔다는 소문은 금방 사방팔방으로 퍼져 나갔다. 그리고 그 하녀는 혹시라도 소문 못 들은 사람이 있을세라 동네 한복판에서 헛구역질을 해 대기 일쑤였다.

불어나는 소문 속에서 하녀 마가렛은 점점 부른 배를 과시하고 다녔고 후작은 계속해서 외면했다. 대신 그는 그날 이후로 술을 끊어 다시는 한 방울도 입에 대지 않았다.

그 하녀가 낳은 아이가 사내아이라는 소리를 전해 들은 토레스는 씁쓸한 미소를 지으며 집사에게 말했다.

"그 모자에게 포르위네에서 멀리 떨어진 변두리에 살 곳을 마련해 줘. 쓸 돈은 얼마든지 풍족하게 갖다 써도 상관없으나 내 눈에는 두 번 다시 띄지 않는 조건으로 말이지."

벨라는 그날의 풍경을 직접 본 적이 없으므로 뭐라 판단

할 수는 없었다. 하지만 전대 집사 제이크 트리벳 할아범에게 전해 들은 바로는 토레스는 살아생전에 그들을 아르티드가의 식구로 여긴 적이 없다고 하였다.

정말로 그날 토레스와 하녀 마가렛이 동침했는지 여부는 아무도 모를 일이었다.

'그래도…….'

"리체, 그 사람 이름이 뭐라고 했지?"

벨라의 말에 그녀는 수첩에서 이름을 확인했다.

"이노크 키튼, 파발꾼이어서 항상 이곳저곳으로 옮겨 다니는 사람이었다고 합니다."

"그래, 이노크 키튼. 그 사람이 당신 아버지입니다. 찰스 키튼 씨."

벨라의 말에 찰스는 눈이 뒤집혔다.

"뭐가 어쩌고 어째? 숙부를 성에서 내쫓는 것도 모자라 성까지 갈아치우고 모욕하겠다? 도저히 참을 수 없다! 벨라! 나의 명예를 이따위로 더럽히다니 결투라도 신청하겠다! 죽음으로 나의 명예를 되찾을 것이다!"

고래고래 소리 지르며 흥분하여 덤벼드는 찰스를 다시 한 번 제스로가 있는 힘껏 제압했다.

"이것 놔! 이것 놓으란 말이다!"

찰스의 부림을 받는 건달들이 제스로의 팔을 잡고 찰스를 풀어 주려고 안간힘을 썼다.

"멈춰라! 엄숙한 황궁에서 이게 무슨 추태냐! 존엄해야 할 황궁을 모독하는 것이냐? 이곳에서 벌어지는 예의 없는 행동들은 내가 용서치 않겠다."

칼리아스가 다가오자 다들 하던 일을 멈추고 고개를 낮춰야 했다.

"그래요. 이곳은 황궁, 보는 눈도 많은데 그다지 보기 좋은 풍경은 아니로군요."

슈르츠 공작 부인인 콜레트 고모할머니가 시녀들을 거느리고 부채질을 하며 다가왔다.

"아르티드 후작, 이렇게 공개된 장소에서 누군가에게 씻을 수 없는 치욕이 될 만한 말은 삼가는 것이 좋습니다. 귀족적인 예의범절에도 어긋나고요."

"고모님!"

찰스는 구원자를 만났다는 듯 애절하게 공작 부인을 바라보았다.

"고모님, 제가 이런 모욕을 당해야 합니까?"

찰스가 눈물을 줄줄 흘리자 콜레트는 측은하다는 듯이 그를 바라보았다.

"불쌍한 우리 조카님, 울지 마세요. 눈물이 이렇게 많아서야 어떻게 합니까?"

공작 부인은 벨라를 바라보며 다시 입을 열었다.

"아르티드 후작, 비록 찰스가 그간 수많은 음모론에 거론된 것을 압니다. 심지어 전대 후작 독살설에까지 휘말렸었지요. 하지만 제가 본 찰스는 그럴 인물이 아닙니다. 마음이 얼마나 여리고 착한데요, 그 모질지 못함이 그런 오해들을 불러일으킨 것이니 혹시라도 후작께서 오해하고 계신 부분이 있다면 오해를 푸시길 바랍니다."

슈르츠 공작 부인은 미간을 찡그렸다.

"아르티드가는 예로부터 손이 귀한 집안이에요. 남은 후손도 얼마 없는데 우리끼리 반목해서야 되겠습니까?"

벨라는 공작 부인의 말에 입술을 깨물었다.

예로부터 찰스는 공작 부인의 발바닥이라도 핥을 정도로 굽신거렸다. 공작 부인이 재채기만 해도 독감에 걸려 앓는 것처럼 귀한 약재를 구해다 갖다 바치며 팔다리를 주무르고 베개를 높여 주는 등 과할 정도의 정성을 기울였다.

그러니 그 정도로 구워삶아 놓은 공작 부인이 찰스에게 더 마음이 쓰이는 것은 어쩔 수 없다고 생각하기로 했다. 그러고는 대신 루카스를 쳐다보았다.

루카스는 더 이상 자기 일이 아니라는 듯 나서지 않았다. 아마도 이젠 스스로의 힘으로 해결하라는 것 같았다.

벨라는 수도 없이 외웠던 말을 머릿속으로 정확히 다시 훑어 내려고 애썼다.

"리체, 그 증거물 가져와."

벨라는 리체가 건넨 서류에 붙은 작은 메모지를 보고는 피식 웃었다.

[떨지 마, 파이팅! 메모지 뒷장에 잘 까먹는 구절을 써 놨으니 급하면 참고해.]

'아무리 내가 덜렁쇠지만 이걸 잊을까, 걱정 마! 이제 더 이상 나는 실수하지 않아.'

벨라는 심호흡을 하고는 말을 이어 갔다.

"후작직을 승계받으면서 참고한 여러 자료 중 포르위네에서 쓰는 비용에 대한 회계 자료들을 보았어요. 해마다 주로 무엇에 돈을 쓰며 무슨 행사가 있는지 말이에요. 그러다가 이상한 점을 발견했습니다. 총수입과 총지출이 맞아떨어지지 않더군요. 아르티드 후작 자리가 공석으로 있는 동안 회계 부정이 수없이 저질러졌다는 사실을 깨달았어요."

이 소동 때문에 많은 귀족이 귀가 솔깃하여 별관 강당을 떠나지 못하고 구경하고 있었다. 그 수많은 시선에 조금 더 떨렸지만, 벨라는 전혀 내색하지 않았다.

"곳곳의 비용 출처에 딱히 우리 가문에 관련된 일을 한 적이 없는 이노크 키튼이란 이름이 들어가더군요. 심지어 그 사람의 틀니에 고질병 치료 비용까지 아르티드의 곳간에서 돈이 새어 나가더라고요. 대체 이 사람이 누구길래 우리 가문의 돈을 제 돈 쓰듯 쓰고 있을까 궁금하던 차에 이노크 키튼이 아르티드가에 협박 편지 보내기를 일삼았다는 것도 알게 되었죠."

벨라는 노랗게 바랜 편지 한 장을 꺼내 보였다.

"찰스 키튼 씨, 그간 제 숙부인 척하시느라 수고 많으셨습니다. 이것은 중요한 증거물이므로 지금 공개할 수는 없고 법원에서 봅시다."

"거짓말! 저것은 모두 거짓이다! 모두 날조된 것이 틀림없다!"

찰스가 광분하여 날뛰는 것을 막느라 제스로가 휘청거렸다.

"아르티드 후작, 이런 식으로 폭탄 발언을 하면서 망신을 주고 나중에 혹시라도 무고라 판정되면 이 일을 어찌 감당하려고 그럽니까?"

슈르츠 공작 부인까지 얼굴이 벌게져서 벨라에게 따져 물었다.

그러나 벨라는 슈르츠 공작 부인의 경우는 타고난 천성 때문에 모질지 못해 찰스에게 정을 주어 그러는 것임을 잘 알았기에 직접적으로 슈르츠 공작 부인에게 맞서지 않았다.

'벤자민이 했던 짓을 그대로 따라 하니 쉽네.'

벨라는 속으로 코웃음을 쳤다.

벤자민은 과거에 찰스의 사주를 받아 자신에게 접근하고서 아르티드가의 재산을 가로채자마자 찰스를 몰락시켰다.

그가 정확히 어떤 방식으로 찰스를 몰락시켰는지 자잘한 세부 사항까지는 모른다.

다만 루카스가 찰스의 말로에 대해서 묻기에 아는 대로 대답해 주었을 뿐이었다. 그랬더니 루카스는 짧은 몇 마디에서 수많은 사실을 유추해 내고 알아서 판을 깔고 자료를 준비했다.

그 자료를 준비하기까지 몇 년 동안 알고도 회계 부정을 가만 놔뒀다. 그리고 찰스는 그 미끼를 물었다.

그러나 이 모든 사실을 모르는 슈르츠 공작 부인은 진심으로 가슴 아파하며 찰스의 편을 들었다.

"아르티드 후작! 피 섞인 혈연끼리 이러는 거 아닙니다! 하늘에 계신 토레스 오라버니가 얼마나 가슴 아파하시겠어요? 살아생전에 찰스를 남 보듯 하고 정 한 번 줘 보지 못했음을 후회하는 유언장까지 남기셨는데 이럴 수는 없습니다."

벨라는 차갑게 웃으며 말했다.

"고모할머니, 그 유언장은 가짜입니다."

"뭐시라? 어쩌자고 그런 책임질 수 없는 거짓말을 합니까?"

벨라는 눈썹 하나 까딱하지 않고 리체에게 말했다.

"리체 보좌관, 또 다른 증인을 공작 부인께 소개시켜 드리세요."

리체가 데려온 사람은 플란네르로 갈 때 벨라의 위조 신분증을 만들어 주었던 서류 위조업자였다.

"그 유언장, 이자가 위조했습니다."

벨라는 입가에 조소를 흘렸다.

사실 지금도 찰스가 진짜 그의 혈육인지 아닌지는 증명할 수 없었다.

'그날 밤의 일은 그 당사자만이 아는 일이니까. 하지만 벤자민은 그런 식으로 쳐 냈지.'

벨라는 과거의 기억을 더듬었다.

벤자민은 '그는 애초에 아르티드가의 혈육이 아니었다.' 라고 우기며 이노크 키튼이란 사람의 이야기를 끄집어냈다. 그리고 여러 가지 정황 증거만으로 찰스는 가짜 혈육으로 내몰려 포르위네에서 쫓겨났다.

그 후 찰스는 소송을 준비한다더니 어디론가 도망쳐 행방불명이 되었고 그의 어머니는 목이 졸려 죽은 채 발견되었다.

이번엔 찰스를 내쫓겠지만 그런 참혹한 말로가 되지 않도록 할 생각이었다. 그렇다고 찰스에게 미안한 마음은 눈곱만치도 없었다. 정말로 떳떳하다면 그런 수상한 거래 내역을 가졌을 리도 없었고 이노크 키튼이란 자에 대해 어물쩍 넘어가려 하지 않았을 것이었다.

벨라는 입술을 깨물었다.

'분명하게 모든 진실을 밝힐 거야. 당신이 그간의 암살 사건 배후였다는 것을.'

벨라는 제 일이라도 되는 듯 화를 내며 끼어든 슈르츠 공작 부인의 얼굴을 빤히 바라보았다.

그간 가끔 안부차 교류하여 어느 정도 익숙해진 고모할머니였지만 과거의 삶에서 이안을 다치게 했던 그 딸기코의 사냥꾼을 떠올리면 늘 찜찜한 생각이 들었다.

언제쯤 그가 나타나 그녀의 삶에 훼방을 놓을까 은근히 기다리고 있었다. 그런데 아직까지도 그 사냥꾼은 벨라의 삶에 끼어들지 않았다!

하지만 루카스에게 조언을 구했을 때 그는 이렇게 대답했다.

'찰스 님을 돕는 뒷배가 슈르츠 공작 부인이 아니라 슈르츠 공작가의 누군가일지도 모릅니다. 슈르츠 공작 부인은 본래 쉽게 접견을 청할 수 있는 상대가 아닙니다. 그러나 찰스 님이 공작 부인의 동선을 잘 파악하고 가는 곳마다 나타나서 환심을 산 것으로 압니다. 공작 부인의 환심을 사라고 조언한 이가 분명 내부에 있을 겁니다.'

다비드 엘 아르티드 후작이 독살당했을 때, 좀처럼 그 배후를 밝힐 수가 없었다. 믿었던 충직한 집사 제이크 트리벳의 아들이 모든 일의 원흉이었다고 생각하는 이는 아무도 없었다. 그래서 이날까지 증거를 모으는 차원에서 찰스의 공금 유용을 모르는 척 기다리고 있었다. 그의 혈통 문제를 한꺼번에 싸잡아 결정타로 날리기 위해 참고 있었다.

벨라는 미간을 찡그리며 쌀쌀맞은 목소리로 분명하게 말했다.

"찰스 키튼 씨, 그간 무단으로 점거해 사용한 포르위네 성의 반환을 청구합니다. 그리고 그 성을 대리하여 관리하겠다는 이유로 부당하게 얻은 이득을 반환할 것을 청구합니다."

몇 번을 연습했어도 입술에 쥐가 날 것 같았다.

'법률 용어는 왜 이렇게 딱딱해? 그냥 내 성 내놔, 부당하게 쓴 내 돈 내놔 하면 될 것을.'

벨라는 최대한 우아하게, 그리고 발음이 틀리지 않게 또박또박 말하려고 애썼다.

"루카스 버틀러 경을 고소하겠다면서 제출한 자료와 포리나 영지의 연간 총예산 규모의 비교 분석을 통해 시시비비를 가려 보자고요. 이노크 키튼이란 사람에 대해서도 정확하게 까발려 보도록 하고요."

벨라는 슈르츠 공작 부인을 힐끔 돌아보고는 덧붙였다.

"아, 맞다, 그러고 보니 슈르츠 공작 부인께 예전에 루카스 버틀러 경이 제출한 회계 자료가 있지요? 그 자료와도 대조해 보자고요. 회계 부정을 저질렀는지 안 저질렀는지 보관하고 계신 것과도 교차해 대비시켜 봅시다."

그 말에 찰스의 얼굴이 흑색이 되었다.

"아니야! 이건 함정이야! 이미 짜놓은 함정에 내가 빠져든 거다! 하늘에 맹세코 나는 떳떳하다! 내가 한 점 부끄럼 없다는 것은 하늘이 알고 땅이 안다!"

그가 데려온 장정들이 발악하는 그를 빼내어 가려고 했다.

"아무리 조카가 숙부를 내친다 해도 회복할 수 없는 치명적인 오명까지 뒤집어씌워 가며 이렇게 내쫓을 수는 없다! 벨라! 내 반드시 이 결백을 증명하고야 말겠다."

벨라 측의 경호 인원들도 달려들어 그를 빼 가지 못하게 하느라 일대가 혼잡해졌다.

"모두 조용히 하라!"

칼리아스가 분노의 일갈을 내뱉었다.

"양측 다 몸싸움을 할 것이 아니라, 법정에서 시시비비를 가려라. 이 이상 이곳을 시끄럽게 한다면 소란죄로 모두 지하 감옥에 처넣겠다."

칼리아스의 험악한 분위기에 황실 기사단이 중무장을 한 채 착착착 다가와 이들을 에워쌌다.

13. 포르위네의 주인

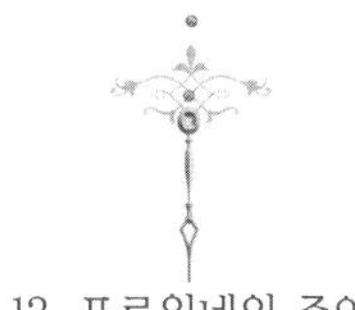

13. 포르위네의 주인

"전하, 이렇게 저를 사사로이 따라오셔도 되는 거예요?"

벨라는 칼리아스를 쳐다보았다. 그녀의 갈색 말의 곁을 따라오는 흰색 명마 등에는 칼리아스가 올라타 있었다.

"귀족가의 분쟁을 중재하는 것은 예로부터 황실의 일. 나는 불시에 벌어질 소동을 방지하기 위해 따라오는 것이다. 황궁 기사단의 호위를 받는 것을 가문의 영광으로 간직하여라."

칼리아스는 자꾸만 헛기침을 했다.

벨라가 무사히 포르위네 성으로 입성하는 것을 돕겠다는 이유로 군대를 이끌고 내려오는 것이었지만 칼리아스 딴엔 이것이 합법적인 데이트라고 생각하였다.

포리나 장원으로 가는 길은 멀고도 머니 오붓하게 말 타고 가다가 허심탄회한 이야기도 많이 나눌 것이고, 이참에 벨라와 각별한 사이가 되자는 심산이었다.

"내 자랑 같아서 삼가 왔다만 실은 마상 경기 시합에서 2년 연속 우승했었다."

칼리아스는 얼굴을 붉히며 자신의 모험담을 이야기했다. 어쩐지 벨라가 진심으로 귀 기울여 듣지 않는 것 같아서 지루한가 싶어 화제를 다른 것으로 돌렸다.

"……그리고 3년 연속 활쏘기 대회 4강에 올랐지. 내가 모든 경기에서 다 우승해 버리면 다른 귀족들은 받을 상이 없으니까 결승은 양보해 주었다. 이 사실은 그대만 알고 있도록."

어쩐지 이 이야기도 그녀의 흥미를 그다지 끌어당기지 못하는 것 같았다.

"아, 황실에서만 키우는 품종견은 분양해 주려니 8개월이라 성견도 아니고 어린 강아지도 아니기에 곧 출산하는 대로 제일 예쁜 녀석으로 골라 하사하겠다. 기대해도 좋다."

강아지 이야기로 화제를 돌려 보았으나 여전히 그녀의 표정은 시무룩했다.

칼리아스는 항상 여성들이 먼저 말 걸어오는 것에 익숙했던지라 무엇을 화제로 꺼내야 할지 알 수가 없었다.

'클라라가 주절거리는 이야기라도 잘 들어 둘 것을.'

무엇으로 그녀의 관심을 끌지 계속 입에서 나오는 대로 아무 말이나 주워섬겼다. 나중에는 자신도 뭐라 말하는 건지 요점을 알 수 없었다.

칼리아스는 두 뺨을 붉힌 채 가만히 벨라의 얼굴만 바라보다가 그녀의 목에서 빛나는 것을 발견했다.

"그것은 무엇인가?"

"네?"

벨라는 칼리아스가 가리키는 것을 보았다. 자신의 목걸이를 말하는 듯싶었다.

"이거요?"

"그렇다. 그 하얗고 찌그러진 돌 같은 것은 무엇이냐?"

칼리아스의 말에 벨라는 웃으며 대답했다.

"무인도에서 주운 진주입니다."

"그게 진주라고?"

칼리아스는 미심쩍다는 듯한 표정을 지었다.

"보실래요?"

칼리아스는 사실 그것이 진주이든 돌이든 상관없었다. 단지 벨라가 관심을 보이는 것이 기뻤다.

"찌그러져서 진주인 줄 몰라보았다. 가까이서 보니 확실히 진주가 맞군. 다른 좋은 보석도 많은데 왜 하필 찌그러진 진주인가? 목걸이가 없어서 그런 것이라면 내가 하나 선물해 주겠다."

칼리아스의 말에 벨라는 고개를 저었다.

"괜찮습니다, 전하. 저는 이 찌그러진 진주가 마음에 듭니다."

"아르티드 후작은 취향이 독특하군. 보석이란 위급할 때 현금화할 목적이 크다. 그런 현금화 가치가 없는 것에는 세공하지 말아야 한다."

칼리아스 딴엔 이성적인 말을 내뱉었다고 생각했다. 그러나 벨라는 그 진주를 소중한 듯 두 손으로 감싸며 말했다.

"팔지 않을 겁니다. 평생 간직할 겁니다."

"그러지 말고 내가 하사하는 목걸이를 받……."

칼리아스는 이참에 벨라에게 무언가 선물해서 자신의 마음을 표현하고 싶었다. 그 찌그러진 진주 목걸이처럼 자신이 준 목걸이를 소중하게 여겼으면 좋겠다는 생각이 일었다.

"추억은 평생 간직하는 것입니다."

벨라가 생긋 웃었다. 그녀가 해맑게 웃으니 그냥 아무것도 아닌데 칼리아스의 기분까지 밝아지는 기분이었다. 헤에…… 하고 벨라의 눈을 바라보다가 정신을 차리고는 고개를 돌렸다.

심장이 제멋대로 뛴다. 그냥 그녀와 가까이 있다는 것만으로도.

대체 왜 뛰는지 이유를 알 수 없었다. 이전에 사랑이란 것을 해 본 적도 받아 본 적도 없어서 이 감정의 정체를 잘 몰랐다.

그저 마음 한구석이 마냥 간질간질하고 헛기침이 자꾸만 나올 것 같았다. 이 상태에서 그녀를 더 쳐다보고 있으면 보나마나 손이 활활 타오를 테니 이쯤에서 시선을 돌려야 했다.

사랑. 부끄럽지만 사랑이라 부를 만한 감정임이 틀림없었다. 곁에 있는데도 무언가 그립다는 느낌이 드는 존재는 처음이었다.

'너만 보면 떨려.'

칼리아스는 마음을 진정시키려고 심호흡을 했다.

벨라는 손바닥 안의 진주를 가만히 바라보았다. 찌그러진 진주라고는 하나 모양이 조금 비틀어졌지 전체적으로는 둥그런 물체였다.

벨라는 그것을 바라보며 무인도에서의 날들을 떠올렸다.

'그 진주는 홍합이 만든 진주입니다. 진주조개는 이 근처에 없는 것 같습니다.'

루카스가 조개를 구워 주며 말했다. 수영을 마치고 돌아와서도 벨라는 그 진주를 만지작거리며 싱글벙글이었다.

'루카, 페로하트로 돌아가면 이 진주로 목걸이 만들어 줘요.'

'홍합이 만든 진주는 진짜 진주조개 진주에 비해 가치가 떨어집니다. 저택으로 돌아가면 그보다 좋은 진주가 더 많으니 다른 것으로 만들어 드리겠습니다.'

벨라는 그 말에 고개를 저었다.

'아니에요. 반드시 이 진주여야만 해요. 이 진주를 볼 때마다 무인도에서의 시간을 떠올릴 거예요. 수영을 배웠던 일도, 우연히 진주를 주웠던 일도, 그리고 이 맛있는 조개구이 향기도요.'

벨라는 뒤를 돌아보았다. 루카스는 제일 뒤편에서 따라오고 있었다. 어느 순간부터 그는 싸늘하게 돌변해 멀리 물러서 있었다.

'저는 이제 집사 본연의 업무로 돌아가겠습니다.'

그의 말이 어쩐지 서운해서 코끝이 시큰해졌다. 벨라는 저도 모르게 눈물을 머금고 진주를 소중히 쓰다듬었다.

그 진주 속에는 무더웠던 무인도의 시간이 담겨 있었다. 귓가에 하루 종일 철썩이던 파도 소리도, 물을 극복하려고 하지 말고 좋아해 보라며 손잡아 주던 루카의 따뜻하고 단단한 손의 감촉도 모두 그 진주 안에 담겨 있었다.

비록, 아래만 쳐다보면 공포심을 어쩌지 못해 가라앉을지라도, 어쨌거나 그의 팔에 안겨 온몸의 힘을 빼고 물에 둥둥 떠 푸른 하늘을 바라보던 한가로운 시간이 다시 돌아온 것처럼 벨라는 고개를 들었다.

비록 곁에 리체도 있고 몰리도 있고 제스로도 있었지만 멀어진 그와의 거리만큼 벨라는 마음이 아렸다.

'루카, 나를 밀어내지 마요.'

이상한 상실감이었다. 그토록 고대했던 후작이 되어 돌아가는 귀향길이었지만 이상하게도 벨라는 모든 것을 다 잃어버린 듯한 느낌이 들었다.

'당신이 나를 멀리하는 만큼 나는 눈물이 날 것 같아요. 가지 말아요. 항상 내 곁에 있어 줘요.'

한 번도 그가 곁에 없는 삶을 상상하지 못했다. 그녀가 있는 모든 곳에 언제나 루카스가 있었다. 그런데 이제는 아니다.

마치 그녀를 미워하는 것처럼 느껴졌다.

'내가 늘 귀찮게 해서 싫어요?'

차마 그 말을 물어보지 못했다.

그가 '네. 귀찮습니다.'라고 대답할까 봐 가슴이 먹먹해서 묻지 못했다.

루카스와 함께한 시간이 길었다. 그 시간만큼 다시 멀어지는 것이 힘겨웠다.

포르위네 성에 당도하자 눈에 불을 형형하게 켠 찰스가 이들을 맞이했다.

"아직도 여기서 버티시네요."

맞이하는 인파 사이로 벨라는 싸늘한 시선을 흘렸다. 찰스는 편들어 줄 사람들을 끌어모아 기다리고 있었다. 그러나 이미 소문이 퍼질 대로 퍼졌는지 찰스의 편인 사람들도 찰스를 바라보는 눈이 별로 곱지만은 않았다.

"나는 찰스 엘 아르티드다. 그러므로 절대로 여기서 못 나간다."

찰스는 강철이라도 씹어 먹을 듯한 표정으로 벨라를 노려보았다.

"죽어도 못 나가! 설령 여기서 목이 베어진다 해도 유령으로라도 다시 온다! 더럽혀진 명예 때문에라도 억울해서 못 나간다!"

벨라는 혀를 찼다.

하기야 암살을 사주해 가며 지켜 온 자리인데 순순히 나간다는 게 더 이상했을 거다. 벨라는 힐끔 뒤를 돌아보았다. 여전히 루카스는 후미에 서서 손 하나 까딱하지 않았다. 아무것도 도와주지 않겠다는 의도가 분명했다. 마음 한편이 차갑게 식고 손이 시린 느낌이 들었다.

'그렇게 무심한 눈으로 쳐다보지 말아 줘. 당신에게 내가 정말 아무것도 아니었던 것 같잖아.'

벨라는 느리게 눈을 감았다가 떴다.

'우리가 단지 후견인—고용주의 딸 사이란 것을 각인시켜 주는 거야?'

그는 내뱉은 말을 번복하지는 않았다.

'그래도, 당신에게 내가 조금은 특별한 존재였다고 생각한 건 착각이었을까?'

코끝이 시큰거리는 것을 참았다.

'나는 당신이 내 뒤에 있으면 그 어디라도 안전한 보금자리 같았는데, 당신에게 나는 빨리 벗어 버려야 할 짐이었어?'

공은 공, 사는 사.

그를 실망하게 하고 싶지 않았다.

"황명을 거역하는가?"

황태자가 말에서 내려 그들에게 다가왔다.

"아무리 황태자 전하라도 저를 나가라 하지는 못합니다. 소송이 아직 끝나지 않았습니다. 페로하트는 법치주의 국가입니다!"

독기를 품은 찰스는 황태자를 향해 신경질적으로 소리쳤다. 보좌관 에클레르가 눈을 크게 뜨며 찰스를 노려보았다.

"감히 존엄하신 분 앞에서!"

찰스는 아예 기둥을 붙들고 늘어졌다.

"나는 찰스 엘 아르티드다! 죽어도 여기서 죽고, 살아도 여기서 살 것이다! 절대로 나의 존재 자체를 부정당하지 않을 것이다!"
"황태자로서 명령한다. 저 사특한 자를 당장 끌어내 쫓아내라."
칼리아스의 명령에 황궁 기사단이 찰스의 주변을 에워쌌다.
"차라리 토막 내서 끌고 나가라!"
찰스는 눈을 희멀겋게 치떴다. 이판사판이라 체면은 갖다 버린 지 오래였다.
벨라는 코웃음을 치고 말았다.
황궁 기사단 여러 명이 힘을 쓰는데도 찰스는 쉽사리 끌려 나오지 않았다.
"소송 결과 나오기 전까지 나는 한 발짝도 못 나간다! 날 함부로 대했다간 황제 폐하께 탄원서를 제출하겠다! 나는 귀족이다!"
귀족이라 함부로 때리거나 발로 찰 수도 없어서 기사단도 난감해했다.
벨라는 뒤를 힐끔 쳐다보았다. 여전히 루카스는 후미에 서서 침묵했다. 벨라는 다시 고개를 돌려 찰스를 바라보았다. 그의 주변 사람들은 여태 찰스의 곁에서 단물을 쪽쪽 빨아먹던 자들이었다.
생각보다 찰스의 편을 적극적으로 드는 사람은 없었다. 하지만 그렇다고 해서 벨라의 편도 아니었다. 그저 관망하는 자들이었다. 그리고 권력을 쥔 것이 확실해 보이는 쪽으로 쏠릴 것이다.
'포르위네 성에는 내 편이 없어.'

그나마 저들이 저러는 게 최대의 협조겠지만. 하루빨리 그리젤리 사람들이 저들의 자리를 장악해야 진정한 계승이 될 것이다. 벨라는 그것이 바로 정치란 것을 알았다.

라울린에게 훈련을 받던 순간을 기억하며 벨라의 자주색 눈동자가 날카롭게 반짝였다.

'벨라 아가씨, 계속 피하실 겁니까?'

라울린은 목검을 여유롭게 휘두르며 맞은편의 벨라를 쳐다보았다. 벨라는 땀에 흠뻑 젖은 채 목검을 들고 헐떡거리기 바빴다.

'이건 너무해요! 난 사격술을 배운다고 했지, 검술 배우겠다고는 하지 않았는데요! 총기가 지배할 세상인데 구닥다리가 될 것을 왜 가르치죠? 게다가 일방적으로 날 때리기만 하고! 내가 라울린을 어떻게 이겨요?'

라울린은 놀리기라도 하듯 입꼬리를 올리고 비죽 웃었다.

'핑계 대지 마십시오! 총알 떨어지면 총신으로라도, 총신 없으면 맨주먹으로라도 싸워야 합니다. 실전에선 귀족 아가씨라고 봐주는 일 따위 없습니다.'

벨라는 분해서 목검을 쥔 손을 바르르 떨었다.

'나도 승부욕 있다고요! 누군 지고 싶어서 이러는 줄 알아요? 라울린은 숙련자이고 나는 초보잖아요!'

벨라의 말에 라울린이 아니라는 듯 목검을 까닥까닥 흔들었다.

'아닙니다. 항상 숙련자가 이기라는 법은 없습니다. 임기

응변이든 뭐든 실전에선 이기는 자가 고수입니다. 일단 싸움이 시작되면 수단과 방법을 가리지 마십시오.'

벨라는 에잇 하고 덤벼들었다. 그리고 곧바로 목검에 옆구리를 맞고 바닥을 굴렀다. 너무 아파서 눈물이 찔끔 났다. 저 뒤에서 이안이 주먹을 움켜쥐고 부들부들하는 것이 끝나면 묵사발을 내줄 기세였으나, 라울린은 작정한 듯 신경 쓰지 않고 벨라만을 노려보았다.

억울한 건 벨라인데 오히려 라울린이 화난 듯한 표정으로 다가왔다. 그리고 넘어진 벨라에게 손을 내밀었다. 벨라는 라울린이 야속해서 그 손을 모른 척 고개 돌렸다.

'아가씨, 왜 옆구리를 맞은 줄 아십니까?'

'그야 어깨를 때리려고 하니까 피하려다가…….'

'그렇게 하시면 안 됩니다.'

라울린은 정색하며 말했다. 벨라는 화가 나서 눈을 치켜떴다. 라울린은 미간을 찡그리며 나직하게 말했다.

'차라리 어깨를 내주지 그러셨습니까?'

울컥해서 뭐라 변명하려는 벨라에게 틈을 주지 않고 라울린이 이어서 말했다.

'어깨는 잘려도 죽지는 않습니다. 하지만 옆구리는 잘리면 죽습니다.'

'뭐라고요?'

눈을 크게 뜨는 벨라에게 라울린이 말했다.

'적어도 적을 죽일 각오라면, 내 어깨를 내줄 각오로 붙으십시오. 하지만 옆구리는 아닙니다. 적이 내 어깨를 베는 사이 적의 겨드랑이 아래가 빕니다. 그때 바로 심장에 검을 찔러 넣는 겁니다. 그게 적을 죽이는 방법입니다.'

죽여 버리고 싶도록 미운 찰스였다. 벤자민도 오래도록 공들여 떼어 낸 찰스였는데 그녀라고 단칼에 그를 없앨 수는 없었다.

벨라의 기억에 찰스는 하루아침에 쫓겨난 것은 아니었다. 그래서 어차피 시간이 걸릴 거라 생각하여 황궁에서 그와 언쟁할 때 개박살 내지 않고 놔둔 것이었다. 그러나 실은 또 다른 용도가 남아 있었다.

'좋아. 내 어깨를 줄게. 그러니 당신의 심장 내놔.'

벨라의 눈이 차갑게 반짝였다.

칼리아스가 나서려는 것을 만류하고는 스스로 찰스 앞으로 다가섰다. 그러자 황궁 기사단이 뒤로 한 발짝 물러섰다.

"그 각오가 대단합니다. 숙부님."

벨라는 싱긋 웃었다.

평소의 벨라와는 사뭇 다른 분위기여서 찰스는 악쓰다 말고 벨라를 쳐다보았다.

"이렇게까지 억울해하시는 것을 보니 혈통에 대한 의심이 사실이 아닐 수도 있겠다는 생각이 스치는군요."

벨라의 말에 찰스의 눈이 초롱초롱해졌다.

"그래! 나는 누가 뭐래도 찰스 엘 아르티드다! 하늘이 알고 땅이 알고 내가 안다! 맹세코 나는 찰스 키튼이 아니다!"

벨라는 입가에 미소를 띠웠다.

"하지만 소송은 그대로 가겠습니다."

"뭐야? 이 발칙한……!"

찰스가 분노를 폭발하려는 순간 벨라는 입가에 손가락을 대며 조용히 하라는 듯 빙긋 웃었다.

"저는 의혹 같은 거 싫습니다. 숙부님께서 매우 불쾌하셨을지 모르겠지만, 제가 후작직을 승계한 이상 모든 의혹을 떨치고 시작하고 싶습니다. 그에 소송만큼 더 합리적인 것이 있을까요? 대신, 소송에서 승소한 후 숙부님께서 진짜 제 혈연이 맞는다면 제 오른팔이 되어 주시기를 청합니다."

찰스는 어처구니가 없다는 듯 소리 질렀다.

"이게 어디서 수작질이야! 사람을 똥통으로 빠뜨려 놓고 오른팔? 병 주고 약 주겠다는 건가?"

듣고 있던 일대 사람들 모두가 크게 술렁였다. 그러나 벨라는 개의치 않고 미소 지은 채 말을 계속해 나갔다.

"저는 숙부님을 중요한 사람으로 쓰기 위해서는 이러한 검증이 꼭 필요하다고 생각합니다. 아시잖습니까? 제 아버지의 독살 배후가 숙부님이었다는 설도 떠돈다는 것을요."

"나는 절대 아니다! 나는 내 형님을 독살할 이유도 필요도 없다! 나는 그저……!"

벨라는 다시 조용히 하라는 듯 손가락을 입에 대며 말했다.

"그러니까 그 모든 의혹을 날려 버리고 새로 시작하자고요."

"그 의견에 반대한다."

칼리아스가 끼어들었다. 그러나 벨라는 조용히 고개를 저으며 눈웃음을 지었다.

"제 말을 끝까지 들어 보신 후 말씀해 주세요. 부탁드립니다."

웃는 얼굴이 그렇게 오싹할 수가 있을까. 미처 발견하지 못했던 벨라의 다른 모습이었다. 그 살벌한 느낌에 칼리아스는 얼굴을 붉히며 입을 다물었다.

"노블레스 오블리주. 전에 숙부님께서 말씀하셨죠? 귀족은 혈통뿐만 아니라 고귀한 행동으로 그 존재를 입증받는다고 말이죠."

찰스의 눈이 커졌다.

"그…… 그건……!!"

벨라는 환하게 웃어 보였다.

"숙부님께서 아르티드 가문의 명예를 걸고 참전해 주세요. 이대로 성 밖을 나가셔도 사람들은 숙부님께서 찰스 키튼이라고 수군거릴 것이고, 성안에 남아 계셔도 찰스 키튼이라는 소리를 듣게 될 겁니다."

벨라의 눈이 매섭게 빛났다.

"자기 가문도 아닌데 목숨 걸고 가문의 대표로 참전하지는 않겠죠? 숙부님께서 포르위네를 그간 굳건히 지켜 온 충.성.스.런.신.하.들과 함께 직접 출정하시면 그 모습이 바로 노블레스 오블리주의 표상일 겁니다."

찰스는 소름이 오싹하게 끼쳤다. 기둥 붙들고 난리 치는 동안 포르위네 사람이란 사람은 죄다 나와서 그를 구경 중인데 싫다고 말할 수가 없었다.

'낙마까지 일부러 해 가며 피한 참전이었는데 이것을 피하면 찰스 키튼이라는 낙인이 찍히겠구나.'

찰스의 이마에 식은땀이 흘러내렸다. 뭐라 대답해야 할지 몰라 입술을 바르르 떨고 있는데 찰스의 모친이 등장했다.

소식을 듣고 부랴부랴 시녀들의 부축을 받으며 달려 나와서는 아들을 끌어안으며 말했다.

"그래, 찰스! 우리 이 더러운 오명을 보란 듯이 떨쳐 내자꾸나."

찰스는 겁에 질려 제 어미의 눈을 쳐다보았다. 찰스의 모친은 미간을 팍 구기며 그를 노려보았다.

"빨리 대답하시지요! 포르위네 성주 대리 나으리!"

찰스의 모친은 제 아들의 발을 슬그머니 짓이겨 밟았다.

"그…… 그으러지요, 어머니……."

찰스는 제 어머니의 눈을 바라보며 이를 으득 깨물었다. 벨라는 환하게 웃으며 감격한 듯 두 손을 깍지 끼워 가슴에 얹었다.

"아, 감동입니다. 숙부님. 그 아름다운 귀족 정신을 숙부님께서 이리 보여 주시다니 가문의 영광입니다."

벨라는 주변을 둘러보며 다들 들으라는 듯 큰 소리로 말했다.

"피 한 방울 섞이지 않은 그리젤리의 고용인들도 아르티드가를 위해 출전해서 그 용맹함을 널리 떨쳤는데, 이참에 그들은 그만 돌아오라고 해야겠네요."

라울린, 이안, 캐시를 돌려받을 벨라의 포석이었다.

"포르위네 본성의 용사들은 얼마나 더 용맹하고 자랑스러운 활약을 할지 기대하겠어요. 새 아르티드 후작의 이름으로 포르위네의 용사님들께 감사를 드립니다."

짓이겨진 찰스의 얼굴을 보니 작전이 통한 것 같았다.

벨라는 그리운 그들을 다시 만날 생각에 가슴이 벅차올랐다.

벨라는 바쁜 인수인계 작업을 벌이고 있었다. 포리나 장원 전반적인 내용을 파악하는 것은 서류 더미 산에 등산하는 것과도 같았다.

벨라는 리체와 함께 정신없이 이리저리 끌려다니며 새 업무에 익숙해지려고 노력했다. 혼자 삽질하는 것보다 둘이 삽질하니 조금은 위안이 되었다.

'루카스는 이 많은 일을 어떻게 혼자 처리한 거야?'

보아하니 생색내는 자리에만 찰스가 나서고 실질적 업무는 다 루카스가 검토하고 결재했다. 게다가 운영 위원들이 모두 찰스의 사주를 받은 자들이어서 기존 업무에 대한 인수인계조차 그리 쉽지는 않았다.

'아악! 골치 아파!'

벨라는 머리를 쥐어뜯으며 속으로는 다 때려치우고 뛰쳐나가는 상상을 했지만, 자신이 얼마나 큰 직책을 맡았는지 이제는 누구보다 더 잘 알고 있기에 벅차지만 감당하기로 마음먹었다.

이 모든 걸 루카스가 다시 맡아 주면 이 골치 아픈 것에서 해방될 수 있겠지만 벨라는 루카스의 얼굴을 떠올리며 조용히 혼자 고개를 저었다.

인수인계하는 동안 루카스를 만날 수 없었다. 거리를 두는 것도 모자라 아예 눈에 띄지 않을 작정인지 서운해도 보통 서운한 게 아니었다.

결재한 장부를 넘기며 벨라는 그녀의 보좌관 중 새로 뽑은 메이벨이란 자에게 물었다.

“루카스 버틀러 경도 많이 바쁜가요?”

“네?”

“아, 요즘 안 보이시기에, 성주보다 더 바쁜가 하고.”

심술이 비죽 올라왔다. 그런데 메이벨의 대답은 뜻밖이었다.

“몸살감기에 걸려 앓아누웠습니다. 의사를 보내 준다 해도 한사코 거절하시고 사흘째 자리보전 중인 것으로 압니다.”

벨라의 눈이 휘둥그레졌다.

“몸살감기? 거짓말. 나 대신 독을 마셔도 단 한 번도 아픈 적 없던 사람이 몸살감기로 앓아누울 리가 없어요. 그것도 사흘씩이나!”

“농담 아니고 정말 아파요.”

다른 결재 장부를 들고 온 몰리가 말했다.

“성에 도착하기 전부터 기침을 조금 하더니 성에 도착한 다음 날부터 고열이 오르고 힘들어했어요.”

“말도 안 돼!”

벨라는 벌떡 일어났다.

“혹시 독 중독이나 그런 건 아니에요? 의사 부르지 않고 뭐 했어요?"

"어디 가세요, 후작님!"

"버틀러 경에게요!"

벨라는 모든 일을 제치고 루카스를 찾아갔다.

루카스의 방으로 안내받아서 문을 똑똑 두들기자 그의 목소리가 들렸다. 벨라는 참지 못하고 문을 벌컥 열었다.

"루카! 괜찮아요?"

아프다더니 여전히 흐트러짐 없는 차림새의 루카스가 허브차를 마시고 있었다. 셔츠 단추 두어 개 푼 것이 그의 일탈의 최대치였다. 속았다는 생각에 벨라는 후…… 하고 긴 숨을 내쉬었다.

"무슨 일이십니까? 후작님."

"루카가 아파서 앓아누웠다는 오보를 듣고 왔어요. 나 참."

벨라는 멋쩍은 미소를 지었다. 하지만 한편으로 안심도 되었다. 그가 아프지 않다는 것을 확인하니 불안감이 말끔히 사라졌다. 그리고 오랜만에 가까운 거리에서 그의 얼굴을 보니 새삼스레 기뻤다.

'언제나 내 편이 되어 주는 사람. 나를 위해 모든 것을 건 사람. 그 사람이 무사하다는 것이 얼마나 큰 안도감을 주는지…….'

"아팠던 것은 사실입니다. 하지만 후작님께 심려를 끼쳐 드릴 정도는 아니었습니다."

"의사를 부르지 그랬어요!"

벨라의 말에 루카스는 조용히 대답했다.

"감기에 좋은 허브차를 마시고 있습니다. 곧 완전히 회복

될 겁니다. 그보다도 오늘 일정이 빠듯하신 것으로 압니다만, 여기서 시간 지체하지 마시고 나가 보십시오."

벨라에게 관심 없는 척하면서 실은 그녀의 일정을 꿰뚫고 있었다. 벨라는 뛸 듯 기뻤다. 그리고 요즘 얼굴도 못 봤으면서 시간 지체하지 말고 나가라는 그의 말이 못내 서운했다.

'일껏 생각해서 한달음에 달려왔더니…….'

벨라는 눈물을 글썽이며 고개를 휙 돌렸다.

"싫으면 의사 불러요. 미리미리 의사 도움받았으면 이런 걱정 끼치지 않았을 거 아니에요! 자기 관리 하라더니 루카스는 자기 관리도 못해요?"

저도 모르게 감정이 묻어나서 벨라는 서둘러 밖으로 나갔다. 툴툴거리며 나가다가 불어오는 찬바람에 문득 정신이 들었다. 그리고 루카스의 방 쪽을 돌아보며 혼자 중얼거렸다.

"루카, 아프지 마요. 절대로."

언제 어디서나 고개를 들면 루카스가 보이던 시절이 지나가 버렸다. 그가 늘 곁에 보이지 않는다는 것에 이렇게 큰 공허함이 밀려올 줄은 미처 몰랐다. 고개를 떨군 벨라는 서둘러 자신의 집무실로 돌아와 서명해야 할 문서를 처음부터 다시 읽었다.

순간 누군가 문을 두드리며 말했다.

"참전했던 포르위네군이 돌아왔습니다."

저 멀리 포르위네군을 통솔하는 라울린, 이안, 캐시의 모습이 보였다. 제각기 그을리고 야위었지만, 전반적으로 건강해 보였다. 그리고 그들과 교대하듯 출발해야 하는 찰스의 굳은 얼굴이 보였다.

벨라는 모든 일을 제쳐 두고 달려 나와 난간에서 손을 크게 흔들었다. 그 모습을 보고 세 사람도 환한 미소를 지으며 손을 흔들어 답했다.

다시는 살아서 보지 못할 줄 알았던 사람들이 무사히 귀환하고 있었다. 가슴 벅찬 감동이 밀려왔다.

그리고 그대로 뛰어나가 찰스에게 말했다.

"뭐 하세요! 교대해서 출발하세요!"

찰스는 어금니를 꽉 깨물었다. 그리고 말을 느릿느릿 출발시켰다. 찰스를 선두로 대기하고 있던 병사들이 그 뒤를 일렬로 따라 나갔고 그들이 나가면서 라울린 일행의 군대가 일렬로 들어왔다.

라울린이 말 위에서 찰스에게 거수경례를 올려붙였으나 찰스는 인사도 받지 않고 코끝을 세운 채 지나쳐 갔다.

그들이 말에서 내리자마자 벨라는 쏜살같이 달려가 그중 제일 앞서 오던 이안을 부둥켜안았다. 그가 살아 돌아왔다는 게 믿어지지 않았다. 그리고 차례로 라울린과 캐시를 끌어안았다.

"고마워! 살아 돌아와 줘서……!"

벨라는 말을 하다 말고 큭 하더니 눈물을 터뜨리고 말았다.

"이런, 우리 후작님이 또 울고 계시네. 대체 하루에 몇 번 우십니까? 도착하기도 전에 후작님이 울보라고 소문이 자자하던데요."

라울린이 환하게 웃으며 말했다.

"에……, 웃다가 울면 문제 생기는데……?"

이안이 웃으며 품에서 손수건을 더듬더듬 찾다가 꺼낸 것이 더러웠다. 이안은 얼굴을 붉히며 그것을 휙 던지고 다시 품을 더듬어 깨끗한 수건을 찾았다. 그사이 뒤따라온 리체 보좌관이 손수건을 내밀었다.

"각하! 호위보다 먼저 나가시면 안 됩니다! 이젠 더 이상 아르티드 영애가 아니셔요! 예전의 버릇대로 행동하시면 안 됩니다."

제법 매섭게 벨라를 다그쳤다. 벨라는 눈물 흘리면서 웃어 보였다.

"눈물은 우리 집안 내력인걸. 운다고 약한 건 아니야. 아버지께서 대신 계셨대도 우셨을걸?"

"안 됩니다! 우는 것도 습관입니다. 반드시 고치셔야 합니다."

리체가 정색을 하자 이안이 웃으며 말했다.

"이제 형 대신 리체 아가씨께서 잔소리 역을 맡은 겁니까?"

크게 웃는 이안의 모습을 보니 벨라는 이 순간이 꿈만 같아서 눈물을 멈출 수가 없었다.

"네. 긴장하세요. 루카스 버틀러 경의 빈자리를 제가 꽉 채워서 잔소리 해 드릴 테니."

리체의 말에 이안은 피식 웃었다. 새까맣게 타서 웃을 때 드러나는 이가 더욱 하얗게 보였다. 해상에서 주로 격돌해서 보병은 대기만 했다고 전해 왔지만, 그의 모습을 보니 그렇다고 편하게 지냈던 것 같지는 않았다.

"후작님, 강적을 만나셨습니다."

라울린이 다가와 벨라에게 정중하게 인사를 올렸다.

"늦었지만, 후작 승계하심을 축하드립니다."

캐시가 다가와 미소 지었다. 벨라는 그들의 손을 잡고 그들이 이 세상에 존재하는 존재임을 몇 번이고 확인했다.

"잘 왔어요. 자랑스러운 포르위네의 기사님들."

벨라는 그들의 노고를 치하하며 리체에게 만찬 준비를 서두를 것을 명령했다. 고개를 끄덕이며 돌아서는 리체의 모습은 이미 숙련되어 보였다. 단정하게 땋아 틀어 올린 금발 머리와 세련된 정장 뒷모습을 보며 이안은 잠시 할 말을 잊었다.

보좌관 정복은 마르고 키 큰 리체를 더욱더 지적이고 활동적으로 보이게 했다. 못 본 사이 성숙한 분위기가 몇 배는 더 무르익어 보였다.

"이안, 들어오지 않고 뭐 해?"

벨라의 말에 이안은 정신 차리고 벨라의 뒤를 따랐다.

돌아온 이들에게 환영식을 준비하고 핵심 인물들은 먼저 집무실로 불러들였다.

"라울린, 전장의 상황은 어떻던가요?"

벨라의 말에 라울린은 미간을 찡그렸다.

"상황이 어떻게 되려는지 이상한 방향으로 꼬여 가더군요."

"그게 무슨 말이죠, 라울린 클라레이 경?"

"제국의 우방이었던 주변국이 플란네르의 편을 들었던 것은 알고 계실 겁니다."

"그렇죠."

"제국에서는 이참에 플란네르를 눌러 본보기를 보일 작정으로 석 달 안에 플란네르를 궤멸시킨다고 공언했습니다만……."

"그랬었죠. 그래서 카르카스 섬부터 초토화시켰다고 들었습니다."

라울린의 눈빛이 매섭게 반짝였다.

"주변국이 플란네르의 방패막이를 작정하고 전선에 뛰어들었습니다. 애초에 빌미를 준 플란네르는 뒤로 쏙 빠지고 말입니다."

"에?"

벨라는 그의 말뜻을 이해하지 못했다.

"지금 제국군과 싸우는 것이 플란네르가 아니란 말입니다. 플란네르의 주변 동맹국이 당사자도 아닌데 똘똘 뭉쳐서 제국에 반기를 들었습니다."

"그럼……."

"네. 제국 대 플란네르 전이 아니고 제국 대 동맹전이 되어 가고 있습니다. 제국의 압제로부터 독립하겠다면서 말입니다."

"그럼 플란네르는 그 선봉에 나선 건가요?"

"아닙니다. 플란네르는 제국과 싸우는 것이 아니라 이 와중에 자기들끼리 총을 겨누고 내란 중입니다."

라울린의 말에 벨라는 미간을 찡그렸다.
"그렇게 전쟁 중에 내분을 일으키면 필패 아닌가요? 왜 제국에는 그 소식이 전해지지 않았죠? 신문들은 놀라울 정도로 잠잠하던데."
"언맹이 플란네르의 군복을 입고 싸운다는 소문이 있습니다. 게다가 동맹국들이 방패가 되어 준 사이에 내분 수습 중이란 사실을 군 수뇌부에서 비밀로 하고 있습니다. 석 달 안에 궤멸시키겠다 장담한 탓에 고전 중인 사실이 알려지면 군 수뇌부의 무능이 질책받을 테니까요."
벨라는 입을 다물지 못했다.
"그 사실을 라울린은 어떻게 알았어요?"
"적의 포로 중에 제 옛 용병단 시절 동료가 몇 있었습니다. 용병은 비밀 엄수가 의무입니다. 그렇지 않으면 자신의 후배들이 고용되지 않게 되니 말입니다. 그들의 출신지를 뻔히 아는데도 플란네르 출신인 척 딱 잡아떼더군요. 추궁하다가 눈치챘습니다."
그의 말에 벨라는 미간을 찡그렸다. 라울린은 말을 계속 이어 갔다.
"플란네르를 석 달 안에 궤멸시킨다는 궤변 때문에라도 이 전쟁은 생각보다 길어질 조짐이 보입니다. 아마 우리도 장기적인 계획을 세워야 할 겁니다."
"축하 만찬 준비가 다 되었습니다."
브렌다의 말에 벨라는 고개를 들었다.

돌아와 준 사람들의 무사 귀환을 축하하며 진수성찬이 차려졌다. 포르위네 주방을 책임지는 샐리 존스의 솜씨는 해야 할 음식의 양이 많든 적든 그리젤리 시절이나 마찬가지였다.

음식을 보고 환호하는 병사들을 보며 벨라는 저절로 뿌듯해졌다.

이안은 내내 자기 형의 모습이 보이지 않자 여기저기 두리번거렸다.

"형은 어디 갔습니까? 격하게 반기는 성격은 아니지만, 얼굴 정도는 비치러 올 텐데요?"

그의 말에 벨라는 뾰로통하니 본심을 숨기지 못하고 투덜거렸다.

"동생이 형 성격 몰라? 이제는 집사 본연의 업무만 한다고 선언하더니 얼굴 보기 힘들어졌는걸. 어찌 된 게 후작보다 더 바빠."

이안은 이상하다는 듯 고개를 갸웃거렸다.

"어떻게 찰스 님을 저희와 바꿔치기하실 생각을 다 하셨습니까?"

라울린이 대단하다는 듯 벨라를 치켜세웠다. 벨라는 싱긋 웃으며 대답했다.

"별거 아니에요. 자기가 판 구덩이에 자기가 빠지게 했을 뿐. 알아서 자기 심복들을 싹 데리고 가더라고요."

"와하하! 진짜, 후작님께서 카스웰 단장님의 표정을 봤어야 했는데 말입니다!"

그는 통쾌하다는 듯 큰 소리로 웃었다.

"와, 진짜! 십 년 묵은 체증이 확 내려가는 기분이었습니다!"

그 말에 리체도 웃으며 끼어들었다.

"애초에 보내기를 그리젤리 출신이나 찰스 님께 협조하지 않는 포르위네 사람만 골라서 보내 놨으니 반대로 이번엔 찰스 님의 심복들을 데려갈 수밖에 없잖아요."

벨라는 듣기만 하면서도 뿌듯한 표정을 지었다.

"이런저런 핑계로 빠지려는 사람들까지 루카스 씨께서 넌지시 일러 주신 대로 서류 준비해서 한꺼번에 싹 보내 버렸어요."

몰리도 신이 나서 말했다.

"한 방에 이렇게 훅 갈 줄은 자기들도 몰랐을 거예요."

"대충 지금 남은 인원은 지금껏 중립적인 태도를 보이거나, 그리젤리 출신들에게 호의적이었던 자들이라 업무상의 공백을 메우는 것은 어렵지 않았어요."

리체는 그리 말하며 이안에게 가죽으로 된 얇은 책 같은 것을 하나 내밀었다.

"이게 뭡니까?"

이안이 그것을 펼쳐 보자 벨라는 씨익 웃으며 말했다.

"임명장. 내 보좌관에 임명한다고 쓰여 있지. 말은 보좌관이지만 작은 나라 장관쯤은 되는 마음으로 일해 줘."

받자마자 이안은 비명을 질렀다.

"오자마자 일하라는 겁니까?"

"당연하지."

"당연하지요."

벨라와 리체는 거의 동시에 말했다.

"말도 안 돼!"

이안의 눈동자가 요동쳤다.

"작은 나라 장관이라뇨! 그냥 보좌관 하라 해도 질겁할 판에 작은 나라 장관쯤은 되는 마음으로 일하라니! 지금 그걸 말이라고 합니까?"

리체는 이안의 말허리를 잘랐다.

"제국의 직할 행정 구역 두 개 지역 정도를 이어 붙인 면적의 땅덩이에서 장관이니 군대니 하는 것도 우스운 표현이지만 그렇다고 작은 지역은 아니죠. 주먹구구식으로 업무 공백이 생길 수는 없잖아요? 생색은 안 나겠지만 풍족한 급여로 만족하자고요."

이안은 우렁차게 외쳤다.

"여태 지긋지긋하게 소작료 걷으러 곳곳을 돌아다니며 살았는데 그 짓 비슷한 걸 계속 또 하라는 겁니까?"

"어? 어떻게 알았어? 소작료에다가 더해서 세금 걷는 거 전부 다 이안이 해 줘."

벨라의 말에 이안이 질겁했다.

"소작료로도 머리 터지는 줄 알았는데 세금까지 걷어요? 저 지금 환장해도 됩니까?"

"거절은 거절한다!"

벨라는 사악하게 웃었다.

"저는 이제 막 포르위네 성에 발 한쪽 디뎠을 뿐입니다!"

이안이 질겁하며 임명장 커버를 도로 벨라에게 내밀었다.

"이안 버틀러 경, 그대에게는 거부할 권한이 없다. 아르티드 후작의 이름으로 명하노니, 내 보좌관이 되어라."

벨라는 싱글벙글 웃으며 덧붙였다.

"거절하면 알지? 수락할 때까지 빗속에서 춤추게 할 거야."

이안이 짙은 눈썹을 찡그리며 말했다.

"뭐…… 뭐라고요? 뜬금없이 빗속에서 춤은 왜……?"

벨라는 눈을 새침하게 내리깔며 말했다.

"전에, 국가의 부름을 받아서 군대에 차출되어 갈 거라고 말했을 때, 그런 일이 실제로 일어나면 빗속에서 춤이라도 추겠다며? 실제로 일어났으니까 비 오는 날마다 춤춰 봐. 전에 승전 연회 때 보니까 춤 잘 추던데."

태연한 표정으로 벨라는 리체를 돌아보며 말했다.

"우리 야외 공연장 하나 만들까 봐. 관객석에 비 피할 지붕 있는 거로. 비 오는 날마다 포르위네 성 주민 모두 다 불러서 구경할까?"

이안의 얼굴이 귓불까지 새빨갛게 달아올랐다.

"합니다! 합니다요! 까짓거 보좌관 하면 될 거 아닙니까?"

리체는 바로 만년필을 이안에게 내밀었다. 임명장에 자필로 서명하라는 거였다. 이안은 씩씩거리며 임명장의 공란에 자신의 이름을 적어 넣었다.

"이런 악덕 고용주 같으니!"

이안이 씨근덕거리자 벨라는 환한 미소를 지었다.

"그걸 이제 알았어?"

“보좌관은 지금껏 형이 성주 대리역을 맡았던 대로 형이 하면 되지 왜 절 보좌관으로 만드십니까? 형이랑 바꿉시다.”

씩씩대던 그는 벨라가 대답이 없자 눈을 치뜨며 말했다.

“형은 보좌관 안 합니까?”

이안은 눈치를 싹 보더니만 긴가민가한 표정으로 벨라에게 물었다.

“응. 싫다잖아.”

“으아아악! 저도 싫습니다! 왜 나만 시켜!”

뒤늦게 이안이 머리털을 쥐어뜯으며 괴로워했다.

“그러게, 서명은 함부로 하면 안 되지.”

벨라는 씨익 웃을 뿐이었다. 말은 그렇게 하면서도 이안이 누구보다도 더 잘 이 일을 해 주리란 것은 잘 알고 있었다.

옆에서 낄낄거리며 바라보는 라울린에게 벨라가 말했다.

“라울린은 기사단장 대리를 맡아 줘. 남은 경비 인력이 얼마 되지 않아서 걱정이야. 새로 인원을 충당하고 그 훈련을 라울린이 맡아 줘.”

“저 말고 게스톤 경이 있지 않습니까? 제가 기사단장 대리 업무를 맡으면 반발이 심할 텐데요.”

라울린의 말에 벨라는 고개를 저었다.

“카스웰 단장이 일임하고 간 사람이라 믿을 수가 없어. 어려운 일 부탁해서 미안한데 라울린이 군권 좀 휘어잡아 줘. 라울린 아니면 해낼 사람이 없어.”

라울린은 깊은 생각에 잠겨 천천히 고개를 끄덕였다.

연회장 안이 만찬을 즐기는 병사들로 발 디딜 틈이 없었다. 벨라는 그들에게 맘껏 먹으라고 지하 저장고에 있던 최고급 술을 아낌없이 풀었다. 다들 왁자지껄하게 떠들면서 지난 무용담을 떠들어 댔다.

그러나 테이블에 앉아 있던 캐시는 정작 깨작거리기만 하고 잘 먹지 않았다.

"이런 것을 천운이라고 하는지, 육군으로 배정되어 훈련만 거듭하고 있는데, 마침 전투가 벌어진 것은 해상이어서 저희가 속한 군단은 대기 중이었습니다. 그리고 해상 전투를 대비해 다시 또 훈련만 거듭하다가 실전 배치 직전에 포르위네로 돌아오게 된 셈입니다."

라울린의 테이블에 벨라가 마주 앉아 라울린의 이야기를 듣고 있었다.

"아니, 대장, 중간에 고생한 이야기는 싹 뺍니까?"

다른 기사 하나가 툴툴거리자 라울린은 그의 등을 힘차게 두들겨 주었다.

"그 정도는 고생 축에도 못 들지. 남들도 그 정도는 겪었으니 이야깃거리도 안 돼."

"말도 안 됩니다! 이대로 묻히긴 아깝다고요. 나름 후방 지원도 했잖습니까?"

그 말에 라울린은 그 기사에게 핀잔을 주었다.

"우리가 그 정도만 하고 만 것이 운이 좋아서 그 정도인 줄 알아? 후작님께서 우리를 격전지로 가지 않게 미리 조치해 주셔서였다고."

"엣?"

왁자지껄하게 떠들어 대며 먹고 마시는 곳에서 캐시는 여전히 멀찍이 떨어져 있었다. 머리 손질할 시간이 없었는지 부쩍 길어진 머리를 돌돌 말아 틀어 올린 캐시는 고생했다고는 하나 어딘가 푸석푸석하니 생기가 없어 보였다. 벨라는 캐시의 눈치를 힐끔 보았다.

한때 부부였던 사이.

둘 사이에 무슨 특별한 사연이 있는지는 모르지만, 이따금 스치는 캐시의 눈빛이 아련하기만 했고, 일부러 모른 척하는 라울린은 그녀의 시선을 정면으로 맞받아친 적이 없었다. 벨라의 곁에 몰리가 다가왔다.

"후작님, 경제 협력단 회의 일정 있습니다. 이쯤 일어나셔야 합니다."

"아."

벨라는 아쉽다는 듯 몸을 일으켰다.

"라울린, 이안, 뒷일을 부탁해요. 이안, 만찬을 즐기는 것은 좋은데 이제 보좌관이니까 만찬 뒷수습도 부탁해. 알았지?"

음식을 먹다 말고 물 한 잔 들이켜던 이안은 그만 푸 하고 내뿜고 말았다.

"아니, 이제 막 도착했는데 오늘부터 일합니까?"

"응!"

벨라는 이안의 등짝을 가볍게 툭 치고 걸어 나왔다. 복도로 나오자 몰리는 봉투를 하나 건넸다.

"부탁하신 자료입니다."

추문 조사하는 데에는 리체보다도 몰리가 한발 앞섰다. 그래서 동향을 알아보는 것은 주로 몰리를 시켰다. 그녀가 가져온 자료는 하이아드 백작가에 얽힌 이야기였다.

라울린과 캐시가 어떻게 해서 만났고, 어떤 사연을 지녔으며, 왜 그날 술에 취해 캐시에게 울며 빌었는지 등에 대한 여러 내용을 벨라는 쭉 훑었다.

"카라?"

벨라는 카라라는 이름을 읽어 보았다. 몰리가 고개를 끄덕이며 은밀하게 이야기했다.

"공식적으로는 백작가의 막내딸인데 실제로 족보에는 올라 있지 않다고 합니다."

"족보에 오르지 못해?"

벨라는 눈을 크게 떴다. 몰리는 눈을 반짝이며 말했다.

"남들에게 막내딸이 태어났다고 말해 놓고 실제 호적에는 올리지 않았습니다. 제국의 가문별 인명사전에 카라 엘 하이아드라는 이름은 없어요. 정상적인 귀족가의 영애라면 반드시 올라가야 할 목록에 없다는 뜻은 실제로 아이를 거두어 줄 생각은 없다는 뜻이겠죠."

"너무해."

벨라는 미간을 찡그렸다.

"캐시도 이 사실 알아?"

"아마도 알 겁니다. 보니까 인질 같은 건가 봐요. 라울린과 캐시가 재결합하면 영영 아이의 호적을 만들어 주지 않겠다는 뜻이니까요. 당장에는 올려 주지 않지만 언젠가는 올려 주겠다고 했겠죠."

벨라는 고개를 갸웃하며 말했다.

"그냥 라울린과 캐시가 결혼하고 라울린의 호적에 카라를 올리면 되잖아."

"지금은 가능하죠. 애초에 라울린이 카라를 포기한 이유가 높은 영아 사망률 때문이었으니까요. 더 이상 카라가 어린아이도 아니고 라울린도 실업자가 아니니 충분히 가능한데, 문제는 카라가 어디 있는지 몰라요."

몰리의 말에 벨라는 더욱더 고개를 갸웃거렸다.

"왜?"

"그 전까지는 하이아드가의 저택에서 하이아드 백작 부인의 보살핌을 받으며 지냈던 것 같은데, 캐시가 포리나 장원으로 옮겨 오면서부터 딸 단속용으로 카라를 감추어 버린 모양입니다. 라울린과 재결합하면 카라는 영영 만날 수 없다 뭐 이런 협박인 거죠."

몰리의 말에 벨라는 눈빛을 흐렸다. 라울린과 캐시의 사연이 못내 안타까웠다.

"그래서, '사랑하지만 아이를 위해 악역을 떠맡고 헤어졌다'라……."

벨라는 보고서에 쓰인 구절을 되뇌었다.

몰리가 고개를 끄덕끄덕하며 눈물을 글썽거렸다.

"아아. 눈물 없이는 볼 수 없는 사연이 가까운 곳에 있었다니!"

언니 리체와 함께 로맨스 소설 광이라더니 몰리의 표정은 로맨스 소설 주인공 실사판을 조사하는 듯했다.

"그나저나 몰리, 이런 거 조사 진짜 잘하네? 어떻게 이런 세세한 것까지 다 알아냈어?"

벨라의 칭찬에 몰리는 언제 눈물을 글썽였냐는 듯 방긋 웃으며 말했다.

"제 꿈이 돈 모아서 신문사 차려서 연애 스캔들 전문 황색 신문 만드는 거거든요."

"재능을 타고났네. 잘 살려 봐."

벨라는 피식 웃고는 캐시 쪽을 쳐다보았다. 다른 사람들은 먹고 마시고 즐거운 분위기인데 캐시는 착 가라앉아 있었다. 나중에 따로 면담해 봐야겠다는 생각을 하며 벨라는 발걸음을 서둘렀다.

"캐시, 이거라도 좀 먹어 봐."

동료 수습 기사 요한이 캐시가 걱정스러웠는지 음식을 잔뜩 챙겨 와 캐시 앞에 내밀었다.

"아직도 속이 불편한 거야? 도통 먹지도 않고 마시지도 않고 그러다 쓰러져. 주치의를 불러다 줄까?"

캐시는 애써 웃어 보이며 사양의 뜻을 표시했다.

"그러지 말고 하나만이라도 먹어 봐. 닭 다리 구이 맛있더라고.”

요한이 닭 다리 구이 하나를 캐시에게 내밀었다. 순간 캐시가 “웩!” 하고 헛구역질을 했다.

“괜찮아?” 요한이 묻는데 그녀는 황급히 입을 가리고 연회장 밖으로 뛰쳐나갔다.

“우욱! 웁! 웁!”

뜻밖의 소동에 모두의 이목이 캐시에게 쏠렸다.

“캐시 왜 저래?”

“입덧이라도 하는 사람처럼.”

주변에 앉은 기사들이 술렁였다. 순간 땡그랑 하는 요란한 소리가 났다. 모두의 시선이 이번엔 그 소리가 난 쪽으로 향했다.

라울린이었다. 라울린이 창백하게 질려서는 포크와 나이프를 떨어뜨려 버렸다. 모두의 시선을 받은 라울린은 당황하여 포크와 나이프를 주우려다가 물잔도 엎고 접시도 엎고 난리가 났다.

“대장, 왜 그럽니까? 평소 안 하던 짓을.”

일순간 연회장에 침묵이 쫙 깔렸다.

어색해진 분위기를 무마하려고 미키가 라울린에게 농담을 건넸다.

“누가 보면 애 아빠인 줄로 오해하겠습니다. 하하.”

그의 농담에 주변이 더 싸늘해졌다. 미키는 그대로 얼음이 되어 입가를 실룩였다.

라울린은 넋 나간 사람처럼 허둥대다가 무언가 결심한 듯

우뚝 멈추어 섰다. 모두 숨죽여 라울린을 쳐다보았다.

그리고 라울린은 곧바로 테이블을 뛰어넘어 캐시가 사라진 쪽으로 달려갔다.

"임신입니다."

의사의 말에 라울린은 그대로 얼어붙었다. 잠시 진료실에 침묵이 감돌았다. 의사는 말을 꺼내고도 무거운 분위기에 슬며시 눈치를 보았다.

보통 정상적인 상황이라면 애 아빠란 사람은 기쁘다거나 놀랐다거나 하는 표정을 지었을 텐데 보호자의 표정은 심장이 쿵 하고 몸 밖으로 떨어진 듯한 표정이었다.

그 모습을 힐끔 본 캐시는 말없이 옷매무시를 가다듬고는 진료실을 나가려 했다. 의사에게 뭔가 물어보려던 라울린은 황급히 캐시의 팔을 잡았다.

"어딜 가!"

"놔둬."

캐시는 라울린의 눈을 쳐다보지 않았다.

"어떻게 하려고?"

"알아서 할 테니까 놔둬!"

캐시는 그의 손을 뿌리치려고 애썼다.

"……책임질게."

라울린의 말에 캐시는 짜증스레 그의 손을 뿌리쳤다.

"당신 발목 잡을 생각 없어."

그 말을 하는 캐시의 서늘한 눈빛에 라울린은 이를 악물었다. 그리고 다시 억지로 손을 붙들었다.

"책임지게 해 줘."

캐시는 고개를 돌렸다. 둘 사이에 다시 어색한 침묵이 감돌았다.

"진심이다. 아이를 가지면 책임지는 것이 당연한 이치."

캐시가 쿡 하고 자조적인 웃음을 터뜨렸다.

라울린은 그녀를 와락 끌어안았다.

"미안해. 그때 그런 식으로 해결하는 것이 아니었어."

캐시는 그의 품을 벗어나려고 밀어내며 말했다.

"우리 인연은 끊어졌다면서! 아무리 내가 잡아당기려 해도 멀어졌으면서!"

라울린은 대답 대신 그녀를 품에 가두고 그녀의 어깨에 고개를 파묻었다.

"아프게 헤어졌잖아."

그렇게 중얼거리며 캐시는 고개를 들고 눈을 감았다. 참았던 눈물이 그녀의 뺨을 타고 흘러내렸다.

"그렇게 상처 주고 밀어냈는데도 내게 다시 다가와 주었어. 여기까지 온 것은 네 의지다."

그의 말에 캐시는 가쁜 숨을 내쉬었다. 짭짤한 눈물이 자꾸만 뺨을 타고 입 안으로 흘러들었다.

"오기였어. 사실 다시 시작할 엄두도 나지 않았어."

캐시는 힘겹게 말을 이어 나갔다.

"모든 것을 알았을 때 더 당신을 미워할 수 없었어. 미워하는 힘으로 살아왔는데 미워할 대상이 없어지니까 나는……."

라울린은 더욱 힘주어 그녀를 끌어안았다.

"당신 곁으로 돌아가고 싶었어. 그렇게라도 해야 내가 살 수 있을 것 같았어."

캐시는 그의 어깨 위에 고개를 숙였다.

"상처받을 줄 알면서도 오긴 했지만, 다시 이어지리란 확신도 없었어."

캐시의 숨결이 가쁘게 전해져 왔다.

"나야말로 이기적이었어. 시작도 내가 했으니까, 끝도 내가 내. 그러니 괜한 책임감 갖지 마. 그 일을 빌미 삼아 당신을 내 삶에 다시 끌어들이고 싶지는 않아."

다시 그를 벗어나려 했지만 그럴수록 라울린은 팔에 힘을 주어 그녀를 끌어당겼다. 그녀의 정수리에 코를 묻으며 그가 속삭였다.

"아무리 취해도 기억 못 할 정도는 아니었어. 진심이다. 책임지게 해 줘."

캐시는 그를 있는 힘을 다해 뿌리쳤다. 하지만 완력으로 그를 이길 수는 없었다.

"싫어, 이거 놔! 순수한 마음으로 이곳에 온 것도 아니라고! 그저 나 없는 당신의 삶이 평온하게 흘러가는 것이 싫어서, 나를 무참히 버리고도 잘 살아지느냐고 따지고 싶어서 왔을 뿐이었어! 그러니까 그냥 놔둬!"

결국 캐시는 라울린을 뿌리쳤다.

"그저, 신경 쓰이게 하고 싶었다고. 모질게 정 떼 버린 시간이 원망스러워서……."

하지만 쉴 새 없이 흘러내리는 눈물을 그에게 보이고 싶지 않아서 손으로 얼굴을 가렸다.

"고생이란 걸 해 본 적 없었어. 내가 당연하듯 가진 모든 것이 부모의 후광으로 인한 것인 줄도 모르고 당신을 원망하기도 했어. 결과적으로 부모님께 손 벌린 건 나였어."

캐시는 죄를 고백하듯 힘겹게 말을 이어 갔다.

"그러니까 책임감 갖지 않아도 돼. 당신도 카라를 그리워하며 살았구나 하는 생각에 충동적이 되었을 뿐이야. 그러니까, 그러니까……."

캐시는 힘겹게 다음 말을 내뱉었다.

"간신히 여기서 자리 잡아 가는데, 나 때문에 다시는 경력 망치지 마. 내가 떠날게."

"네 경력은 어찌 되라고? 여기서 이런 식으로 소문나면 어디에서든 다시는 돌이킬 수 없어. 이번엔 제대로 다시 시작해 보자."

라울린의 속삭임에 캐시의 호흡이 더욱더 거칠어졌다.

"내 말 못 들었어? 나, 이곳에 좋은 의도로 온 것 아니라고! 또다시 모든 것을 망치기 전에 떠나가게 놔둬!"

라울린은 캐시를 말없이 쳐다볼 뿐이었다. 열렬하게 사랑했던 그 청보라색 눈동자가 자신을 뜨겁게 바라보고 있었다. 이 눈동자를 마음껏 두 눈에 담을 수 있는 시간을 꿈꿨었다.

그가 말했다.

"카스웰 단장님과 무엇을 두고 거래했지?"

캐시는 화들짝 놀랐다.

"루카스 버틀러 경 대신 전방에 투입되는 것을 마다하지 않았으면서 날 떠날 수 있다고 말하는 자체가 모순이다."

나는 안다. 벨라 님께서 보셨다는 회귀 전 이야기 속 네가 나의 죽음 앞에서 어떤 길을 택했는지.

마음속으로만 그 말을 되뇌며 라울린은 캐시를 빤히 쳐다보았다.

"그런 거 없어!"

캐시는 서투르게 잡아떼며 고개를 돌렸다.

"거짓말."

"정말 아무것도 없어!"

라울린은 캐시의 턱을 틀어 자신을 바라보게 했다.

"넌 거짓말할 줄 몰라."

아직까지 벨라의 회귀 사실을 캐시에게까지 말할 정도로 캐시가 믿을 만한 인물은 아니었다. 설령 오로지 심중에 품은 단 하나의 여인일지라도.

"카스웰 단장님의 도움으로 이곳에 견습 기사로 들어왔다. 아마도 실명대로 기록했다면 나는 당신을 거절했을 거다. 나와 죽음까지 함께할 각오는 쉬우나 그와의 거래를 밝히는 것은 어렵나?"

캐시는 자꾸만 라울린의 시선을 피했다. 그 모습을 보자

라울린에게는 확신과도 같은 감정이 밀려왔다.

"카라가 연관되어 있는 일이군."

캐시의 눈동자가 불안하게 흔들렸다.

"어서 대답해."

라울린이 날카로운 눈빛으로 그녀를 바라보았다. 떨리던 그녀의 눈동자가 라울린을 향했다.

"온통 모순인 것 알아? 대체 어디에 발을 걸치고 있는 거야? 그러면서 그날 왜 나를 밀어내지 않았어? 기사로서의 경력을 쌓겠다면서 온 것 아니었던가? 단순히 나를 보기만 하면 된다는 거였나?"

캐시는 차마 그를 바라보지 못하고 다시 시선을 아래로 내리깔았다.

"그런 사람이 왜 카스웰 단장과 모종의 거래를 하고, 술 취해 주사 부리는 나를 품은 거지? 결과적으로 그 어느 하나도 당신에게 좋을 일이 없잖아!"

캐시의 뺨을 타고 눈물만 흘러내릴 뿐이었다.

"미안해."

그녀는 힘겹게 입술 사이로 한마디 내뱉었다.

그런 그녀의 입술에 라울린의 입술이 겹쳐졌다.

꿔다 놓은 보릿자루처럼 눈치만 보고 있던 의사는 헛기침하다가, 라울린이 뒷주머니에서 꺼낸 돈주머니를 받고는 얼른 밖으로 나갔다. 그리고 라울린의 키스는 점점 더 과감해졌다.

취해서 기억에도 흐릿한 입맞춤과는 차원이 달랐다. 오랫

동안 서로 그리워했던 남녀의 키스는 서로의 체취 한 자락까지 모두 마셔 버릴 듯 진하고 깊었다. 캐시의 손가락이 라울린의 머리카락을 파고들었고 라울린은 그녀의 목을 감싸 안고 깊게 끌어당겼다.

"어흠."

밖에서 대기 중이던 의사가 시간이 흐르자 자꾸만 헛기침을 하다가 진료실 안이 점점 더 뜨겁게 불붙는 듯한 분위기에 난처한 표정을 지었다. 아무리 눈치를 줘도 도통 눈치를 볼 생각이 없는 두 남녀에게 경고성 노크를 문이 부서지도록 하고서야 둘은 제정신을 차렸다.

"잘 해내고 계십니다."

리체는 싱긋 웃으며 말했다.

벨라는 칭찬에 어색해하며 미소 지었다.

"다 리체랑 다른 보좌관들 덕분이지 뭐. 내가 뭘 한 게 있나."

"아닙니다."

리체는 공적인 자리에서는 꼬박꼬박 높임말을 쓰며 벨라를 상관으로서 대했다. 원래 박식하고 사교적이었던 그녀였던지라 어딜 가나 사람들과 어울려 이야기 주제를 잘 끌어냈다.

"사람들이 그러더군요. 아르티드가에는 전통이 있는데 가주가 되기만 하면 갑자기 현명해지고 능력치가 상승한다고 말입니다. 저도 실무 경험이 없어 무엇부터 해야 할지 몰랐는데 후작님께서 적절히 배분해 주셔서 도움이 많이 되었습니다."

리체의 칭찬은 가식이 아니고 진심이었다. 친구의 눈빛은 쓱 보기만 해도 속을 알 수 있었다.

"아냐. 난 별로 한 게 없어. 정말이야. 다 루카스가 안내서를 잘 짜 주었던 덕분이야."

"그래도 과거에 있었던 일들을 어찌 그리 잘 아세요? 깜짝 놀랐어요. 전대 후작님이나 전전대 후작님의 마음속에 들어갔다 나온 것처럼 이전의 정책을 잘 이해하고 계셔서요."

리체의 말에 벨라는 피식 웃었다.

"그야 서재에 기록물이 많이 남아 있으니까 들여다보면 알지."

"전대나 전전대 후작님이 내린 결정의 전후 사정까지 세세하게 알 정도로 적혀 있진 않잖아요."

"이렇게 매일 기록물을 찾아 읽는데 모르는 게 더 이상해. 앞으로 한 시간 동안은 아무도 들여보내지 말아 줘. 중요한 일 외엔 부르지 마."

벨라는 그리 말하며 서재로 들어갔다. 서재의 안쪽으로 들어온 호위 기사들은 출입구 주변에 섰다. 그리고 벨라는 서재 깊숙한 곳으로 들어가 루카스가 전해 준 가주의 방 열쇠를 꺼냈다.

열쇠를 들여다보았다.

마법진에 쓰였던 보석과 구성이 비슷하였다.

마정석, 정령석, 소환석.

즉 그 말은 이 비밀의 방 또한 마법진의 일종이며, 마력을 갖지 못한 일반인은 아무리 열쇠가 있어도 들어갈 수 없다는 것을 뜻했다.

후작이 되어 포르위네 성에 돌아온 후 루카스가 건네준 열쇠를 받았을 때, 가주만 들어가는 방이라 해서 그 은밀함에 기대를 정말 크게 했다.

첫날, 막상 열어 보니 그 안에는 또 다른 서재가 있었다. 오래되어 낡은 책 냄새만이 빼곡한 그곳에 숨겨진 보석 쪼가리라도 없나 해서 샅샅이 뒤져 보았으나 책만 있었다.

열쇠가 아깝다!

명색이 가주의 방인데 이게 뭐란 말인가.

후…….

착잡한 마음에 벨라는 읽기도 전부터 두통이 생길 듯했다. 두꺼운 책은 딱 질색이었다.

실망의 한숨을 푹 내쉰 후 먼지가 뽀얗게 내려앉다 못해 먼지 카펫을 드리운 그 서가를 지나치다가 순간 책 하나에서 낯익은 이름을 발견했다.

[다비드 엘 아르티드의 판단]

벨라는 눈이 휘둥그레져서 그 책을 열어 보았다.

그 글씨체는 아무리 봐도 아버지의 것이었다. 낯익은 필기체에 그만 뜨거운 눈물이 눈에 가득 고였다.

일기 같은 것이었다. 후다닥 그 책을 펼쳤다. 처음 즉위해서부터 그가 죽기 한 달 전의 기록까지 쓰여 있었다.

그가 처음 후작직을 승계하여 그 의무를 다할 때까지 내린 모든 판단의 이유와 결정한 일들과 일의 경과, 훗날의 자기 평가 그 네 가지 항목이 꼼꼼히 적혀 있었다.

아버지가 결정한 모든 일에 대한 기록이었다. 그것도 아버지의 마음속이 속속들이 적혀 있는 가감 없는 고백 글.

[벨라, 어쩌면 어린 너를 두고 나는 불시에 세상을 떠나게 될지 모른다.

내가 존재하지 않더라도 이 글을 읽다 보면 나와 대화하는 방법을 알게 되겠지.

무거운 짐을 네게 맡겨야 하는 마음을 이해해 줄까?

무사히 자라 가주가 되었다면 힘들 때마다 가주의 방에 와서 다른 조상님들의 현명한 조언을 즐겨 들어라.

그들은 너에게 길을 밝혀 줄 것이다.]

아버지의 글 맨 마지막 장에 쓰인 문장이었다. 벨라는 책을 끌어안고 무릎을 꿇었다. 그리고 쏟아지는 눈물을 감당하지 못하고 한참 동안 울었다.

그곳은 가주의 기억들이 담긴 방이었다.

벨라가 회귀하여 앞으로 일어날 일들에 대한 기억을 얻었다면, 그 방의 것들은 과거에 있었던 일들에 대한 모든 기억이었다.

살아생전에 가주 본인만 볼 기록이었으므로 누구의 귀에 거슬릴까 가감하지 않은 그 안의 내용은 솔직했다. 그리고 후대의 가주가 그 기억을 온전히 물려받기를 원했다.

수십 년, 수백 년을 거쳐 이어져 온 가주들의 경험담.

아르티드가의 보물은, 가주들의 경험이었다.

당장 아버지와 할아버지의 책만 해도 그랬다. 갓 가주가 되어 막막하기만 한 그녀에게 이만큼 든든한 참고서가 있을까.

그래서 포리나 장원의 사람들이 굳게 믿는 것인지도 몰랐다.

'아르티드의 가주가 되기만 하면 갑자기 현명해지고 능력치가 상승한다.'

비밀의 방 밖에도 가주들이 남긴 기록은 무수히 많았다.

역사책은 눈에 들어오지 않아도 여기의 글들만큼은 가슴에 아로새겨졌다.

[아버지의 눈으로, 할아버지의 눈으로, 그 할아버지의 할아버지의 눈으로 세상을 들여다볼 수 있는 비밀 통로]였다.

그리하여 틈틈이 가주의 방에 들어와 아버지의 책부터 들여다보고 있었다.

그들이 살아생전 하루에 내린 결정만 해도 수없이 많았으므로 결코 단시일 내에 독파할 수 있는 내용은 아니었다.

전대 가주들은 모두가 시간이 남아돌았던 걸까?

하루 일과도 힘든데 그것이 어떻게 가능할까 궁금해하는 순간 한쪽에서 촤라라락 무언가가 넘어가는 소리가 들렸다.

그것은 따로 나와 있는 독서대였다. 거기에 펼쳐져 있던 책이 제멋대로 넘어가는 소리였다.

귀신이라도 나올 듯 깜짝 놀라 주저앉았던 벨라는 더 이상 아무 소리도 들리지 않자 그곳으로 다가갔다.

[벨라 엘 아르티드의 판단]

신기한 일이었다. 벨라가 생각한 내용이 온통 빈 공백투성이의 책에 벨라의 필체로 쓰여 있었다.

아무래도 마법이 걸린 물건인 듯했다. 독서대가 마법이 걸렸는지 책이 마법에 걸렸는지는 알 수가 없었다.

벨라는 그 책에 '가주의 방에 와서 놀랐다. 전대 가주들은 모두가 시간이 남아돌았던 걸까? 하루 일과도 힘든데 그것이 어떻게 가능할까?'라고 새로 적힌 내용을 보며 쿡쿡 웃고 말았다. 그리고 아버지의 책을 다시 들여다보았다.

아버지가 내렸던 수많은 결정에 대한 솔직한 이야기를 글을 통해 알게 되었다. 벨라가 잘 모르는 포르위네 윗세대 고용인들에 관한 이야기도 있었다.

[나의 딸 벨라에게.

선조 지안은 너를 적으로 삼는 사람이 너를 존경할 기회를 줘도 마다한다면 기어 오지 못하게 찍어 누르라는 조언을 남겼다.

하지만 나는 차마 마음이 아파서 찍어 누르지 못했다. 아마도 그 여린 마음이 나를 죽게 할지도 모른다.

너는 좀 더 마음을 굳게 먹으렴.

나는 콜레트 고모님 때문에 끝내 끊지 못하였다.

슈르츠 공작을 조심해라.]

벨라는 그 구절을 읽으며 손을 부들부들 떨었다.

[증거를 잡지 못해 나는 내 생각을 입 밖으로 내지 못했다. 하지만 아르티드가의 소멸로 가장 이익을 볼 자는 슈르츠 공작이다.]

단순히 찰스의 모든 계획이겠거니 생각했다. 하지만 아버지 다비드 후작은 다른 방향을 가리켰다.

슈르츠 공작가에서 아르티드 후작가의 후손이 끊기면 콜레트 고모님을 통해 아르티드가의 모든 재산을 흡수하기 위해서 꾸민 일 같다는 아버지의 글이 머리를 뎅 하고 울리게 만들었다.

'왜 아버지는 모든 배후가 슈르츠 공작이라 생각하시면서도 끝끝내 아무에게도 그 말을 하지 않으셨던 걸까?'

증거가 없기 때문이었다. 슈르츠 공작가에서는 노골적으로 야망을 드러낸 적이 없었고 은근하게 뒤에서 거들뿐이어서 다비드는 그 연결 고리를 찾다가 끝내 암살된 거였다. 대신 슈르츠 공작가에서 절대로 아르티드가를 흡수하지 못하도록 여러 가지 조항을 만들어 둠으로써 벨라를 보호하려 했을 뿐이었다.

'루카스에게 왜 말씀하지 않으셨던 걸까?'

슈르츠 공작가에 가서 제대로 양육되고 있는지 시험받았던 일을 떠올리자 순간 소름이 돋았다. 루카스가 슈르츠 공작가를 의심했다면 절대로 데려가지 않았을 거였다.

벨라는 연대가 언제인지 모를 액자에 걸린 낡은 글귀를 바라보았다.

[여기서 알게 된 사실은 알고도 모른 척하라. 입 밖에 내는 순간 서고와 함께 아르티드가도 허물어진다.]

다비드조차 자신이 암살당할 것을 알면서도 입 밖에 내지 못했다. 이해할 수 없는 그 조언들은 차차 연륜이 쌓이고 후작직을 수행하다 보면 언젠가는 깨달아지리라 생각한 벨라는 책장을 덮었다.

매일 비밀의 방에 들어가 공부하고 나왔으나 너무나 시간이 빨리 가서 아쉬울 뿐이었다.

벨라는 리체에게 이후 일정에 대한 설명을 들으며 포르위네 성 복도를 걸었다. 창밖으로 언덕 아래 존재하는 시가지의 아름다운 모습이 한눈에 들어왔다.

그리젤리라는 작은 별장을 세상 전부로 알았던 그녀는 새삼스레 그 풍경을 바라보았다.

후작이라는 직위가 얼마나 큰 것인지 예전엔 미처 몰랐다.

평범한 인간이 공을 세워 올라갈 수 있는 최대의 작위가 후작. 그 자체로 하나의 왕국과도 같았다.

사교계 파티장에서 한낱 백작가의 영애나 남작가의 영애가 그녀를 얕잡아 보며 면전에서 흉을 보고 따돌리다니!

후작직을 이어받게 될 자신의 존재 가치도 잘 몰랐던 어린 시절의 자신에게 벨라는 혀를 끌끌 차 보였다.

'내가 나를 깎아내렸어. 누가 누굴 탓하리.'

무지했다.

자기 자신을 믿지 못했고 자신의 힘을 몰랐다.

한 지역의 왕과도 같은 존재로서 모든 것을 관장하는 직위인 것을 이제야 실감했다.

같은 풍경 속을 살아가고 있는데 오로지 마음 하나 바꿔 너무나 다른 세상을 살아가고 있다.

"……빅터 교수님의 수업은 오늘은 건너뛸까요? 시간이 빠듯한데."

리체의 말에 벨라는 고개를 저었다.

"아니. 10분밖에 못 듣는 한이 있어도 들을래. 국문학이라 해도 일부러 통치학하고 연관된 작품을 골라 주셔서 들을 만해."

시 의회며 그간 포르위네 성 내의 실무를 맡아 온 여러 관리가 지나가다 벨라와 마주치며 허리를 굽신거렸다. 그 사이사이 그리젤리에서 데려온 고용인들이 눈에 띄었다.

"굴러 온 돌이 박힌 돌 뺀다고 계속 떠들어 대나?"

벨라는 리체에게 물었다.

"네?"

"그리젤리 사람들, 포르위네 사람들이 그들더러 어디서 굴러들어 온 돌이 자기들 자리 빼앗는다 불만이 있지 않아?"

"아무래도 기득권을 순순히 빼앗기고 싶지는 않겠죠."

"그리젤리 사람들도 원래는 이곳에서 일하던 사람들인데 같은 고용인들끼리 편 갈린 분위기라, 조만간 대폭 물갈이를 해야 할지도 몰라. 장을 맡은 사람들에게 격려해 줘야겠어. 관련해서 일정 잡아 봐."

"네, 알겠습니다."

그런 벨라의 귀에 날카롭게 꽂히는 목소리가 있었다.

"쓰레기 아냐?"

"으헉! 놓고 이야기해! 컥!"

"지금 때가 어느 때인데 오자마자 사고야 사고는! 어떻게 수습할 건데!"

우렁찬 그 목소리는 보나 마나 이안이었다. 다혈질을 감당하지 못하고 누군가의 멱살을 잡고 짤짤 흔드는 모양이었다.

"이안! 그 손 놓고 이야기해."

벨라는 단호하게 외쳤다. 이안은 쉽게 잡은 멱살을 놓지 못했다.

"남들 사고 못 치게 해도 모자랄 놈이 제일 먼저 사고 치니 그렇잖습니까!"

이안에게 붙들린 자는 라울린이었다. 라울린은 간신히 이안의 손을 떼고는 목이 뻐근한지 고개를 돌렸다.

"무식하게 힘만 센 놈 같으니라고."

"뭐가 어째?"

이안이 울컥해서 다시 덤벼들었으나 이번엔 라울린을 건드리지 못했다.

"견습 기사 건드려 놓고! 어쩔 거냐고!"

"캐시 이야기야?"

이안은 주먹으로 라울린을 한 대 치려다가 벨라의 말에 헛손질하고 말았다.

"가뜩이나 자기들끼리 중요한 자리 해 먹는다고 미운털 박혔는데 이놈이 거하게 사고 치는 바람에 욕을 더 먹게 생겼다고요!"

라울린은 미간을 찡그린 채 이안에게 전혀 미안하지 않은 표정으로 말했다.

"남의 가정사는 상관하는 게 아냐."

"이 새캬! 발정 난 개냐? 건드릴 게 따로 있지 네 소속 견습 기사라고! 견습 기사! 카스웰 단장님 파가 쫙 깔려 있는데 거기서 이런 실수나 하고 지랄이……!"

이안은 욕을 하다가 벨라가 뒤에 있다는 사실을 뒤늦게 깨달은 사람처럼 입을 다물었다.

"여하튼! 이번 일은 잘못……."

"부부인데 문제 있어?"

벨라는 천연덕스럽게 말했다.

"에? 부부요?"

이안이 깜짝 놀라 라울린을 쳐다보았다.

"둘이 별거 중이었잖아. 부부 사이에 아이 생기는 거 당연한 이치잖아."

벨라의 말에 라울린은 쥐어뜯길 뻔한 옷자락의 구김을 폈다.

이안은 인상을 더 팍 찡그렸다.

"거짓말도 적당히 상황 봐 가면서 해야죠, 이놈이 그간 솔로랍시고 놀아난 여자가 몇인데."

이안의 말에 라울린은 헛기침을 했다.

"정말이야 이안, 라울린은 캐시와 부부야. 정식으로 호적에 올리지 못했지만, 신전에 가서 비밀 서약으로 사제 앞에서 혼인했다고. 해당 신전에 혼인 축성 받은 기록이 있어."

벨라의 말에 이안의 눈이 동그래졌다.

"부부인데 왜 서로 모른 체해요?"

"본인에게 물어봐."

벨라는 라울린을 가리켰다.

"후작님 말씀이 맞아, 이안. 난 캐시와 결혼했어. 혼인 서약도 했고, 하이아드 백작가에 볼모 삼아 맡겨진 아이도 있어."

이안은 눈을 크게 뜨고 입가에 경련을 일으키다가 다시 라울린의 멱살을 잡았다.

"이놈 진짜 미친놈이네! 그럼 캐시도 보는 앞에서 아무 여자나 데려다 뒹굴었던 거냐? 네가 데리고 놀던 여자가 어디 한둘이었어?"

그의 말에 라울린은 완력으로 그의 손을 풀었다.

"말 가려서 해. 캐시가 견습 기사로 온 이후로 아무도 건드리지 않았다. 차마 그 정도로까지 인생 막장은 아니야."

이안은 하……! 하는 코웃음 소리를 냈다.

"인마! 술주정으로 카라 어쩌구 하더니 진짜 숨겨 놓은 애였어! 한사코 잡아떼서 그 말을 믿었다고! 다른 사람들에게 대신 해명하느라 얼마나 진땀 뺀 줄이나 알아?"

이안은 욱해서 멱살을 쥐고 마구 흔들었다.

"비밀로 할 거면 끝까지 비밀로나 하지 이게 뭐냐! 장난치려고 데려온 거냐? 네 마누라인 거 알면 상황이 더 복잡해져! 가까운 친척도 기사 서품 과정에는 관여하지 못하는데 남편이 아내를 기사 서품시킨다? 이게 무슨 개 같은 경우야?"

"내 뜻이 아니었다."

"너도 알잖아! 여태 쌓은 경력 다 없던 걸로 된다고! 이게 뭐 하자는 짓이야?"

"그건 나도 할 말이 없어."

"뭐가 어쩌고 저째?"

이안이 흥분을 가라앉히지 못하고 소리 질러 대자 벨라는 다시금 둘 사이를 뜯어말렸다. 그러나 이안은 기어코 라울린을 한 대 쥐어 패려는 듯 달려들었다. 그때마다 라울린은 반격하지 않고 피하기만 했다.

"이안! 멈추라고 했잖아! 후작으로서 명령한다! 멈춰!"

벨라의 카랑카랑한 목소리에 이안은 씨근덕거리며 멈춰 섰다.

"라울린, 이참에 성대하게 결혼식 치르고 호적에 올려요. 비밀 서약이라 다들 모르잖아요."

그 말에 라울린의 얼굴이 어두워졌다.

"자알 한다! 잘 해!"

이안은 계속 씩씩거렸다.

"보나 마나 신분 차이 때문에 제대로 결혼하지도 못했겠군. 아무리 그래도 하이아드 영애는 귀족이라고. 귀족 사회에서 널 가만히 둘 거 같아?"

"그래서 여기까지 흘러들어 온 거다."

라울린의 목소리가 낮아졌다.

"화려한 경력과 훈장도 소용이 없더군. 날 고용하겠다는 자가 없었어."

"귀족끼리는 서로 한통속이니까 그렇……!"

이안은 대꾸하다 말고 입을 가렸다. 그러고는 벨라에게 꾸벅 인사했다.

"죄송합니다. 말실수. 조심한다고 하는데도……."

"괜찮아, 이안. 그 덕분에 클라레이 경처럼 유능한 군인이 아르티드가의 자산이 된 거니까. 다른 귀족들에게는 절대로 같은 실수 하지 마."

벨라의 말에 이안은 귓불까지 새빨갛게 달아올랐다.

"신분 차이가 아니라 능력 차이가 우선인 시대가 곧 올 거라고 생각하고는 있어. 나뿐만 아니라 내 아버지도, 내 할아버지도 같은 마음이셨을 거야. 그렇지만 그 날이 올 때까지는 입조심해. 괜한 적 만들지 말고. 모든 사람이 당연하게 여기는 가치는 아니니까."

이안은 그 말을 듣자 이번엔 목덜미까지 빨갛게 달아올랐다. 그 모습을 본 리체는 피식 웃고 말았다. 그 덩치가 무색하게 이안은 벨라에게 꼼짝도 못 하고 고개 숙이고 있었다. 어쩐지 귀엽다는 생각이 들었다.

"아이를 맡기는 대가로 하이아드 백작가의 자식으로 입적시키고 두 번 다시 찾지 않겠다고 약조해서 카라를 되찾아 올 수가 없습니다."

본론으로 돌아와서 벨라의 공개 결혼식 이야기에 라울린 역시 고개를 숙이며 말했다.

"캐시가 아이를 가졌으니 이대로 숨겨 둘 수는 없지만, 캐시와 제가 공공연하게 드러내 결혼식을 하게 되면 카라를 어디에 숨겼는지 영영 알 수 없게 됩니다."

"그래도 지금껏 기른 정이 있어서 버리지는 않겠죠. 이제라도 라울린의 호적에 올리면 되잖아요."

벨라의 말에 라울린은 고개를 저었다.

"그건 하이아드 백작님을 몰라서 하시는 말씀입니다. 이미 아이를 어디에 감금해 두었는지 소식을 알지 못합니다."
벨라는 라울린의 등에 불꽃 스매싱을 아로새겨 주었다.
"억!"
웃으며 때린 것 같았으나 맞아 본 사람만이 아는 고통이 뼈를 타고 흘렀다.
"라울린답지 않게 기운 없는 척은! 걱정하지 말고 결혼 준비해요. 리체 보좌관, 라울린과 캐시의 결혼을 도와줄 전문가 섭외시켜 주세요."
라울린은 당황해하며 말했다.
"그렇게 단순한 일이 아닙……."
"단순하게 생각하세요. 결혼은 결혼이고 아이는 아이예요. 한 번에 다 해결하려 하지 말고."
벨라는 눈을 반짝이며 말했다.
"그렇게 쉽게 해결될 거였으면 이렇게 멀리 돌아오지 않았을 겁니다."
뒤를 돌아보자 굳은 표정의 캐시가 입구에 서 있었다.
벨라는 고개를 저었다.
"내가 생각해 둔 것이 하나 있는데 들어 볼래요?"

"뭐야? 캐서린이 결혼을 한다고?"

하이아드 백작은 책상을 뒤집어엎을 듯 격분하여 일어섰다.

"포르위네 성에서 성대한 결혼식을 열어 준다고 합니다."

보좌관의 말에 백작은 뒷덜미를 손으로 잡고 뒤로 휘청했다.

"놈에게 카라를 영원히 아무도 모르는 곳에 버려 버리겠다는 말을 해도 그랬단 말인가?"

"상관없다고 하더군요. 오히려 청첩장을 돌리고 규모를 크게 벌일 생각이던걸요? 그 일로 귀족 사회에서 반발이 심합니다."

보좌관의 말에 하이아드 백작은 책상 위의 잉크병을 냅다 집어 던졌다.

"개 같은 놈! 아르티드가의 비호를 받고 겁대가리를 상실했나 보군! 그렇게 되도록 놔둘 것 같나? 이 결혼 반댈세!"

그는 있는 힘껏 두 주먹으로 책상을 내리쳤다.

"내가 돈을 얼마나 퍼부어서 딸의 과거를 세탁해 놓았는데!"

분노해서 입술까지 부들부들 떨며 그가 말했다.

"어떻게 키운 딸인데 그 더러운 놈이 어디서 감히 내 허락도 없이 내 딸과 결혼한다고!"

그 모습을 보던 보좌관이 조용히 말했다.

"어찌할까요?"

"어쩌긴 뭘 어째! 죽여 버려야지!"

하이아드 백작은 이를 으득 갈며 음산한 목소리로 말했다.

"아르티드가의 기사단장 대리라서 함부로 손댈 수 없습니다."

"상관없어. 그냥 무조건 죽여. 수단과 방법을 가리지 말고. 저번 출정 때도 기회를 봐서 놈을 죽여 버리라니까 왜 안 죽인 게야?"

하이아드 백작의 말에 보좌관이 침착하게 말했다.

"아무리 그래도 남들의 이목을 끌어 가며 죽일 수는 없습니다."

"돈은 얼마가 들어도 상관없다. 그 괘씸한 놈만 쳐 죽이면 된다."

그의 눈치만 보던 보좌관이 조심스럽게 이야기를 꺼냈다.

"……체이스에게 맡길까요?"

"그래."

한창 씩씩거리고 있는데 전령이 다가와 그의 집무실을 똑똑 두들겼다.

"댁에 가 보셔야겠는데요?"

"아예 포르위네 성에서 접시 물에 코라도 박고 죽어 버리지 그랬니."

하이아드 백작 부인은 싸늘한 표정으로 딸을 노려보았다. 아이를 가졌다며 돌아온 딸 캐시는 묵묵부답이었다.

"너 하고 싶은 대로 산다고 가출한 거 아니었어? 그랬다면 죽든지 말든지 네가 알아서 할 일이지 왜 다시 부모에게 와서 손 벌리는 거니?"

여전히 캐시는 아무 말이 없었다. 하이아드 백작 부인이 버럭 화를 내려는 순간 급하게 돌아온 하이아드 백작과 마주쳤다.

"아버지……."

캐시는 아버지 헨리크를 보자마자 소파에서 벌떡 일어났다. 쫙 소리와 함께 아비는 딸의 따귀를 때렸다.

“너는 가문의 수치다.”

그는 분노로 바들바들 떨었다.

“너를 처녀로 만드느라 갖다 버린 돈이 얼마인 줄 아느냐? 너는 이미 상품성이 떨어졌다. 그런데 이 지경이 되어 다시 돌아오면 어쩌자는 거냐?”

헨리크의 입가에 게거품이 엉겨 붙었다.

“그냥 네 멋대로 결혼하든지 말든지 나가! 이 집안에 두 번 다시 발도 디디지 말고!”

캐시는 그저 무릎을 꿇고 있었다.

“그때도 하지 않은 허락, 인제 와서 할 생각 없다! 그러니까 나가!”

그러자 하이아드 백작 부인이 보다 못해 달려들었다.

“캐시, 아버지께 잘못했다고 빌어! 뭘 잘했다고 입 꼭 다물고 있어?”

“결혼하지 않을게요.”

캐시의 말에 하이아드 백작 부인은 깜짝 놀랐다.

“뭐래니 지금? 이 와중에 농담이 나와?”

“결혼하지 않을 거라고요.”

그 말에 이번엔 하이아드 백작 부인이 캐시의 뺨을 때렸다. 캐시의 고개가 반대쪽으로 꺾였다.

“미쳤구나, 너.”

“제정신이에요. 결혼하지 않을 거예요.”

캐시의 말에 백작 부인은 흥분하여 이성을 잃었다.

"신세나 망쳐 갖고 돌아오지나 말지! 너는 가문의 수치다! 한 번도 아니고! 나가서 죽든지 말든지 넌 내 딸 아니니 당장 나가!"

화를 내던 하이아드 백작은 부인이 더 펄펄 뛰자 이번에는 부인을 말려야만 했다.

"부인, 이러지 마시오!"

"쟤 때문에 내가 창피해서 얼굴을 들고 살 수가 없어요!"

백작 부인은 끝내 하이아드 백작을 뿌리치고는 벽난로의 불쏘시개를 꺼내 딸을 때리려고 휘둘렀다. 깡마른 그녀는 불쏘시개를 들어 올리는 것조차 힘겨워 보였으나 분노가 근력을 앞질렀다.

하이아드 백작은 간신히 그녀의 손에서 불쏘시개를 빼앗아 바닥에 던질 수 있었다. 백작 부인은 비틀거리며 소파에 간신히 기대앉았다. 그리고 두 손으로 얼굴을 가리고 흐느꼈다.

"까닭이나 들어 보자. 왜 결혼하지 않겠다는 거냐? 네가 이제 와서 부모 생각해서 그런 결정을 내렸을 리도 없고."

하이아드 백작의 말에 캐시는 덤덤한 목소리로 말했다.

"제가 그와 다시 만나면 카라는 아무도 찾지 못할 곳에 갖다 버리실 거 아니에요?"

하이아드 백작은 차가운 눈빛으로 딸을 노려보았다.

"그렇게 경고해도 너는 끝내 돌아오지 않았다. 그때도 카라는 네 안중에도 없었다. 새삼스레 이렇게 돌아와 시간을 번 후에 카라를 다시 만나면 데리고 도망갈 생각은 아니고?"
캐시는 굳은 표정으로 고개를 가로저었다.
"순간적인 감정에 취해서 아이가 생기긴 했지만, 의도했던 것은 아니에요."
그 모습을 보며 하이아드 백작은 한쪽 입꼬리를 끌어 올렸다.
"넌 이미 뭘 하든 부모에게 신뢰를 잃은 지 오래다. 오죽하면 집안의 수치가 되느니 명예 살인이라도 시켜 버릴 생각까지 했겠느냐?"
캐시는 그 말에 무언가 대답하고 싶은 듯 입을 어물쩍거리다가 말을 삼키고 고개를 숙였다.
"마음대로 하세요. 하지만 저를 이대로 여기서 지내게 해 주세요."
"싫다."
하이아드 백작은 딱 잘라 말했다.
"너 같은 딸은 둔 적 없다. 나가라."
"그럼 카라를 데리고 나가게라도 해 주세요."
참다못해 캐시가 한마디 했다. 그러자 하이아드 백작의 입가가 실룩거렸다.
"그래. 그렇지. 바로 또 본색이 나오는구나. 내가 카라를 내줄 것 같으냐? 오래전에 돌아오라 경고했었다. 네가 그 경고를 무시한 순간부터 카라는 아무도 찾지 못할 곳에 버려졌다. 이제 와 데려가겠다니, 이건 경우가 지나치지 않느냐?"
"버린 건 아버지이지 제가 아니잖아요! 제게 책임 전가하지 마세요!"

캐시는 애써 참았던 분노를 터뜨리며 외쳤다.

"오죽하면 그러겠느냐 오죽하면! 부모를 그 상황으로 몰아간 너의 책임이란 말이다!"

하이아드 백작은 분노로 덜덜 떨리는 목소리를 주체하지 못했다.

"그러니까 이제라도 결혼하지 않고 돌아오겠다고요!"

캐시의 말에 하이아드 백작은 딸의 뺨을 또다시 때렸다. 캐시는 휘청이며 버텼다.

"가출이 애들 장난인 줄 아느냐. 너 같은 딸 필요 없다고 말했다."

"그러니까 카라를 데려가게 해 주세요!"

캐시의 목소리가 갈라졌다. 흐느끼느라 말을 제대로 잇지 못했다.

"돌려주지 않으실 거니까 결혼 포기하겠다고요."

"처음부터 다시 말하랴?"

격한 호흡을 추스르며 하이아드 백작은 딸을 노려보았다.

"그 사람이 결혼하자 했는데, 그 말을 듣는 순간 깨달았어요. 저와 그 사람은 행복해지겠지만, 카라는 영원히 불행해지겠구나. 그 아이가 불행해지면 과연 나는 행복해질 수 있을까. 고민하고 고민하다 어렵게 내린 결정이라고요."

"애초에 집을 나가질 말았어야지! 이제 와서…… 이제 와서……!!"

부들부들 떨며 분노를 감추지 못하는 하이아드 백작에게

캐시는 고개를 숙이며 빌었다.

"죄송해요. 하지만 카라를 그렇게 버려 두고 저만 행복할 자신이 없었어요. 죄송해요. 카라도 저도 다시 받아들여 주시면 안 되나요?"

하이아드 백작이 눈썹을 꿈틀거리며 뭐라고 말하려는 찰나, 노크 소리가 들려왔다.

"밖에 그놈이 와 있습니다."

하이아드가의 집사가 손님의 방문을 알렸다. 그러자마자 그는 그것이 누굴 지칭하는 것인지 금방 깨달았다. 그리고 더한 분노로 얼굴을 일그러뜨렸다.

"여기가 어디라고 와! 발도 디디지 못하게……."

하이아드 백작 부인이 신경질적으로 소리를 질렀다. 순간 집사의 뒤에서 라울린이 나타났다.

"안녕하십니까, 장인, 장모님."

느물느물한 놈의 미소는 여전했다.

"당장 내보내! 이 개자식을 들여보낸 놈이 누구야?"

격분한 하이아드 백작이 소리쳤다.

"제가 담장 넘는 거 하나만큼은 타고났지 않습니까?"

라울린은 눈썹 하나 까딱하지 않고 웃으며 말했다.

"백작님이 좋아하지 않으셨습니까?"

그 말에 하이아드 백작의 얼굴이 굳었다.

"캐시, 뭐 해, 가자."

라울린이 캐시에게 손 내밀었다.

"안 가."

캐시는 등을 돌렸다.

"얼굴이 왜 그래?"

라울린의 안색이 변했다. 캐시는 그의 손을 쳐 내며 말했다.

"난 가지 않겠어. 당신과 결혼하지도 않을 거고, 기사도 포기할 거야. 후회해. 지난 내 선택도, 지금의 실수도."

"이렇게 쉽게 포기할 거면 대체 왜 포르위네로 온 건데? 말이 안 되잖아!"

라울린은 캐시의 얼굴을 바라보았다. 그러나 캐시는 끝내 고개를 돌렸다.

"수없이 고민해 봤어. 무엇이 옳은 길인지. 하지만 깨달았어. 나는 모성을 버릴 수가 없어. 제발 돌아가. 이게 내 대답이야."

당황한 라울린이 그녀의 손을 끌어당겼다.

"나가서 다시 이야기해."

"그럴 필요 없어. 마음 굳혔어. 그러니 돌아가. 어차피 우리는 안 될 인연이었어."

"그럴 거면 왜 나를 흔들어 놓았는데? 이제 와서 왜 그러는 건데? 내가 알아들을 수 있게 설명해 줘!"

라울린은 필사적으로 그녀에게 애원했다. 하이아드 백작이 끼어들기도 전에 캐시는 그를 밀쳐 냈다.

"도저히 카라를 포기할 수 없어!"

캐시는 눈물을 흘렸다.

"내가 여기서 당신을 포기하면 아이 둘 다 내 곁에 있을 수 있지만, 당신을 포기하지 않으면 카라는 영영 잃어. 내

아버지의 성격 몰라서 그래?"

"그래서 차라리 날 버리겠다?"

라울린의 표정이 멍했다. 듣고도 믿기지 않는 듯했다.

"미안해. 아무리 생각해 봐도 카라만 불행해진 채로 놔둘 수가 없어. 그러니까 그만 돌아가 줘."

"조금만 더 생각해 봐!"

라울린이 캐시에게 가까이 다가서려고 하자 하이아드 백작의 지팡이가 둘의 사이를 갈라놓았다.

"나가. 내 딸의 말 듣지 않았나?"

잔뜩 찡그린 하이아드 백작은 라울린의 파랗게 질린 얼굴을 보자 기분이 좋아지기 시작했다.

그날, 라울린은 하이아드 백작가에서 난동을 부리다가 쫓겨났다.

끝내 라울린이 끌려나가는데도 캐시는 뒤돌아서서 눈물만 흘렸다.

루카스는 눈부신 창가에 서서 푸른 하늘을 바라보고 있었다. 이게 얼마 만의 여유인지 모른다.

"몸은 좀 괜찮아지셨습니까?"

브렌다가 지나가다 보고 아는 체했다. 물론 일부러 찾아온 것은 아니고 그릇장을 옮기는 것을 지시하다가 마주친 거였다.

루카스는 대답 대신 긍정의 표시로 고개를 한 번 숙였다.

"늘 건강하시던 분이 갑자기 독감이라뇨. 깜짝 놀랐어요."

"긴장이 풀려서 그랬던 것 같습니다."

루카스의 건조한 말투에 브렌다는 조용히 웃어 보였다.

"포르위네로 돌아오자마자 독에 중독이라도 된 줄 알았습니다."

"그저 몸살이었을 뿐입니다."

루카스의 말에 브렌다는 식기를 옆 장식장으로 옮겨 넣으며 말했다.

"건강 조심해요. 후작님께서 걱정 많이 하셨어요."

부쩍 표정이 다양해진 브렌다였다. 늘 사감 선생같이 뾰족하던 분위기가 한결 부드러워졌고 말하는 태도에 여유가 있었다.

브렌다가 지나간 후 루카스는 다시 창밖을 멍하니 바라보았다.

벨라의 성인식 및 후작 계승식이 있었던 후로 루카스는 독감에 걸려 쓰러졌다. 그리젤리에서는 단 한 번도 아팠던 적이 없었다.

모든 신경을 곤두세운 채 벨라를 지켜 내야만 한다는 의무감만으로 버틸 때는 아플 겨를도 없었다.

집사 본연의 업무로 돌아온 후 갑자기 넘쳐나는 시간과 함께 루카스는 지독한 허무 속을 헤맸다.

묘한 상실감이었다.

그토록 무겁게 얹혀졌던 책임감의 무게가 덜어지자 홀가분한 게 아니라 빈껍데기만 남은 듯 허탈한 기분에 휩싸였다.

그리고 그 감정에 대해 이유를 분석하기도 전에 감기를 심하게 앓고 말았다. 정신이 혼미해질 정도의 고열에 시달리다가 이제 간신히 털고 일어났던 참이었다.

이안이 형의 안부를 걱정하여 수시로 그의 방을 드나들었으나 루카스는 벨라를 도우라며 이안을 내보냈다. 그리고 빈방에서 홀로 아파했다.

조금 괜찮아졌나 싶다가도 밤이 되면 다시금 불덩어리처럼 뜨겁게 변했다.

"루카스 괜찮아요?"

복도에서 귀에 익은 벨라의 목소리가 꿈인 듯 들렸다. 아마도 문병을 온 모양이었다. 하지만 루카스는 의사에게 고개를 저어 보였다. 혹시라도 벨라가 자신의 감기라도 옮을까 봐 들어오지 못하게 하고 싶었다.

후작이 된 벨라는 하루가 빠듯할 정도로 바쁘다고 전해 들었다. 그런 사람이 자꾸만 병문안을 와서 그때마다 루카스는 자는 척 벨라를 외면했다.

고열과 오한은 빛과 그림자처럼 반복되었다. 입술이 메말라 들떴으면서도 루카스는 누구의 손도 빌리고 싶지 않았다. 그렇게 앓고 있는데 시원한 물 한 잔 생각보다 더 간절하게도 벨라가 자신의 손등에 입맞춤하던 순간이 떠올랐다.

아직도 그 부드러웠던 입술의 감촉이 생생했다.

그 기억을 어느덧 소중히 간직하는 자신이 미련하다고 생각되었다.

그래서 벨라가 찾아와도 찬바람이 일도록 등을 돌렸다.

감히 바라서도 안 될, 그리하게 둬서도 안 될 존재이기에 루카스는 눈을 질끈 감고 생각을 끊어 내려 했다.

다시 곁에서 보좌해 달라고 벨라가 부탁해 오면 집사직을 그만두고서라도 선을 그으려 했는데, 그 뒤로 더는 묻지 않았다. 예상외로 벨라는 스스로 잘해 가고 있었다. 그녀의 한층 성숙해진 모습이 자랑스러우면서도 바라보면 마음 한편이 아릿했다.

창가에서 루카스는 저 멀리 호위 기사들에 둘러싸여 외출하는 벨라의 모습을 바라보았다. 그 짧은 순간에도 벨라는 어떻게 알았는지 그가 서 있는 쪽을 쳐다보았다. 그녀의 눈빛이 그의 가슴속에 강렬하게 와닿았다.

그 시선을 피하듯 커튼을 다시 닫았다. 방 안에는 다시 그림자만이 깃들었다.

그는 깊은숨을 내쉬었다.

먼발치에서라도 바라보고 싶었다. 남은 생을 조용히 바라보며 살리라던 마음은 어디로 간 걸까? 그녀를 바라보면 그녀 역시 그를 바라보았다.

루카스는 조용히 어둠 속에서 침묵했다.

당장에라도 그녀가 부르면 달려가 대답할 것 같은 충동을 억누르며 눈을 지그시 감았다.

이건 남녀 간의 호감이 아니다. 아버지의 자리를 대신한

자에 대한 애착일 뿐이다.

내 손으로 키워 낸 꽃이 아름답게 개화한 것에 대한 뿌듯함을 남녀 사이의 호감으로 착각하지 말자.

그는 자신에게 차갑게 말했다.

조심스레 커튼을 다시 열어 보았다. 이젠 벨라가 떠나고 없었다.

그녀의 존재감을 느낄 때마다, 그리고 그 빈 자리를 느낄 때마다 루카스는 일부러 꼬마 아가씨 시절의 모습을 떠올렸다.

조잘조잘.

언제나 뭐든 기쁘고 감사하게 받아들이고 때론 심하게 불평도 하던 꼬마 숙녀의 모든 순간이 루카스의 눈앞에 느리게 재생되었다.

예뻤다.

자신을 바라보며 반짝거리는 그 보라색 눈이 정말로 예뻤다. 그 눈에는 온갖 색채를 담아 빛나는 그녀의 풋풋한 감정들이 깃들어 있었다.

그 눈을 바라보고 있노라면 저절로 홀려 드는 듯했다. 그녀의 울고 웃는 감정을 따라 저도 모르게 미소를 짓게 되었다.

아무리 시간을 되돌려 감아 보아도 그 꼬마는 어느덧 금세 자라 성숙한 아가씨가 된다. 그리고 그는 애써 그 시간을 다시 꼬마 시절로 돌렸다.

그래도 결국은…….

그의 머릿속엔 바닷가에서 그녀가 수영을 가르쳐 달라며

매달리던 순간이 떠올랐다.

'물을 이기려고 하지 마십시오.'

쫄딱 젖어 밤갈색 머리카락이 흰 피부에 온통 들러붙은 벨라는 애써 미소 지으며 말했다.

'머리로는 아는데, 몸이 따라 주지 않아요.'

티 없이 파란 하늘 아래, 산호 조각이 세월에 닳고 닳아 이루어진 하얀 모래사장을 사이에 두고 색채 대비를 이루듯 햇살 아래 영롱하게 빛나던 벨라의 그윽한 눈.

'물이 무서워서 발차기도 잘 못하면서 왜 자꾸만 웃으십니까?'

루카스의 말에 벨라는 그저 웃기만 했다.

'무섭긴 한데 좋잖아요.'

'무슨 말씀입니까?'

벨라의 눈동자에 새파란 하늘도 흰 구름도 오롯이 담겨 있었다. 투명하게 모든 것을 담아 내는 그 아름다운 두 눈이 가늘게 웃음 지었다.

'루카와 추억이 생겼잖아요?'

벨라는 즐거워하며 말했다.

'루카와 지금껏 그리젤리에서 함께 지냈어도 늘 직무상의 일과만 함께했을 뿐, 이렇게 온종일 함께 무언가를 한다는 것은 처음이에요.'

'늘 함께했습니다만. 지금도 직무의 연장선입니다.'

그의 말에 벨라는 까르르 웃었다.

'지금까지 본 루카의 모습 중 지금이 제일 편해 보이는걸요.'

'제 머릿속은 무인도에서 하루빨리 탈출하는 것에 대한 생

각만 가득합니다. 편할 리 없습니다.'

'아니에요. 늘 겉늙은 사람처럼 딱딱하고 굳어 있었는데 요즘처럼 표정이 다양한 적은 처음이에요. 역시 휴양지 같은 아름다운 풍경은 루카스도 미소 짓게 하나 봐요.'

'제가 미소 지었습니까?'

'그럼요. 지금도 미소 짓고 있는걸요. 이렇게.'

벨라는 자신의 입가에 둥그런 호선을 손가락으로 그려 보였다. 자기도 모르는 사이 루카스는 자신의 입가를 더듬어 보았다.

'루카, 내 소원은요, 루카가 지금처럼 늘 웃는 거예요.'

그 말에 루카스는 억지로 어색한 미소를 지어 보였다.

'이런 표정을 원하시는 겁니까? 참고하겠습니다.'

벨라는 한사코 고개를 저었다.

'아니 아니, 사람 무섭게 하는 그런 미소 말고.'

벨라의 눈동자가 다시금 아름답게 빛나 보였다.

'모든 짐을 내려놓고 진심으로 편안해 보이는 모습으로 미소 짓는 얼굴을 보고 싶어요. 언제나.'

벨라는 뺨을 살짝 붉히면서 말을 덧붙였다.

'제 마음 설레게 하는 그런 미소요.'

루카스는 불어오는 바람을 느끼며 창가에 서 있었다.

단지 그녀의 후견인이라는 버거운 짐을 벗어났을 뿐인데, 그는 난파선처럼 어디로 가는지 모르고 표류해 가는 기분이 들었다.

품 안의 새는 서툴지만 날아올랐고 이제 자신만의 하늘을 향해 날아가는데, 자신은 발을 어디 둘지 모르고 떠다니는 것 같았다.

'그냥요. 루카 곁에 있는 게 좋아요.'

그녀의 눈동자를 바라보면 취하는 것 같았다.

벗어나고 싶다.

그 눈동자의 마력으로부터 벗어나고 싶다.

은혜를 베풀어 주신 다비드 후작님의 귀한 딸을 탐하는 배은망덕한 개 따위는 되고 싶지 않았다.

자신이 개가 아님을 증명하기 위해서는 그녀를 고귀한 집안에 시집 보내야 했다. 하루빨리.

언제나 어둠 속에 한쪽 발을 깊게 담그고 있는 듯한 느낌 속에서 살아온 그는 벨라가 자신의 어둠을 보길 바라지 않았다.

좋은 사람, 충직한 집사로만 보였으면.

감히 주제도 모르고 주인의 딸을 탐하는 어두운 욕망을 끄집어내기 전에 그녀를 더욱더 밝은 곳으로 인도할 깊은 책임감을 느꼈다.

자신의 어둠 따위는 감히 깃들지 못할, 눈부시게 밝은 자리가 그녀가 본래 가야 할 자리일 것이다.

루카스의 눈빛이 어둡게 물들었다.

끊어 내야 한다고 몇 번이고 혼자 중얼거려 보았다. 이쯤 심하게 마음이 흔들린다면 집사직을 벗어던지고 떠나야 하는 것이 맞았다. 그녀의 곁에서 한 발짝 물러서자마자 실은 그녀의 모든 모습이 그의 눈 안에 각인되어 있었다는 사실을 뒤늦게 깨달았다.

시선 돌리는 곳곳마다 벨라가 깃들어 있었다. 목구멍까지 그만두겠노라고 기어오르는 그 말을 쓰디쓰게 꿀꺽 삼켰다.

집사를 그만두어야 한다는 것을 아는데, 웬일인지 그것까지 끊어 내기가 힘겨웠다.

'나약해.'

그는 마른침을 삼켰다.

그 자신은 한없이 나약한 인간이었다. 자신이 왜 쓸모 있는지도 모르고 쓸모가 굳이 있어야 할지도 모르겠다. 그러니 더더욱 떠나야 하는데 떠나지 못했다.

특히나 황태자가 저리도 적극적으로 호감을 보이는 상태라면 오히려 황태자에게 가라고 등 떠밀어야 맞는 것이었다.

'나는요, 루카가 행복했으면 좋겠어요.'

그녀가 그런 말을 할 때마다 돌아서서 오래도록 여운이 남는 것은 대체 무슨 이유일까.

'지금은 꽃이 아니어도 좋아라.'

누가 처음 사용한 말인지는 모르겠다.

하지만 벨라가 그토록 사랑하던 그리젤리의 화단에 올망졸망하니 맺힌 봄꽃의 꽃망울을 보며 흥얼거리던 그 말이 아직도 루카스의 가슴에는 선명했다.

현명하다거나 천부적인 재능 따위는 없지만, 누구보다 열심히 노력하는 사람이었다.

그 향에 걸맞은 어른으로 자라나 있었다.

지배자는 모든 재능을 가질 필요가 없다.
재능 있는 사람을 데려다 바르게 쓸 줄 알면 그것이 지배자 최고의 재능이었다.
다만 그 재능 있는 사람이 지배자를 얕잡아 보고 머리 위로 기어오르려 할 때 따끔하게 끌어내릴 수 있는 능력이 필요했다.
벨라는 이제 시험대에 오른 셈이었다.
'지금은 꽃이 아니어도 좋아라.'
언젠가 만개할 꽃이 그 날을 기다리며 행복하게 커 가고 있다. 그리고 꽃피어 가고 있다.
그의 일상 모두가 벨라만을 위해 맞춰져 있었다.
벨라가 없는 지금, 그의 모든 것은 제자리를 잃고 혼돈 속에 빠져 있었다.
더 이상 새벽같이 일어나야 할 필요도 없다.
포르위네 성의 실무를 떠맡아야 할 필요도 없고, 그리젤리의 살림살이를 책임져야 할 필요도 없었다.
그녀의 아침 식사부터 잠자리까지 그 모든 과정을 신경 쓸 필요도 없다.
그는 아침에 눈을 떠 할 일이 모조리 사라졌다는 사실에 적응하지 못하고 있었다.
벨라. 벨라. 벨라.
그 흔한 취미 하나 없었고, 굳이 마음 둬야 할 물건 하나 없었다.
벨라를 삶에서 빼고 나니 아무 할 일이 없어진 자신을 발견해 버렸다.

마치, 번데기에서 나비가 태어나 날아오른 후 남은 번데기 껍질처럼 거죽만 남아 텅 빈 그 허전함을 견디기 힘들었다.

그의 삶에서 가장 빛나는 알맹이였던 벨라.

다시 기침이 나왔다. 찬바람을 쐬자 열도 다시 오르는 것 같은 기분이 들었다.

루카스는 서둘러 창을 닫았다.

똑똑.

노크 소리에 고개를 들었다. 벨라의 주치의인 피터 브라운 박사였다.

"무슨 일이십니까?"

목소리 끝이 갈라지며 참았던 기침이 터져 나왔다.

"후작님께서 보내셨지. 무슨 일 없어도 가서 상태를 지켜봐 달라 하셨네."

"괜찮습니다. 가 보십시오."

루카스의 말에도 그는 기어코 문을 열고 안으로 들어왔다.

"괜찮지 않네. 또 진료를 거부하면 후작님이 날 책망하실 걸세."

청진기를 꺼내는 그에게 루카스가 말했다.

"진료를 거부하는 것이 아니라, 후작님의 주치의가 절 치료하는 것이 옳지 않다는 말입니다. 항상 후작님의 주변에 대기하고 있다가 만에 하나라도 이상이 생기면 뛰어드셔야 할 분께서 사사로이 저를 치료하시는 것은 이치에 맞지 않습니다."

그는 루카스를 침대로 도로 밀어 넣으며 청진기를 귀에 끼웠다.

“원칙은 그러하나 후작님께서 보통 건강하셔야 말이지. 그래서 내가 할 일이 도통 없네.”

“앞으로는 개인적으로 의사를 따로 부르겠습니다. 늘 후작님의 가까이에 계셔 주십시오.”

그 말을 하며 루카스는 다시 쿨럭였다.

“이 사람도 참 고집은……!”

피터 브라운 박사는 혀를 찼다.

“비상 소집이라니! 무슨 일이지?”

벨라는 모든 귀족이 빠짐없이 의회에 참석하라는 급한 전갈을 받고 황궁으로 가는 중이었다.

심지어 마차로 여유롭게 몇 월 며칠까지 오라는 것도 아니고 가장 빠른 말을 타고 최대한 빠르게 오라니!

후작이 된 이후 처음으로 소집하는 비상 대책 회의에 참석하자 각 공작가, 후작가와 핵심 요직에 있는 백작들까지 모두 얼굴을 볼 수 있었다. 슈르츠 공작이 회의 진행을 맡아 연단에 서 있었다. 벨라는 아버지의 글을 떠올리며 잠시 그의 모습을 살펴보았다.

콜레트 고모할머니의 남편이자 노회한 정치가.

예민하게 보이는 인상이었지만 그렇다고 딱히 악역을 맡을 필요도 이유도 없어 보이는 인물이었다.

아직 아비지의 기록물도 다 읽지 못해서 뭐라 말할 수 없었다. 아마도 할아버지의 기록물도 찾아서 다 읽어 본 후에나 전체를 짐작할 수 있을 것 같았다.

벨라가 긴급 회의를 진행하는 슈르츠 공작을 쳐다보는 사이 리체는 그녀에게 필요한 문건을 챙겨 주었다.

"알레바인 공작가에서는 또 불참? 공국으로 독립할 속셈도 아니고 제국의 연방이면서 왜 매번 불참이야?"

"티프리스 후작가와의 불화 때문이라는 설이 유력하지?"

아직 황제가 도착하기 전 어수선한 분위기에서 벨라는 조용히 주변을 살펴보았다. 슈르츠 공작 뒤에는 그란첼 백작이 서서 그에게 뭐라고 속삭이는 모습이 보였다. 벨라는 미간을 찡그렸다. 그란첼 백작가가 자플란 남작을 앞에 세워두고 뒤에서 사채로 벌어들이는 자금이 엄청나다는 것을 떠올리자 그와 대화 나누는 모든 사람이 다 수상쩍게 보였다.

"기관 단총?"

옆자리에서 작게 속삭이는 소리가 들렸다.

"기관 단총이 뭡니까?"

"말 그대로 탄환을 쉴 새 없이 발사하는 총이라고 하더군요."

벨라는 그쪽을 힐끔 쳐다보았다. 친한 귀족들끼리 들릴 듯 말 듯 속닥거리는 소리가 엿듣지 않으려 해도 귀에 쏙쏙 들어왔다.

"플란네르의 수도까지 점령하기 직전이라고 하지 않았습

니까?"

"그랬었죠. 궤멸 상태에 이르렀으니까."

"제깟 놈들이 우리 제국군의 힘을 감히 버텨 낼 수 있겠습니까?"

"아닙니다. 기관 단총이란 물건으로 순식간에 전세 역전을 해 버렸다더군요. 그래서 지금 이 비상 의회가 소집된 거 아니겠습니까?"

"마르쿠스 놈이 회복 불가의 치명상을 입었다는 소문이 있었는데 다 유언비어였던 겁니까?"

"그건 맞을 거라고 하네요. 그 뒤를 이어 곧바로 티베리란 자가 재상이 되었는데 그놈이 그 기관 단총을 전면 도입해서 순식간에 전세 역전을 했다지 뭡니까?"

"그 사실을 어찌 아신 겁니까?"

"수도 점령 작전에 참여했다가 도망친 패잔병이 제 사돈댁의 친한 친구분의 가신이라고 하더군요. 저도 건너 건너 들었습니다."

벨라의 귀가 쫑긋해졌다.

기관 단총?

그것은 과거의 삶에서 칼리아스 황태자가 플란네르의 개량된 후장식 소총 부대에 의해 죽은 후 고전을 면치 못하던 페로하트 측에서 개발한 신무기였다. 그런데 그것을 이번에는 플란네르에서 개발해서 사용한다니 듣고도 믿을 수가 없었다.

'그걸 왜 플란네르에서 개발했지? 무슨 수로?'

고개를 갸웃거리다가 머릿속을 스쳐 가는 인물이 있었다.

아!!

벨라는 순간 외마디 감탄사를 내질렀다.

벤자민이 티베리 편에 붙어서 조언했다면 충분히 가능한 일이었다.

'그러면 다음 순서는 독가스, 폭탄, 잠수함인가?'

벨라는 입술을 깨물었다.

절대로 세상에 발명되지 않기를 바랐던 그 물건들이 벤자민에 의해 시대를 앞당겨 만들어질지 모른다는 생각에 벨라는 등골이 서늘해졌다.

벤자민도 서른 살까지의 기억을 가지고 죽었으므로 각종 무기가 어찌 도입되었는지를 잘 알지도 모른다.

"안 돼!"

벨라는 저도 모르게 주먹을 움켜쥐고 소리를 질렀다. 시끄럽던 의회 안이 일시에 조용해지며 모두의 이목이 벨라에게 쏠렸다.

벤자민은 충분히 그러고도 남을 인간이었다.

'신은 왜 벤자민 같은 놈을 회귀시켜 주셨을까?'

'아무리 삶을 고쳐 살아도 지독하게 이기적인 인간에게 삶을 돌이켜 바르게 다시 나아갈 기회란 없는 걸까?'

'그놈이 회개하기까지 얼마나 더 많은 사람이 희생되어야 하는가?'

'미래에 죄지을 게 뻔한 인간을 아직 죄를 짓지 않은 지금 상황에서 제거해 버리는 것이 과연 옳은 일인가, 나쁜 일인가.'

벨라는 온통 혼란스러워지는 머릿속을 정리하기 위해 눈

을 감았다.
죄지을 게 뻔해서 미리 제거해야 한다면, 미련한 삶을 살았던 과거의 자신은 과연 죄짓지 않아서 회귀한 것인가.
그 누구도 대답해 줄 수 없는 질문에 벨라는 그저 조용히 흐르는 생각들을 들여다볼 뿐이었다.
이럴 때 아버지라면 무슨 대답을 해 주셨을까.
아버지라면 '일단 지켜보자.'라며 씁쓸한 미소를 지으셨을 거다. 물러 터진 사람이란 소리를 들으면서도.
루카스라면? 그건 잘 모르겠다.
'그 사람 속은 나도 잘 몰라.'
그럼 나의 대답은?
벨라는 곰곰이 생각해 보았다.
'아냐. 이건 그놈을 해치우지 못한 내 탓은 아니야. 그놈이 나쁜 거지 내가 그놈의 나쁜 짓에 책임감을 가지고 해치워야 한다, 만다 판단할 일은 아니야.'
벨라는 눈빛을 날카롭게 반짝였다.
'나도 아빠처럼 일단 지켜보자고 말하게 되겠지. 다만 놈의 다음 수가 살상용 무기의 개량 작업인 게 뻔한 만큼 내가 할 수 있는 최선이 뭔지 찾아보는 거야. 시대의 흐름은 정해져 있어. 단지 그놈이 더 빨리 흐르게 만들었을 뿐.'
이럴 때, 선조의 기억이 담긴 자료가 있다는 것은 참으로 고마운 일이었다.
일찍 돌아가신 아빠의 기억이 글로 남아 있었지만, 그 전에 돌아가신 할아버지 토레스 후작의 기억도 벨라에게 고스란히 전해져 도움이 될 수 있으니 말이다.

벨라는 황제가 입장하고 슈르츠 공작이 비상 회의를 진행하는 모습을 가만히 지켜보았다.

황제가 모두의 엄숙한 경례를 받으며 입장했다. 그리고 가장 높은 자리에 앉자 슈르츠 공작은 긴급 소집의 이유에 대해 황제를 대신하여 말했다.

"아시다시피, 오늘의 회의는 플란네르의 기관 단총 때문이기도 하지만, 가장 중요한 이유는 동맹의 이탈 때문입니다. 지금 제국은 크나큰 배신 앞에 놓여 있습니다. 그간 우방이었던 여러 나라가 그 총구를 페로하트로 돌렸단 말입니다. 이에 대처하기 위해 여러분 모두를 이 자리에 모이게 한 것입니다."

벨라는 입술을 깨물었다.

과거의 기억에서 벨라는 서서히 쇠락하던 제국의 모습을 떠올렸다. 왜 귀족들이 몰락하고, 화폐 가치가 떨어지고, 사람들이 병들어 갔는지 당시에는 이유를 몰랐다.

플란네르는 주변국과 차근차근 비밀 동맹을 맺으며 제국에 반기를 들 준비를 해 왔다.

그것을 10년 후에 깨닫고 세계적인 전쟁으로 확전되려는 찰나 벨라는 화이트포럼 다리에서 뛰어내려 회귀를 하게 되었다.

이젠 그 일을 벌써부터 겪게 될 운명에 놓였다.

운명.

벨라는 그 말이 싫었다.

세상이 어느 방향으로 흘러가는지 한 개인은 잘 모른다.

하지만 그 흐름에 떠밀려 몰락하고 더러는 출세하고, 세상은 쓰레기통이라 말하면서도, 그 사이서 장미 한 송이가 피어오르길 꿈꾼다.

미래를 알고 있어도 세상의 흐름을 바꾸지 못했다.

'정신을 더욱더 바짝 차려야 한다.'

입술을 질끈 깨물며 벨라는 마지막으로 본 신문 기사 속 세상이 다시 펼쳐지지 않기만을 바랐다. 아니, 펼쳐지지 않게 만들기로 결심했다.

회의장에서 지지부진하게 격전이 오갔지만, 벨라는 비밀 협약을 떠올렸다. 여기서 주변국들을 회유할 방법을 논의해 봤자 결국 주변국들은 플란네르의 편을 들 것이란 결과를 잘 알고 있었다. 그렇다고 여기서 그 말을 꺼내기엔 증거가 없어서 괜한 말싸움에 휘말릴까 봐 팔짱 끼고 지켜보았다.

페로하트의 국력이 바닥날 때까지 이들은 계속해서 말싸움만 할 거였다.

헐레벌떡 하이아드 백작이 회의장에 들어왔다. 국방 장관의 지각에 황제의 눈초리가 당장 목이라도 벨 듯 험악했다. 하이아드 백작은 눈치를 보며 자기 자리로 찾아들어 갔다. 그 모습을 보며 벨라는 의미심장한 미소를 지었다.

"캐서린은 지금 뭐 하고 있지?"

하이아드 백작 부인이 하녀에게 물었다.

"침대에 누워 계시던걸요?"

하이아드 백작 부인은 곧장 딸의 방으로 가서 방문을 벌컥 열었다. 그리고 침대에 딸이 누워 있는지 이불을 홱 들춰 보았다. 자고 있던 캐서린이 눈을 번쩍 떴다.

"아, 미안하구나. 난 또 네가 자는 척하고 도망이라도 갔을까 봐."

딸이 없을 거라 생각했던 하이아드 백작 부인은 민망했는지 얼굴을 붉히며 그녀에게 이불을 다시 덮어 주었다.

"임신했더니 자꾸 졸음이 쏟아지네요. 조용히 자고 싶어요."

캐시의 말에 하이아드 백작 부인은 고개를 끄덕이며 그 자리에서 물러섰다. 그러고는 하녀에게 단단히 일러 두었다.

"결코 캐시를 혼자 두지 말아라. 언제든 도망갈 수 있으니까."

백작 부인이 사라진 후, 캐시는 눈빛이 싹 바뀌었다.

"민디, 그러니까 지금 카라가 어디 있다고?"

하녀는 캐시의 눈치를 보며 머뭇거렸다.

"저는 아무것도 몰라요. 그리고 주인마님이 아시면 저 큰일 나요."

캐시는 싱긋 웃었다.

"우리 어머니가 무서워, 내가 무서워?"

민디는 쩔쩔매며 자꾸만 그녀의 시선을 피했다.

"네가 서재의 장식품을 슬금슬금 팔아먹은 거 지금이라도 어머니께 가서 말씀드릴까?"

그 말에 민디는 주저하다가 작은 소리로 속삭였다.

"저…… 저는 잘 모르는데요, 그런 일은 주로 체이스 씨가 하시는 거 같더라고 해요."

그 이야기를 하는 창가 위의 지붕엔 라울린이 몸을 숨기고 그 대화를 듣고 있었다.

그간 캐시와 밀회를 하느라 하이아드 저택 곳곳을 제집 드나들듯 다녔던 라울린이었다. 몰래 밤을 함께하고 그녀의 부모님에게 들키지 않으려고 지붕을 타던 생각이 나서 라울린은 혼자 너털웃음을 지었다.

체이스라는 자는 라울린도 잘 알고 있었다. 주로 남들에게 공개되어서는 안 될 지저분한 일들을 처리해 주는 자였다.

벨라가 한 말이 떠올랐다.

'캐시를 집으로 돌려보내고 증거를 확보해. 아마 밖에서 아이를 찾으려고 하는 것보다 내부 정보를 아는 것이 더 유리할 거야.'

하이아드 백작은 훗날 적국에게 유리한 조건의 협약을 해주고 망명하게 될 거라고 했다.

'그런 것은 하루아침에 일어나는 일이 아니니까 서재라든가 비밀스러운 곳을 파 봐. 하이아드 백작저에도 비밀 통로 같은 게 있을 거고 뒤를 밟다 보면 적국과의 연결 고리가 나오게 되어 있어. 그리고 내가 말한 협상 카드 잊지 마. 그걸로 카라를 찾아. 필요한 돈과 인력은 내가 지원해 줄게.'

라울린은 기사단장 대리가 성은 안 지키고 하이아드 백작저를 염탐해야 하는 것에 찔리는 기분이 들었지만, 그렇다고 다른 사람에게 선불리 맡길 수가 없는 일이어서 자신의 대역을 맡은 미키에게 미안한 마음이 들었다.

그의 밑바닥 과거를 지워 주는 대가로 하이아드 백작의 더러운 일을 맡아 주었던 옛일이 흉터처럼 돋아 올라왔다.

차마 벨라에게도 하지 못한 말, 그리고 캐시가 알면 실망할 그 말, 카라를 찾고 나면 둘에게 솔직히 털어놓을 생각이었다.

'정말로 아가씨는 회귀하신 건가……? 하이아드 백작이 그란첼 백작과 깊은 연관이 있다는 것을 말씀드려야 하나? 적국에게 유리한 조건의 협약을 해 주고 망명하게 될 거라니……. 내가 아는 하이아드 백작이라면 충분히 그럴 만한 사람이지만.'

국방 장관이라는 자의 실체를 아는 라울린은 쓰디쓴 웃음을 지었다.

미키는 라울린의 부탁으로 라울린 대신 서류에 서명해 주고, 그의 명령인 척 아랫사람들에게 지시하는 등의 일을 해 주었다. 그리고 라울린 대신 라울린의 방에서 매일같이 불을 켰다 끄고 사람이 있는 척 대신 잠을 자고 나왔다.

"대장은 이 바쁜 시기에 자꾸 자리를 비우는 거야? 자리를 비울 거면 비운다 말하고 가도 되잖아? 왜 없는데 있는 척하라고 해? 귀찮게시리."

미키는 투덜거리며 라울린의 방에 들어와 고단했던 일과를 마무리했다. 땀에 절다 못해 굳은 양말은 그대로 돌돌 말아서 침대 밑에 던졌다.

깨끗하게 양치하고 세수하고 발 닦고 편한 러닝셔츠에 브리프 차림으로 벌렁 드러누웠다.

고린내가 어디선가 솔솔 났다. 고개를 돌려 보니 그간 그가 벗어서 던진 양말이 침대 밑에 쌓였더니 그것이 모여서 내는 향기가 강력했다.

미키는 머리를 벅벅 긁으며 대충 머리맡에서 떨어진 곳으로 양말을 쓱 밀었다.

"아무것도 하기 싫다."

자리를 비운 주제에 매일 체력 단련은 벅차게 하도록 훈련표를 짜 주고 간 라울린 때문에 농땡이도 부리지 못하고 온몸에 근육통이 일었다.

"신병 시절로 돌아간 거 같네. 으아, 허리야."

등만 침대에 갖다 대어도 곯아떨어질 것처럼 피곤했다.

그런데 이상하게 오늘따라 피곤한데 잠이 오지 않았다.

동물적인 감이었다.

어디선가 살기가 느껴지는 것 같았다. 베개 밑에는 권총이 있었고 침대 옆 협탁에는 그가 늘 지니고 다니는 장검이 놓여 있었다.

계속 쉽게 잠들지 못하고 뒤척이다가 아무 일 없자 결국엔 잠에 빠져들었다.

우당탕 콰당!

육중한 무언가가 넘어지는 소리가 났다. 본능적으로 미키는 그 소리가 난 쪽으로 권총을 쏘았다.

타앙!

한밤중을 날카롭게 가르는 권총 소리에 병사들은 자다가 벌떡 일어났다. 벨라도 자다가 깜짝 놀라 일어났다.

포르위네 성안은 큰 소동이 일었고 무슨 일인지 파악하기 위해 벨라는 커다란 숄을 두른 채 방 밖으로 고개를 내밀었다.

"무슨 일이지?"

벨라의 호위를 맡은 제스로가 가장 먼저 마주친 자에게 묻자 그는 수상한 자의 침입을 전했다.

"한 명은 사살했고 나머지 도주자는 추적 중입니다."

벨라는 눈을 크게 떴다.

"성의 경비에 빈틈이 있었던 걸까?"

순간 벨라를 향해 달려온 사람이 있었다.

루카스였다.

그는 숨도 제대로 쉬지 못할 만큼 다급하게 달려오더니 벨라의 안전을 확인하자마자 휘청하며 벽을 짚었다.

"루카! 괜찮아요?"

벨라는 루카스를 향해 다가갔다. 그는 숨이 너무 차서 말을 쉽게 꺼내지 못했다. 그러고 보니 잠옷 바람이었다. 벨라는 그 모습을 보고 피식 웃었다.

"루카 머리카락 뻗친 거 처음 봐요. 신기하다. 루카도 머리카락이 뻗치는구나."

그는 대답 대신 헐떡이다가 이내 기침을 했다.

"아직도 감기가 다 낫지 않았어요?"

루카스는 그녀에게 감기가 옮을까 봐 고개를 돌리고는 간신히 말을 꺼냈다.

"후작님, 암살 기도…… 입니까?"

헉헉거리며 그가 말하자 벨라는 웃으며 고개를 저었다.

"몰라요. 자세한 것은 추격전이 끝나면 알겠죠. 그나저나 웬일이에요? 여기까지 거리가 꽤 멀었을 텐데."

루카스는 짙은 눈썹을 찡그리더니 숨을 돌린 후 입을 열었다.

"그게 문젭니까? 후작님의 안위가 중요한데."

벨라는 자꾸만 눈에 띄는 그의 뻗친 머리카락에 웃음을 멈출 수가 없었다.

"이 상황에 웃음이 나옵니까?"

루카스는 정색하며 말했다. 벨라는 그 보라빛 눈동자에 환한 미소를 띠었다.

"루카에게 내가 소중한 사람이란 생각이 들어서 웃음이 나와요."

그녀의 말에 루카스는 눈을 찌푸렸다.

"소중하지 그럼 소중하지 않겠습니까?"

"후견인 업무를 끝마치고 집사로서 조용히 살아가겠다더니, 루카가 제게 제일 먼저 달려와 준 사람인 거 알아요?"

벨라는 기쁜 표정을 지었다.

"아가씨께 언제든 제일 먼저 달려오는 것은 당연한 것 아닙니까?"

루카스의 퉁명스러운 대답에 벨라는 웃으며 말했다.

"그럼 보좌관 맡아 주는 거죠?"

"아가씨에 대한 암살 시도일지도 모르는데 지금 그게 중요합니까?"

루카스답지 않게 목소리에 짜증스러운 기색이 살짝 엿보였다. 그것을 본인도 깨달았는지 말을 내뱉은 후 안색이 약간 변했다.

"거봐요. 이 성에서 나를 가장 걱정해 주는 것은 루카인걸. 그러니까 루카, 항상 내 곁에 있어 줘요."

벨라는 루카의 손을 잡아 끌어당겼다. 루카스는 불에 덴 듯 그 손을 순식간에 뒤로 뺐다.

잠시 둘 사이에 어색한 공기가 흘렀다.

"괴한들을 모두 처리했습니다. 침입자는 총 네 명이고 그중 두 명은 달아나다가 독극물을 먹고 자결했습니다."

기사 한 명이 달려와 벨라에게 보고했다.

또다.

포르위네로 돌아온 지 얼마나 되었다고 똑같은 패턴의 암살 시도가 발생했다.

"직접 얼굴을 보고 확인하게 해 주십시오."

루카스의 말에 벨라는 대답했다.

"집사로서 확인하게요?"

그저 집안일을 총괄하는 집사로서는 들여다볼 권한이 없다는 표현이었다.

어색한 침묵이 짧게 지나간 후 루카스는 대답했다.

"후작님의 주변이 안정될 때까지 보좌관직을 받아들이겠습니다. 당분간만."

벨라는 활짝 웃으며 루카스에게 악수를 청했다.

"좋아요, 루카! 우리 잘해 봐요!"

"후작님, 지금 그렇게 웃을 때가 아닙니다."

루카스의 말에 벨라는 여전히 웃으면서 손을 내밀고 있을 뿐이었다.

"이럴 줄 알면서 내 곁에서 멀리 떠난 건 루카잖아요. 잘못했죠?"

루카스는 망설이다가 벨라가 내미는 손을 잡고 조심스레 악수했다. 그의 손안에 쏙 들어오는 그녀의 손의 촉감이 낯설게 느껴졌다. 하지만 그 손을 놓을 수 없었다.

그녀와 선을 긋고 외면하려고 하는 시간이 얼마나 고문 같은 것이었는지 깨달은 그는 벨라의 곁에 있을 수밖에 없었다.

그것은 선택 사항이 아니라 주어진 운명이었다.

'당신은 내 삶의 의미 자체이니까.'

루카스는 조용히 눈을 감았다.

사고 수습을 하다 말고 잠시 외출했던 라울린이 돌아온 것은 그날 저녁 무렵이었다.

기사단장 대리 역을 맡았다가 밀려난 게스톤은 새 대리자가 무책임하다며 불만을 터뜨렸다. 하지만 그는 게스톤은 안중에도 없다는 듯 지나쳐 웬 남자를 끌고 왔다. 말이 끌려온 것이지 제 발로 걸어 들어온 그 남자는 자신의 무리를 데리고 와서는 팔짱을 끼고 삐딱하게 소파에 앉았다.

라울린은 사무실 밖을 지나가는 미키를 보고 잠시 옆방으로 불러들였다. 기사들이 모여서 쉬는 휴게실 같은 곳이었다.

"미키, 그러니까 그놈들을 어떻게 잡았지? 다시 말해 봐."

라울린의 말에 미키는 분통을 터뜨렸다.

"대장 대신 제가 죽을 뻔했는데 사과부터 하셔야 하는 거 아닙니까? 미리 귀띔을 해 줬어야죠!"

라울린은 큰 소리로 웃으며 미키의 등을 툭 쳤다.

"죽으면 내 부하 자격 없는 거지. 당연한 거 아냐? 이 정도도 처리 못 하고."

"대장!"

미키가 발끈했다.

"그러니까, 놈들이 네 양말을 밟고 미끄러져서 기척을 알았다고?"

"몇 번을 말합니까? 양말이 절 살렸다니까요!"

"네 양말이 언젠가 사람 하나 죽일 줄 알았더니 결국 죽이긴 죽였네."

라울린의 말에 미키의 발 냄새를 아는 다른 기사들이 킥킥거렸다.

"놈들의 시체는 어딨어?"

"독 성분 분석한다고 버틀러 경이 실험실로 가져갔습니다."

미키는 샐쭉한 눈으로 라울린을 째려보았다.

"대장, 실은 이럴 줄 알고 그랬습니까? 진짜입니까?"

라울린은 미키를 달랬다.

"추측이었어. 결코 너를 곤란하게 할 작정은 아니었는데 마침 내가 자리를 비운 사이 일이 생겼을 뿐이다. 전에 내가 한 말, 기억하나?"

미키는 무슨 말인지 몰라 고개를 갸웃했다.

"포르위네에 자객이 자꾸 드나든 이유 말야. 나는 아무래도 카스웰 단장님이 돕지 않으면 그들이 들어올 수가 없다고 말했지 않나? 그런데 내가 이 방을 쓰게 되자마자 이런 일이 발생하다니."

그 말에 미키와 다른 기사들의 표정이 일시에 굳었다.

"이건, 카스웰 단장님과 자객들 사이에 실제로 모종의 거래가 존재한다는 뜻이다. 그리고 이 비밀 통로는 대대로 아르티드가의 가주가 단명했던 이유일 것이다."

그렇게 말한 후 라울린은 다시 자신의 사무실로 돌아갔다.

라울린은 얌전히 앉혀 둔 그 남자의 어깨에 손을 얹으며 말했다.

"다시 한번 말하지만, 니힐, 체이스 어디 있어?"

니힐이란 사람은 고개를 절레절레 저었다.

"몇 번을 말해. 체이스 못 본 지 꽤 됐다고 말야."

"동업하는 사이잖나. 동업자가 어디 갔는지도 모르는 게 말이 돼?"

“말도 안 되는 누명 뒤집어쓰자고 순순히 따라온 줄 알아?”

그의 말에 라울린은 눈을 갸름하게 떴다.

“실은 나도 네놈이 쉽게 말해 줄 거라 생각 안 해. 하지만 시체 몇 구 보고 네 쪽 사람인지 확인해 줄 수는 있지 않나? 확인만 해 주면 책임 여부는 묻지도 않을 거고, 그 사건은 내 머릿속에서 지워 줄게.”

상대는 눈빛이 잠시 흔들렸지만 이내 무관심한 표정을 지었다.

“거참, 어느 나라 말인지 못 알아듣겠군.”

라울린은 그의 맞은편 소파에 털썩 앉더니 신경 쓰인다는 듯 턱을 손끝으로 문질렀다. 그러더니 그의 눈빛이 날카롭게 빛났다.

“정 체이스를 감싸겠다면 내가 가진 패를 확 까발릴까 보다.”

라울린의 말에 니힐은 당장 그 자리서 벨 듯한 살기를 뿜었다.

“그거 건드리면 너도 날아가. 미치지 않은 이상에야 너도 그건 못 건드려.”

“어쩌지? 난 그것도 필요하다면 터뜨릴 각오가 되어 있는데? 물론 나도 크게 한 방 먹겠지만 그래도 든든한 뒷배가 있어서 사형은 면할 거야. 그러다가 사면될 수도 있고. 하지만 너는?”

라울린은 엷은 비소를 띠며 그를 쳐다보았다. 그러자 그는 지지 않겠다는 듯 웃어 보이며 말했다.

“흐흐, 사형을 면하는 게 문제가 아니고, 그 날로 네놈은 영원한 도망자가 될 것이다. 나 같으면 차라리 죽었으면 죽었지 그 패는 안 건드려."

"그렇군."

라울린은 피식 웃었다.

"옛정을 생각해서 충고해 준 거다. 새겨들어."

니힐은 여전히 차가운 눈빛으로 라울린을 노려보았다.

"너도 카스웰처럼 보고도 못 본 척해. 그게 이로울 거다. 이쯤 눈치를 줬으면 만족하나?"

그 말을 하며 니힐은 소파에서 일어섰다.

"다시는 바쁜 사람 오라 가라 하지 마라."

아무래도 라울린은 자신의 희미한 예감이 맞을 거라는 확신이 들기 시작했다.

아버지의 비밀 금고는 이 그림 뒤에 있는 것이 분명했다. 다른 그림들은 그대로인데 이 그림만 액자 옆면의 금칠이 벗겨졌다. 손가락이 닿는 부위라서 벗겨진 거라 추측했다.

캐시는 깊은 한숨을 내쉬었다. 라울린을 찾아 포르위네행을 결심한 직후의 기억이 새록새록 되살아났다.

'그리젤리로 배정받게 해 달라고?'

포르위네 성의 책임자 에이든 엘 카스웰 기사단장이 말했다.

'네.'

그녀의 대답에 카스웰 단장의 눈빛도 반짝였다.

'그러면 내 제안을 받아들이는 건가?'

캐시는 조용히 고개를 숙였다.

'그리하겠습니다.'

'그렇다면 주기적으로 보고해 주게. 그리젤리 내부 사정이 어떻게 돌아가는지 말이야.'

에이든 엘 카스웰은 흐뭇한 표정을 지었다.

'한 가지만 약속해 주세요.'

캐시는 조용히 그의 입을 쳐다보았다.

'라울린만은 건드리지 마세요. 다른 사람은 어찌 되어도 상관없으니 라울린의 안전만은 보장해 주세요.'

'그리하도록 하지.'

그랬던 그가 감히 라울린을 총알받이로 앞세웠다.

원래대로라면 군대에 차출될 사람 중에 라울린의 이름은 없어야 했다. 그런데 약속을 어기고 그를 오르티우스 요새 탈환전 최전방에 투입시켰다. 정작 디노르센 지역에서 전쟁이 벌어지지 않아 살아남았다지만 괘씸하기가 이루 말할 수 없었다.

그동안 카스웰의 눈과 귀 노릇을 해 왔다는 사실을 라울린이 알면 뭐라고 할까?

아르티드 후작의 도움을 받을 자격이 내게 있긴 한 걸까?

비밀 금고 앞에서 캐시는 심호흡을 했다.

아버지의 치부가 들어 있을 텐데 이것을 자기 손으로 끄집어내는 것이 옳은지 알 수 없었다.

캐시는 라울린이 한 말을 떠올렸다.

'잘 들어, 캐시. 믿을 수 없겠지만 아르티드 후작가는 대대로 마도사의 혈통을 지니고 태어나서 우리 같은 일반인들과는 다른 무언가가 있어. 벨라 아가씨를 믿어. 이 일은 당신 아버지를 배신하는 일이 아니고 돌이킬 수 없는 잘못을 하기 전에 그것을 막는 거다.'

정말일까?

금고를 열려고 하는 캐시의 손끝이 떨렸다.

'내가 당신은 믿지만 아직까지는 아르티드 후작가의 사람은 아니야. 그런 내가 지금 하려는 이 선택이 과연 옳은 걸까? 아버지가 원망스럽기는 하지만 그렇다고 미운 것은 아니야. 라울린, 정말 이래도 되는 걸까?'

순간 복도에서 어수선한 소리가 들렸다.

"캐시가 사라졌어! 당장 찾아! 멍청한 민디가 일을 쳤어! 너는 이쪽을 찾아보고 너는 저쪽으로 가라."

아버지의 목소리가 들렸다.

젠장!

캐시는 급한 대로 아버지의 책상 아래에 숨었다.

화가 난 아버지의 목소리가 점점 가까워졌다.

"하나밖에 없는 딸이란 게 정신이 돌았는지 망신살을 어디까지 뻗치게 할 작정이야? 제 새끼 찾으려고 들어온 게 맞는 모양이군. 어쩐지 순순히 들어왔다 했어. 딕, 체이스한테 말해서 루신다에게 그 아이를 고아원에 버려 버리라고 전달해."

"어느 고아원요?"

"그런 것까지 알아서 정해 줘야 하나? 두 번 다시 찾지 않을 거니까 그 나라 고아원 아무 데나 가명으로 버리고 오라고 해! 제까짓 게 딴 나라 먼 타지에 버려 놓으면 무슨 수로 집을 찾으려고 하겠어? 영원히 찾지 못하게 기록도 지워 버려!"

아버지의 말에 캐시의 가슴이 덜컥 내려앉았다. 이미 카라는 제국에 없는 모양이었다.

체이스란 사람을 라울린이 찾지도 못했건만, 루신다라는 사람은 또 누구인지 알 수 없었다. 라울린이 구하러 와 준다고 했으니 그저 믿기로 했다.

캐시의 입술이 덜덜 떨렸다. 그 아이가 동생인 줄로만 알았지 제 딸이라고 믿지 않았다. 아이에게 장애가 있는 채로 태어난 줄 몰랐다. 동생의 장애이니 남 보듯 했다.

한 해에 한 집안에서 두 아이가 태어나면 그 한 아이가 다른 아이의 운을 모두 빨아 간다는 속설이 페로하트에는 있었다.

그녀의 어머니는 은연중에 카라를 구박하며 말했다.

'이게 재수가 없어서 남의 운까지 다 빨아 가 버렸네. 태어나려거든 멀쩡히나 태어나든가.'

마치 카라 때문에 캐시의 아이가 낳자마자 죽은 것처럼 탓하던 어머니의 말이 실은 다 꾸며 낸 말이었다는 사실을 깨달았을 때 얼마나 충격이 컸던가.

그 아이를 왜 사랑해 주지 못했나.

생각해 보면 너무나도 당연하게 그 아이는 내 아이임이 틀림없었는데.

달칵 소리와 함께 서재의 문이 열렸다. 그리고 하이아드 백작이 안으로 들어왔다. 큰일이었다. 캐시는 아버지의 눈에 띌까 봐 더욱더 몸을 움츠렸다.

"빌어먹을! 당장 황제 폐하께서 비상 회의를 소집하셔서 급해 죽겠는데, 체이스 놈은 일을 하는 거야, 마는 거야? 돈만 받아 처먹고 뒤처리가 이 지경이야! 이참에 그놈도 갈아치워 버려야겠어!"

"아가씨를 찾지 못했습니다."

보고하러 온 기사에게 하이아드 백작은 분노를 터뜨렸다.

"내가 서재에 들어갔을 때는 나올 때까지 아무도 들어오지 말라고 했을 텐데?"

발로 걷어차였는지 요란한 소리와 신음 소리가 들려왔다.

"온 지 얼마 안 되는 자여서 규칙을 잘 몰랐나 봅니다. 주의시키겠습니다."

딕 보좌관의 목소리가 들렸다.

"찾았다고 보고해도 열 받을 판에 찾지 못한 것을 무슨 보고라서 와서 하나! 그럴 시간에 빨리 찾아! 지체할 시간 없이 수도로 출발해야 한단 말이다!"

그러더니 보좌관에게 하이아드 백작이 말했다.

"딕, 체이스를 불러서 내 딸도 죽이라고 해."

"네?"

책상 아래서 듣고 있던 캐시는 놀라서 입을 틀어막았다.

"어떻게 따님을……!!"

딕의 말에 하이아드 백작이 으르렁거리듯 말했다.

"이미 그년의 탈선을 가리느라 돈도 수없이 깨졌고 명예도 깎였건만, 또 임신해서 기어들어 왔어. 이번엔 무슨 수를 써도 치욕을 덮을 방법이 없어. 그러느니 차라리 죽여서 애를 낳지 못하게 하는 것이 나아. 어차피 그 개새끼가 저택에 와서 난동 부린 것은 누구나 목격했으니까 체이스더러 죽여서 그놈이 벌인 치정극으로 꾸며 놓으라고 해. 그러면 꼴 보기 싫은 그 연놈들을 한 방에 해결할 수 있으니까. 그리고 체이스는 딴 놈 시켜서 죽여 버려. 그놈은 너무 많은 것을 알고 있으니까."

"꼭 그리 하셔야겠습니까?"

"하이아드 가문의 명예를 더럽히는 것보다 그게 나아. 딕, 출세하고 싶지 않나? 여기서 멈출 건가?"

캐시는 너무 놀라 숨조차 쉴 수 없었다.

아버지가 이런 사람이었다니.

하이아드 백작은 서둘러 자신의 비밀 금고에서 무언가를 꺼내더니 서둘러 나갔다.

"딕, 윌로우에게 내가 돌아올 때까지 뒤처리 제대로 해 놓으라 해. 윌로우를 체이스와 연결시켜 주고 최종 처리까지 맡겨. 나는 수도에 가느라 아무것도 몰랐던 거다. 알았지?"

"아…… 네……. 알겠습니다. 백작님."

캐시는 아버지와 보좌관 딕이 나가는 소리를 들으며 이를 악물었다.

더 이상의 죄책감은 들지 않았다. 그리고 다음 계획을 실행하기로 마음먹었다.

벨라는 기관 단총에 의해 순식간에 역전되어 버린 전쟁 상황에 제국의 원로원이 시끄러운 모습을 가만히 지켜보고 있다가 리체에게 속닥거렸다. 그리고 리체는 벨라에게 고개를 끄덕여 보인 후, 하이아드 백작의 측근에게 가서 귓가에 속삭였다.

그 측근은 듣자마자 안색이 변하더니 회의 진행 때문에 정신없는 하이아드 백작에게 다가가 조용히 다른 곳으로 불러내 말을 전했다.

"잠시 회의를 휴회하고 30분간의 휴식 시간을 갖겠습니다."

슈르츠 공작의 선언에 따라 긴박하던 회의가 잠시 중단되었다. 그사이 어둠의 기운을 팍팍 풍기며 하이아드 백작이 벨라 쪽으로 다가왔다.

하도 살벌해서 다가오는 것을 호위 기사 제스로가 막아섰다.

"무슨 일이십니까?"

하이아드 백작의 입가가 실룩거렸다.

"내 아들 어디 있어?"

벨라는 싱긋 웃어 보였다.

"감히 하이아드가의 후계자를 납치하고도 무사할 줄 아는가? 아무리 후작이어도 제국의 법률에 어긋나는 짓은 할 수 없다."

하이아드 백작은 협박하듯 으르렁거렸다. 그러나 벨라는

천연덕스럽게 대꾸했다.

“누나가 동생을 데려간 것도 납치인가요? 그건 하이아드 가의 가족끼리의 문제인 것 같은데. 누나가 왜 동생을 데려갔을까요? 그 이유를 혹시 아세요?”

벨라의 말에 하이아드 백작은 눈살을 찌푸렸다.

“아직 어려서 모르시나 본데 아르티드 후작, 나는 국방 장관이오. 나를 적으로 둬서 좋을 것은 없을 거외다.”

“제가 왜 하이아드 백작님의 적이죠?”

벨라는 여전히 싱글거렸다. 그 모습에 하이아드 백작은 더더욱 열 받았다.

“오늘부로 캐시는 내 딸이 아니오. 나는 그런 사람 만난 적도 없고 알지도 못할 것이오.”

“와, 캐서린 클라레이의 결혼식을 이제 축하해 주시는 건가요?”

벨라는 보라색 눈을 반짝이며 웃었다. 대조적으로 하이아드 백작의 얼굴은 힘줄이 불끈거렸다.

“기왕 인심 쓰는 김에 카라 클라레이가 가족의 품으로 돌아오는 데 힘 써주시죠? 그러면 혹시 아나요? 캐시가 마음을 풀게 될지?”

루신다라는 여자를 통해 허름한 수도원에 도착한 라울린

은 허둥지둥 아이들의 얼굴을 살폈다.

부랑자나 창녀의 아이들이 수용되어 있는 그 수도원은 한눈에 보아도 위생 상태가 매우 불량했다. 라울린은 지나가다 마주치는 아이들의 얼굴을 찾아 헤맸다.

카라의 얼굴에 있는 장애의 흔적이 이렇게 고마울 수가 없었다. 만약 카라에게 장애가 없었다면 아이를 찾는 것이 쉽지 않았을지도 모른다.

"내가 귀족들 부탁으로 많은 애를 처리해서 헷갈릴 수도 있어요. 그래도 그 경우는 기억이 또렷하게 나요. 장애가 있는 아이가 흔치 않으니까."

이곳에 버려진 아이들은 빠르게 입양되어 갔다. 범죄 조직과 사창가로. 카라는 장애 덕에 바꿔치기 할 수도 없었다.

아무리 빨리 달려온다고 달려왔지만, 제국 영토가 아닌 데다가 거리가 있어서 라울린과 캐시는 아이가 아무 데도 입양 가지 않았기를 빌고 또 빌었다. 둘은 간절한 마음으로 제각기 아이들의 얼굴을 하나하나 확인했다.

한숨을 쉬던 라울린의 눈에 저 멀리 울타리 쪽에 쭈그려 앉은 여자아이가 보였다. 머리를 빗겨 준 이가 없는 듯 산발을 한 그 아이는 벌꿀빛 금발 머리를 하고 있어서 라울린은 한걸음에 달려가 그 아이의 어깨를 잡아끌었다. 놀란 아이는 자신의 입가를 두 손으로 꼬옥 가리고 달아났다.

"잠깐만!"

라울린은 도망가는 아이의 허리를 낚아챘다. 공중으로 붕 들어 올려지는 아이의 무게가 새털처럼 가벼웠다. 놀란 아이는 눈을 크게 뜬 채 작은 새처럼 벌벌 떨었다. 그 와중에도 제 입을 가린 손을 놓지 않았다.

라울린은 그 손목을 잡고 얼굴에서 치우려고 애썼지만 아이는 필사적으로 저항을 했다. 힘을 주면 그 손을 치울 수도 있을 정도로 미미한 저항이었다. 하지만 라울린은 차마 그 손을 치우지 못했다. 그리고 아이를 힘없이 내려놓았다.

덩치 큰 어른이 고개 숙이고 하염없이 울었다. 아이를 찾지 못한 캐시는 라울린 쪽으로 고개를 돌렸다가 그 광경을 보았다. 저 멀리 라울린 앞에 서 있는 것은 카라가 맞았다. 캐시의 눈시울도 뜨거워졌다. 그리고 천천히 다가갔다.

라울린은 고개를 숙이고 우느라 아무 말도 하지 못했고 캐시도 목이 메어 감히 카라의 이름을 부르지 못했다.

먼저 입을 연 것은 카라였다.

"아빠…… 예요?"

그 작은 목소리에 라울린은 고개를 들었다. 그리고 대답 대신 아이를 끌어안았다. 카라는 라울린의 목을 끌어안아 주며 오히려 다독였다.

"아빠가 찾아와 줄 줄 알았어요."

체면이고 뭐고 그저 딸을 끌어안고 소리 없이 울던 라울린이 간신히 딸에게 속삭였다.

"미안해. 늦게 와서."

캐시도 눈물을 흘리며 다가왔다. 그리고 눈물의 부녀 상봉을 말없이 바라보았다. 카라와 캐시의 눈이 마주쳤다.

"카라."

캐시는 간신히 딸의 이름을 불렀다.
"실은 내가 언니가 아니라……."
"엄마인 거 알고 있었어요."
그 작은 아이가 또렷하게 말하는 것을 들으며 캐시는 귀를 의심했다.
"알고 있었다고?"
카라는 덤덤하게 고개를 끄덕였다.
"어떻게?"
못 믿겠다는 듯 눈을 크게 뜨는 캐시에게 카라는 차분하게 말했다.
"내가 엄마, 아빠를 부르면 두 분은 싫어하셨어요. 자고 있을 때 두 분이 하시는 이야기를 듣고 그분들이 엄마, 아빠가 아니라 할머니, 할아버지인 것을 알았어요."
아이가 그 이야기를 너무 담담하게 말해서 캐시의 눈에 그만 또다시 눈물이 차오르고 말았다.
"엄마를 엄마라고 부르고 싶었지만 어쩐지 그러면 할머니, 할아버지가 저를 내다 버릴 것 같았어요. 그래서 아무 말도 하지 않았어요."
그간 참았던 감정이 폭발해 펑펑 우는 캐시를 향해 카라는 그제야 코가 빨개지며 눈물을 머금었다.
"그래도 괜찮아요. 언니가 진짜 내 엄마가 맞으면 날 데리러 올 거라고 믿었어요. 그리고 날 찾으러 왔잖아요? 그러니까 울지 마요. 엄마."
카라가 마지막 단어 '엄마'라는 말을 힘주어 내뱉자 캐시가 다가와 셋이서 부둥켜안고 울었다.
"다시는 우리 헤어지지 말자."
그 말이 라울린이 간신히 할 수 있는 말이었다.

카라의 얼굴에 감겨 있던 붕대를 풀었다. 그동안 토끼처럼 갈라져 있어서 음식물 삼키는 것도 힘들어하던 카라였다. 그러나 이제는 그 열린 윗입술이 최소한 닫혀 있어서 먹고 마시는 데에는 이상이 없어 보였다. 얼굴은 아직 보기 흉했지만 제 입술을 더듬어 본 카라는 뛸 듯 기뻐했다.
"경과가 좋아서 다행이군."
피터 브라운 박사가 환하게 웃어 보였다.
"고맙습니다. 브라운 선생님."
캐시에게 뛰어가는 카라를 보며 라울린은 진심으로 감사하게 여겼다.
"아직 고마워하긴 일러. 회복 정도 봐 가면서 수술을 몇 번 더 해야 할 걸세."
"그래도 이런 수술이 가능하다는 이야기는 처음 들어 봤습니다. 이 자체로 기적입니다. 불치의 장애라고 생각했는데……. 수술비는 얼마입니까?"
라울린이 묻자 피터 브라운 박사는 손사래를 쳤다.
"벨라 아가씨……, 아니 후작님께서 전액 부담해 주신다고 하셨으니 신경 쓰지 말게."

"그래도 금액을 알아야 나중에 후작님께 갚기라도 할 것 아닙니까?"

라울린의 말에 브라운 박사는 눈을 흘겼다.

"마력석이 보통 비싼 물건인 줄 아나?"

"마력석까지 쓰셨습니까?"

라울린의 눈이 휘둥그레졌다.

"이 수술이 왜 지금까지 불가능하다고 여겨졌느냐면 마취를 할 수가 없어서였다네."

그럴 거면서 왜 물어봤냐는 듯 그는 껄껄 웃었다.

"다른 곳도 아니고 얼굴에 칼을 대야 하는데 현재 기술로는 고통 없이 수술할 방법이 없어. 나중에 의학이 더 발달하면 쉽게 마취할 방법이 생길지도 모르겠지만."

캐시는 기뻐하며 카라를 향해 두 팔을 벌리고 있었다. 그 모습을 보며 브라운 박사의 눈이 그윽해졌다.

"지금으로선 마력석 가루를 사용해야 이런 마취가 가능하다네. 귀족들도 쥐고 절대 팔지 않는 것이 마력석 아닌가. 시중에 나오기만 하면 부르는 게 값인데 그것도 이렇게 많은 양의 마력석 가루를 후작님께서 사용하게 해 주셔서 가능했지."

뭐라고 대답해야 할지 몰라 어물거리고 있는 라울린의 어깨를 두들기며 브라운 박사가 말했다.

"후작님께서 이후의 수술에 들어가는 마력석도 아낌없이 쓰라고 허락해 주셨다네. 그러니 걱정하지 말고 아이 잘 키우는 것에 신경 쓰게."

라울린은 목이 울컥하고 메어 더 이상 아무 말도 하지 못했다.

캐시에게 뛰어가 안긴 카라가 깔깔거리며 웃는 소리가 음악처럼 울려 퍼졌다.

14. 의무감으로

14. 의무감으로

겉은 수수해 보이지만 안은 내부 장식이며 마감재가 매우 값비싼 자재들로 치장된 기차역에서 내린 두 남성이 있었다. 한 명은 티베리, 다른 한 명은 벤자민이었다.

검문검색을 지나치다 싶을 정도로 세세하게 하는 출입구를 지나오는 동안 둘 다 익숙한 태도로 태연하게 과정을 치렀다.

기차역 밖으로 나왔을 때, 티베리는 벤자민을 힐끔 쳐다보며 눈웃음을 지었다.

"어찌하나 보려고 잠자코 있었습니다만, 칼데이라 공국에는 자주 와 보셨나 봅니다?"

벤자민 역시 피식 웃으며 대답했다.

"현실에서는 없습니다. 꿈속에서는 자주 와 보았죠."

"그 꿈 참 신기하군요. 왜 제게는 그런 꿈의 계시가 없는지 원."

티베리가 입가를 실룩이며 미소 짓자 벤자민은 고개를 까딱해 보였다.

"모두가 다 꾼다면 저만의 장점이 되지 못하겠지요. 어떻습니까? 이제 조금 저를 믿을 만하십니까?"

"그야, 그건 당신 하는 것을 봐서."

티베리는 그리 말하며 앞서 걸어 나갔다.

"과연, 릴리스 대공녀가 나를 만나 줄지 궁금해집니다."

그의 말에 벤자민은 뒤를 바짝 따라가며 대답했다.

"제 꿈속에서 당신은 릴리스 대공녀의 정부……, 아니 죄송합니다. 하여튼 릴리스 대공녀가 흠뻑 빠질 만한 존재였습니다. 사업 이야기는 관심이 없을지 몰라도 당신이란 존재에 대해서만큼은 외면할 수 없을 겁니다. 어차피 밑져야 본전 아니겠습니까."

티베리는 성큼성큼 앞서 걸었고 벤자민은 비굴한 표정으로 그의 뒤를 따랐다. 지금 그로서는 생명의 동아줄이 티베리였다. 그를 거쳐야 릴리스 대공녀 같은 거물급 인사가 자신을 만나 줄 확률이 올라갈 테니까.

"릴리스 대공녀란 사람이 그렇게 대단합니까?"

"아마도요?"

다소 불확실한 벤자민의 말에 티베리는 피식 웃었다.

"본인도 확답할 수 없으면서 왜 바람잡이를 자처하는지 도통 모르겠습니다만?"

그의 걸음걸이를 따라잡지 못해 벤자민은 바쁘게 그를 뒤쫓았다.

"그란첼 백작이 페로하트의 숨은 경제를 꽉 쥐고 있다지만, 실은 그 역시 누군가의 대리인이라는 생각이 강하게 들어서 말이죠."

"증거는?"

티베리의 말에 벤자민은 멋쩍게 웃어 보였다.

"그냥 제 꿈에서 그렇다고 해 두지요. 뭔가 논리적으로 설명할 수 있는 이유까지 보여 주는 꿈은 아니어서……."

"그럼 개꿈일지도 모른다는 것이로군요."

티베리는 눈을 갸름하게 뜨고 한쪽 입꼬리를 비죽 끌어올렸다.

"형제들과의 권력 다툼에서 제 조언이 주효하지 않았습니까? 요긴하게 쓰실 때는 언제고……."

벤자민은 웃고 있는 티베리를 쳐다보았다. 그의 경멸과 싸늘함을 가득 담은 눈빛에 벤자민은 말끝을 흐릴 수밖에 없었다.

"정확히 짚고 넘어갈 것은 당신의 조언은 반만 맞고 반은 틀렸다는 사실입니다. 어차피 가능성은 '예', '아니요'로, 반반의 확률. 그쯤 맞히는 것은 저도 하겠습니다."

"그래도 플란네르가 궤멸하는 것은 막았지 않습니까?"

잔뜩 쫄아서 중얼거리듯 말하는 벤자민에게 티베리는 조소를 흘리고는 고개를 돌려 다시 앞서갔다.

"그야 그건 나의 힘이었지 당신의 힘이 아니었습니다. 훗."

"기관 단총은 제 아이디어로……."

다시 바짝 따라붙는 벤자민에게 티베리는 차갑게 잘라 말했다.

"그 역시 도입한 것은 접니다. 당신은 어딜 가면 구할 수 있다고 말했을 뿐."

"그러니까 제가 한몫한 것 아닙니까?"

벤자민은 움찔거리면서도 끝내 그의 뒤를 쫓아갔다.

그들이 가는 길 너머로 정면에 칼데이라 공국의 수도나 마찬가지인 알리그렐 성이 보였다.

벤자민은 티베리의 차림새를 다시 한번 훑었다.

원체 장신인 데다 군대에서 다져진 체격은 다부졌고 어깨는 떡 벌어졌다. 서로 어울리지 않을 것 같은 배합의 붉은색 코트와 남청색 제복에 검은색 가죽 워커에 흰색 휘장이 아이러니하게도 타고난 듯 잘 어울리는 사람은 보기 드물었다.

길게 늘어뜨린 흑발에 강렬하게 빛나는 초록색 눈동자 그 모두가 도움을 요청하러 온 게 아니라 정복하러 온 것처럼 위압감이 느껴지게 했다.

벤자민은 꿈속의 기억을 되살렸다.

'플란네르의 재상 티베리가 거부해서 말이야…….'

꿈속의 페로하트는 망조가 들려 경제가 엉망이 되어 가고 있었다. 쇠퇴해 가는 경제를 되살리기 위해 칼데이라 공국의 정부 차관을 어렵사리 빌려다 쓰기로 했다.

꿈속에서 벤자민은 클라라 황녀의 남편이었기에 페로하

트의 경제를 위해 무언가 일을 하고 있었다. 그런데 그란첼 백작과 함께 황제의 칙서를 들고 방문한 칼데이라 공국에서 알현을 거절당했다. 그란첼 백작이 미간을 찡그리며 하는 말이 티베리 때문이라고 했다.

'그란첼 백작님, 칼데이라 공국의 정부 차관과 플란네르의 재상 티베리가 무슨 상관이 있길래 그럽니까? 그게 이유가 됩니까?'

벤자민은 그란첼 백작에게 물었다. 꿈속에서 그란첼 백작은 카이런 황태자의 장인이었기 때문에 그 역시 경제에 있어 무언가 중요한 역할을 맡고 있었다.

그란첼 백작은 난처한 표정을 지으며 다시 말했다.

'그야, 릴리스 대공녀님은 허락했는데 티베리가 거부한 것인지도…….'

'네? 칼데이라 정부 일인데 왜 적국 재상이 거부권을……?'

순간적으로 그란첼 백작의 얼굴이 일그러졌다.

'말이 헛나왔네. 신경 쓰지 말게. 칼데이라 정부 측 인사와 다시 접촉해 보면 알겠지.'

그 뒤로 상황을 지켜보다가 슬그머니 수소문해 보았다. 릴리스 대공녀와 티베리 사이에 무엇이 있나 싶었다.

그러고 보니 유독 플란네르의 문화 교류 사업에 릴리스 대공녀가 수시로 참가한다는 정황을 알게 되었다. 그녀가 맡은 직책 때문에 플란네르에 드나드는 일이 쉬웠다.

'릴리스 대공녀와 티베리가 그렇고 그런 사이란 말이지?'

꿈에서 본 정보원에게 어렵사리 얻어 낸 사실이었다. 남들의 시선을 피해 은밀히 밀회를 즐긴다는 걸 알게 되자 이상한 점이 한두 가지가 아니어서 사람을 더 시켜서 뒤를 팠다. 그러자 어느 날 그란첼 백작이 벤자민에게 다가와 경고를 했다.

'세상엔 건드리지 말아야 할 것이 있네. 그중 하나가 릴리스 대공녀님이지. 그쪽에 얽힌 일은 쳐다도 보지 말고 듣지도 말아야 하지. 명심하게.'

꿈속에서 보았던 일을 생생히 떠올려 보며 벤자민은 앞서 걸어가는 티베리의 모습을 바라보았다.

'잘하면 나도 한몫 단단히 챙길 수 있을 거야.'

꿈대로라면, 티베리와 릴리스 대공녀 사이에는 무언가가 있었다. 수중에는 셀 수도 없는 막대한 자금을 가지고 있다는 그란첼 백작조차 릴리스 대공녀의 말에는 쩔쩔매야 할 숨겨진 이유가 있는 것 같았다.

그걸 깊게 파헤쳐 볼 생각이었다.

아무래도 재기하려거든 그 수밖에 없었다.

"특이하신 분이네요."

릴리스 대공녀는 선뜻 알현을 허락해 주었다.

'내가 알현 신청을 하려면 1년 전에 미리 예약을 해야 했을 텐데…….'

그 누구도 만나기 쉽지 않은 존재였는데 티베리가 방문해 알현 신청을 하니 기다리고 있었다는 듯 중간 절차를 건너뛰고 바로 승인되었다.

대공녀의 저택 안으로 들어서면서 벤자민은 눈이 휘둥그레져서 여기저기 둘러보기 바빴다. 입이 떡 벌어지게 비싼 것들이 사방에 널려 있었다.

까만 곱슬머리가 엉덩이를 넘는 길이까지 길게 늘어져 있고, 별 모양의 머리 장식이 섬세하게 그녀의 머리를 장식하고 있어서 머리 관리하는 데에만 몇 시간은 걸릴 것 같았다.

'30세가 넘는 것으로 들었는데……?'

소문과는 달리 그녀는 정말 십 대 소녀로 보이는 앳된 얼굴을 하고 있었다.

"차관 때문에 오신 거면 정부 인사들을 만나러 가실 것이지 굳이 저를 찾아오신 이유가 무엇인가요?"

시녀의 안내에 따라 티 테이블에 앉으며 릴리스 대공녀는 아무것도 모른다는 듯 순진한 얼굴로 웃어 보였다.

맑고 티 없는 얼굴이었다.

그녀가 절대로 순진할 리도 없고 순진해야 할 필요도 없는데 굳이 저런 표정을 짓고 있었다.

벤자민이 꿈속에서 들은 바로는 대공녀가 거만하여 자신에게 쓸모없는 존재에게는 일말의 관심도 보이지 않는다 했다.

"저는 빈민 구제 사업과 장학 사업만 맡고 있어서 사실상 정치와는 거리가 멉니다. 그런데 무슨 볼일이시기에 플란네르에서 직접 와 주셨나요?”

벤자민은 릴리스 대공녀의 금빛 눈동자를 살폈다. 그리고 티베리의 모든 것을 사소한 하나까지 놓치지 않고 살피려는 듯 자세히 훑는 시선을 따랐다.

그냥 둘이 서로를 쳐다만 보는 것으로도 끈적한 분위기가 흘렀다. 티베리는 탐색만 할 뿐 본론은 꺼내지 않고 웃을 뿐이었다.

“역시 차는 플란네르의 스타일이 아닙니다.”

릴리스 대공녀가 지시해서 내왔을 최고급 차를 마시면서 티베리는 고개를 살짝 저었다.

“무슨 차인지 알고 그러시는 것입니까?”

릴리스 대공녀는 눈을 갸름하게 뜨고 묘한 시선으로 그를 힐끔거렸다.

“그야, 약간 기분을 흥분시키는 약효가 추가된 블렌딩 차겠지요. 물론 재료는 각기 최고급이겠고. 향도 맛도 대공녀님의 눈높이에 맞는 훌륭한 것입니다. 그러나 굳이 들어갈 필요가 없는 향을 배합해 넣으시곤 제가 알아주길 바라시는 것 같습니다만?”

티베리는 그 특유의 버터 가득 미소를 지으며 말했다.

“저는 단순한 사람이라서, 레이디께서 단도직입적으로 말씀해 주시는 것을 더 즐깁니다. 가령 오늘 밤 함께 포도주라도 즐기자는 달콤한 유혹 같은 것 말입니다.”

둘 사이에 뭔가 알 수 없는 신호를 담은 시선이 오갔다. 벤자민은 둘의 표정을 보고는 설마 둘이 이미 아는 사이인 건가 싶었다.

그러나 분명 기차 타고 오는 동안 티베리는 릴리스 대공녀를 이전에 만나 본 적이 없었다고 말했다.

'처음 보는 사이에 뭔가 서로 눈치를 주고받고 텔레파시라도 통한 건가?'

벤자민은 자신에게 주어진 차를 코로 킁킁해 보고 조심스레 한 모금 머금고 음미해 보았다.

'그냥 최고급 차인 것은 알겠는데 굳이 들어갈 필요가 없는 향이 배합되었다는 말이 무슨 뜻인지 모르겠네. 암호인가? 숨겨진 의미라도?'

혀로 입 안의 찻물을 아무리 굴려 보아도 벤자민이 따로 알아낼 수 있는 것은 없었다.

그러나 릴리스 대공녀의 표정은 마치 흡족한 대답을 들은 사람처럼 발갛게 상기되어 눈을 반짝이고 있었다.

"제가 유혹하는 것이 아니라 오히려 유혹을 당하는 것 같은데요?"

그 말에 티베리가 대답했다.

"저의 날개 없는 천사님을 위해서라면. 기꺼이."

순진한 척하던 표정은 이미 사라진 지 오래였다. 같은 사람이 맞나 싶을 정도로 릴리스 대공녀는 농염한 미소를 흘렸다. 그러고는 티베리에게 빨려 들어가기라도 할 것처럼 바라보며 입가를 혀로 축였다.

둘의 반응이 이해가 안 되는 벤자민은 찻물을 마시고 또 마시며 둘 사이의 묘한 분위기에 초조해할 뿐이었다.

'아무래도 내가 소외될 것 같은 분위기인데…….'

벤자민은 호텔 방에서 하릴없이 빈둥거리며 시간을 때우고 있었다.

'여기서 지금 이럴 때가 아니야.'

무인도에서 탈출해서 돌아온 사이 플란네르에서는 정변이 일어났다. 즉, 두 형제가 손잡고 아버지 마르쿠스를 쿠데타로 실각시켰다.

그 틈을 타고 페로하트에서는 플란네르에 상륙 작전을 펼쳐 함락 위기에 놓였다. 그것을 티베리가 자신의 친위부대를 이용해 뒤집었다.

벤자민이 기관 단총에 대해 넌지시 일러 주자 티베리는 찰떡같이 알아듣고 당장 기관 단총을 생산하게 했다.

상륙한 페로하트군을 간신히 축출해 내고 플란네르를 다시 장악하게 된 지 얼마 되지 않아 기반이 약한 상황이었다.

"여기서 2주째 이게 뭐야! 또다시 정변이 일어나지 말라는 법도 없는데 여기서 이렇게 희희낙락거릴 시간이 어디 있어!"

벤자민은 혼잣말하며 버럭 화를 내었다. 릴리스 대공녀를 만나러 간 뒤 영 돌아오지 않는 티베리 때문에 똥줄이 탈 지경이었다.

분명 대공저에 연락을 보내면 답장은 돌아왔다.

[곧 돌아갈 것이니 걱정하지 말고 느긋하게 관광이나 하시오]라니!

벤자민은 머리를 쥐어뜯었다.

'둘을 연결해 주고 릴리스 대공녀의 환심을 얻어 뭔가 하나 차지하게 될 줄 알았는데…….'

상황을 보아하니 둘은 마주치자마자 반응해서 뜨겁게 불타올라 버렸다. 벤자민이 끼어들 여지고 뭐고 없었다.

"으아아아!"

아무리 생각해 봐도 답이 없자 그는 제 성질을 이기지 못하고 침대에 대자로 풀썩 뛰어들었다.

천장만 무료하게 바라보았다. 침대에서 창을 통해 화창한 푸른 하늘이 잘도 보였다. 그는 쓰디쓰게 입맛을 다시며 꿈속의 장면을 다시 되새겨 보았다.

꿈속에서 본 세상은 지금 이 세상의 흐름과 닮은 듯 달랐다. 마치 거울의 상처럼…….

그 꿈속에서 벤자민은 그란첼 백작과 함께 뒷돈을 많이 만졌다. 그때도 그란첼 백작은 자플란 남작을 앞세워 그에게 사채 시장을 이끌게 하고, 자신은 그쪽과는 연관 없는 척 앓는 소리를 하곤 했다.

'현실을 살아 보니 정말로 자플란이 아닌 그란첼이 실세였지.'

게다가 꿈속에서 본 그란첼도 완전한 우두머리는 아니고 누군가의 입김에 휘둘리고 있었다.

'자기 돈인데 자기 마음대로 꺼내 쓰지 못하는 것이 이상하잖아!'

벤자민은 희미한 꿈속 모습을 더듬으며 쓰게 입맛을 다셨다.

'여러 가지 정황상, 그란첼 백작의 위에 있었던 건 릴리스 대공녀일 가능성이 커.'

일단 릴리스 대공녀의 외가는 대대로 사채업을 해 왔다. 지금은 은행을 비롯한 어엿한 금융 사업으로 둔갑해 있었지만, 자플란 남작의 사채 사업과 긴밀한 연관이 있는 것은 분명했다.

'특히나 플란네르와 칼데이라 공국의 관계가 의심스러워.'

꿈속에서 황태자 칼리아스가 전사한 후 페로하트의 우방이었던 나라들이 등 돌려 플란네르와 손잡음으로써 제국은 몰락의 구렁텅이로 떨어졌다.

제국의 몰락은 플란네르가 치밀하게 쌓아 온 주변국과의 비밀 동맹의 결과라고 하였는데 그 비결은 플란네르가 쌓은 국부 때문이었다.

'그런데 현실에서는 오히려 플란네르가 궤멸 직전의 위기까지 놓였었지 않나?'

페로하트군이 항구를 점령하여 상륙 작전을 벌이고 그 와중에 마르쿠스 재상을 실각시키는 쿠데타까지 일어났다. 그런데 주변 동맹들은 황태자 칼리아스가 살아 있고, 플란네르의 패배가 목전에 다가왔는데 오히려 플란네르를 대신해 방패막이가 되어 제국군을 저지했다.

'이게 말이 되는가? 심지어는 플란네르 군인인 척 군복을 위장하기도 했다고!'

게다가 기관 단총을 개발해 페로하트에 공급할 꿈속의 해당 무기 회사는 그 꿈속의 세상보다 일 년 앞서서 기관 단총을 망조 들린 티베리에게 공급했다.

정확히 꿈대로 진행되지는 않았지만 결국 꿈속 세상의 모습대로 플란네르는 재기했으며, 페로하트의 우방국들을 플란네르의 동맹으로 얻었다. 그로 인해 페로하트가 크게 동요하는 모습을 보면서 벤자민은 깊은 생각에 잠겼다.

'냉정하게 되짚어 보자. 반만 맞는 꿈이라고는 해도 꿈에서 승승장구하던 회사는 여전히 돈을 긁어모으고 있고, 민감한 정치, 사회 이슈는 꿈속의 시나리오대로 흘러가고 있다고.'

벤자민은 이마에 손을 얹고 골똘히 생각했다.

'자플란 남작이 투자한 사업은 페로하트가 이기든 플란네르가 이기든 이상하게도 손해 볼 일이 없다.'

어설프게 자플란 남작을 따라 플란네르로 들어와서 재미 좀 보려다가 쫄딱 망한 자신의 모습이 수치스러웠다.

'꿈속 계시에 따라 디노르센 평원을 개발하려다가 결국 플란네르가 원래대로 가져가 버렸지. 이제 그 광산 개발하면 플란네르는 더 크게 돈을 벌 텐데.'

벤자민은 광산 개발에 손댄 것을 후회했다.

'꿈속 계시에 의존하지 말고 그냥 다른 사업이나 손댈 걸 그랬나?'

어쨌거나 그 광산 개발에 투자한 금융 회사가 릴리스 대공녀의 외삼촌이 운영하는 칼데이라 국립 은행의 분점이었다. 게다가 플란네르의 우방이 된 나라들은 칼데이라 공국과 금융 거래가 활발한 곳들이었다.

'혹시, 돈 문제가 얽혀서 우방국들이 플란네르의 편을 드는 걸까?'

칼데이라 공국.

이곳의 주요 산업은 관광, 금융업, 무기 사업이었다.

관광은 핑계고 공공연하게 성업 중인 카지노가 큰 수익원인 것은 누구나 잘 알고 있었다. 명목상으로는 칼데이라 공국의 지배자인 앤서니 대공이 도박 중독자여서 자기가 이용하기 편하려고 만들었다고 되어 있었다.

'하지만 흥청망청 쓰다 진 빚 때문에 사채업자의 딸과 원치 않는 동거 생활을 했던 것에 학을 떼고 그 뒤로 도박을 끊었다는 비공식 소문이 있지.'

벤자민은 코웃음을 쳤다.

'그저 관광과 도박 사업에 흥청망청하는 것은 겉으로 보이는 이미지일 뿐. 그 증거로, 칼데이라 공국에는 군대가 없는데도 아무도 건드리지 않아.'

그는 눈을 갸름하게 뜨며 천장을 응시했다.

'게다가 아이러니하게 군수 사업은 발달했지. 분명 기묘한 나라다.'

국제 관계가 미묘하다고는 하지만 군대 없이 부를 유지하며 평화로울 수 있다는 것은 쉬운 일이 아니었다. 게다가 칼데이라 대공이 천부적인 정치력을 타고났다면 모를까, 겉으로 보이는 그는 그저 죽을 때까지 여자 문제를 일으키고 흥청망청 돈이나 써 댈 위인이었다.

'그런데 그 많은 돈이 어디서 나는 걸까?'

분명, 릴리스 대공녀를 이전에 본 적이 없다고 티베리는 말했다.

'그것은 거짓말이 아니었을 거다. 티베리의 근무지나 생활 환경이 릴리스 대공녀의 생활 반경에 맞아떨어진 적이 없다.'

릴리스 대공녀가 자선 사업과 교육산업에 간판처럼 얼굴을 디밀고 다닐 때 티베리는 실전 상황에서 군인으로서 구르는 나날을 보내 왔다.

그런데 릴리스 대공녀가 티베리의 알현 신청을 쉽게 받아들인 것도 그렇고, 티베리가 릴리스 대공녀를 처음 보게 되었을 때 뜻밖에 입가에 번지던 미소를 보니 초면은 초면인데 이전에 서신으로든 무엇으로든 서로의 존재를 알고는 있었던 것 같았다.

'둘이 나눈 의미심장한 대화는 무엇이며, 당장에 둘이 손잡고 으슥한 데로 갈 것 같은 농염한 분위기는 무엇인가?'

도저히 이해가 안 되는 상황에 벤자민은 머리를 북북 쥐어뜯었다.

"정신 차리자, 벤자민. 이대로 따돌림당해서는 안 돼. 끼어들어서 내 존재를 확실하게 각인시켜야 한다고!"

벤자민은 스스로 다그치듯 혼잣말하며 침대에서 벌떡 일어났다. 그러고는 팔짱을 끼고 초조한 듯이 방 안을 뱅뱅 맴돌며 생각에 잠겼다.

'군수 사업이 발달한 나라니까, 역시 무기에 대한 접근이 제일 적당하겠지? 앞으로 발달할 무기는 독가스, 폭탄……. 음…….'

순간 벤자민은 자신이 꿈속에서 죽던 서른 살 무렵의 가장 쟁점이 되었던 물건이 무엇인가를 떠올렸다.
그리고 씨익 웃었다.
"그래. 그걸 먼저 끌어내서 개발시키면 돼. 앞으로 십 년쯤 후에 개발될 물건을 지금부터 개발해 발전시켜 버리면 나에게도 기회는 돌아올 거야. 그 개발자가 어디에 사는 녀석이더라?"

"와! 역시 루카가 도와주니까 일 처리가 깔끔해요!"
벨라는 환한 미소를 지었다. 그러다가 순간 미안한 표정을 지으며 리체를 쳐다보았다.
"그렇다고 리체가 덜 수고한 것은 아니고, 네게 맡겨진 업무가 과다해서 쓰러지면 어떻게 하나 걱정했던 참이었어. 수행원 하나 더 생겨서 일 처리가 빨라지니까 좋다는 뜻이야."
"나도 알아."
리체는 별것을 다 걱정한다는 투로 슬쩍 눈을 흘기며 책상 위에 일정표를 올려놓았다.
"후작님, 오늘 소화해 내야 하실 일정입니다."
"아……! 후작은 휴일도 없나. 뭐 이래!"
벨라가 앓는 소리를 하며 마시던 허브티 잔을 탁자 위에 내려놓고 책상 위에 쓰러지는 척 연기를 했으나 아무도 지켜봐 주지 않았다.

"후작님? 루카스 버틀러 경은 그간 혼자서 처리한 일입니다. 그만 투덜대시고 일정표 참고하세요. 점심은 11시 30분까지 마친 후에 바로 마차를 타고 이동해야 합니다."

리체의 말에 벨라는 입술을 삐죽이며 일정표를 들여다보았다.

"11시 30분까지 먹고 출발해야 하면, 이게 아침밥이야 점심밥이야?"

"이미 7시 정각에 간단히 드셨으니 이건 점심이라고 해두지요. 싫으시면 건너뛰시고요. 저녁 식사는 8시 30분에 빌레이틴 레스토랑에서입니다. 착오 없으시길 바랍니다."

리체의 말에 벨라는 발끈했다.

"점심은 11시쯤 먹고 저녁 식사는 왜 9시가 다 되어서야? 먹을 것은 먹여 가면서 일 시켜야지!"

"황태자 전하께서 그때밖에 시간이 나지 않는다고 하셔서 시간 약속을 그때로 잡았다고 며칠 전에 말씀드리지 않았습니까?"

리체는 한마디도 지지 않고 말했다.

"헉. 사람이 먹는 낙으로 사는데 일만 잔뜩 시키고 먹을 건 안 주면 어떻게 해!"

"투정 그만 부리세요. 실은 먹는 것에 그리 큰 의의를 두지 않으시는 분 아닙니까? 뭐든 입에 들어가면 맛있다 하고 잘 드시는 분이 새삼스레 식사 시간을 두고 타박하시다니, 그럼 황태자 전하와의 약속을 취소할까요?"

리체의 말에 벨라는 한숨을 푹 내쉬었다.

"그러다 무슨 사달이 나려고."

벨라는 순간 말이 없어졌다. 무슨 생각을 하는지 창밖을 잠시 바라보던 벨라는 이내 일행을 재촉했다.

"오늘도 빨리 해치우고 쉽시다! 첫 일정부터 그럼 출발!"

항상 리체는 가장 가까운 자리에서 벨라의 일정을 밀착해 조율해 주고 있었다. 루카스는 수행 보좌관 역을 맡기는 했으나 항상 몇 발짝 떨어진 자리에서 따랐다.

"루카, 뭐 해요, 빨리 따라오지 않고!"

벨라가 빼꼼 돌아서서 그를 불렀다.

"네."

그는 조용히 벨라의 뒤를 따랐다.

그렇게 흐르지 않던 시간이 벨라의 뒤를 따르자 쉽게도 흘러갔다. 루카스는 저도 모르게 심호흡을 했다.

모든 일에서 손을 놓았을 때 그는 어둠 속에 혼자 있었다.

모든 무거웠던 짐을 내려놓고 이제 진심으로 쉴 수 있게 되었다고 생각했다.

'그럼 이제 뭘 하지?'

한 번도 생각해 본 적이 없었다.

그리고 불현듯 두려움이 밀려왔다.

'이대로 내가 아무 쓸모가 없어지면 어떻게 하지?'

쓸쓸하고도 텅 빈 어느 곳에서 그의 시간이 멈춰 버렸다.

'내가 필요한 곳이 있나?'

언젠가 벨라와 그리젤리의 지하 창고에서 본 마법진을 통해 어떤 낯선 공간으로 텔레포트 해 갔을 때, 벨라만 먼저 사라지고 빅터 브롬웰 교수와 둘만 어둠 속에 갇힌 적이 있었다.

루카스는 그 어둠을 떠올렸다.

'나는 무엇을 하고 싶었던가?'

마법진에 들어간 것도 아닌데 세상은 그와 무관하게 흘러가고 있었고, 그가 살아 숨 쉬든 숨 쉬지 않든 전혀 개의치 않고 원래 그러했듯이 일상을 이어 갔다.

낯선 이물질 같은 느낌이 들었다.

'본래 내가 있어야 할 곳이 아닌데 여기서 무엇을 하고 있나?'

자리를 잘못 찾아온 것 같았다.

벨라가 그를 다시 불러 주었을 때, 비로소 세상은 총천연색으로 돌아왔고 멈췄던 시계는 그제야 돌아가기 시작했다.

뭐가 그리도 즐거운지 쉴 새 없이 리체 보좌관과 떠들면서 앞서가는 그녀의 주변은 반짝반짝 빛이 나기까지 한다.

루카스는 고개를 들어 눈부신 햇살 속에 짙어진 푸른 나뭇잎의 그늘과 맑은 바람, 쨍하니 화창한 하늘을 올려다보았다. 그리고 고개를 돌려 벨라의 뒷모습을 바라보았다.

벨라의 향수 냄새가 코끝을 스쳤다.

그녀가 혼합한 그 향수는 자신만의 비법이라며 혼자 쓰는 향수였다. 그런데 어쩐지 또 다른 묵직한 향이 하나 더 블렌딩된 듯 미묘한 차이가 느껴졌다. 리체의 향수 냄새에 섞여서 그런 것은 아니었다. 리체에게는 벨라가 그녀만의 향이라며 따로 혼합해서 선물한 향수 냄새가 풍겼다.

옷과 머리와 화장이 바뀌었다. 후작다워 보이려고 일부러 화장법도 바꾸고 즐겨 쓰던 색채도 변화시켰다. 공식 업무를 보기 위해 정복 차림에 바지를 입고 승마용 구두를 닮은 흰색의 긴 롱부츠를 신은 그녀는 금방이라도 싸우러 나갈 듯한 전사 같은 느낌도 들었다.

하지만 바뀐 외모에도 웃는 모습은 여전히 싱그러웠다.

그녀가 웃으면 주변이 모두 다 같이 밝아지는 듯한 느낌은 자신만의 착각일까. 그녀가 뿜어내는 온기에 어둡고 차가운 자신의 마음도 조금은 밝아지는 것 같았다.

'다비드 후작님의 딸이니까…….'

루카스는 그 특별한 느낌이 다비드 후작을 닮아서라고 생각했다.

'얼어붙은 내 심장을 눈물로 녹여 주신 분.'

루카스는 벨라의 뒷모습을 바라보았다.

'그 온기를 너무나도 닮은 당신이 있기에, 당신을 위해서 오늘도 조금 더 용기를 내 보겠습니다.'

루카스는 혼자 중얼거리며 멈췄던 발걸음을 다시 이어 갔다.

그런 그들의 앞에 한 남자가 끼어들었다.

"후작님! 청원이 있습니다!"

모두의 시선이 그 남자에게 쏠렸다.

루카스는 한눈에 그를 알아보았다. 그 남자는 악성 민원 제기자로, 일부러 남의 땅에 움막 같은 것을 하나 지어 놓고 대대로 살았던 곳이라며 토지 주인과 서로 소송한 지가 30년쯤 되는 인물이었다.

명백히 그는 남의 토지에 무단으로 자신의 움막을 지어

사용하였고, 조상 대대로 써 왔다고 우겼지만 그랬다는 증거는 없었다.

다비드가 살아 있을 때도 골머리를 썩이게 하더니, 애써 끝난 판결을 후작이 바뀌자 다시 들춰내 공론화할 모양이었다.

두말할 것 없이 그를 거르라고 말해 주려던 루카스는 잠시 걸음을 멈추었다.

"페를 몬로 라……. 오츠너 숲 경계의 맹지 때문에 그러시는 건가요?"

벨라는 그의 이름을 듣자마자 바로 아는 체를 했다. 경비병들에게 가로막혀서 다가서지 못하던 그자가 반가워하며 가까이 오려고 안간힘을 썼다.

"제 할아버지 대에서부터 사용하던 땅입니다. 그걸 이렇게 억울하게 허무는 통에 제가 입은 손해가 막심하여서 후작님께 청원하게 되었습니다. 이 소송으로 인하여 저희 집안은 풍비박산이 났고……."

그가 구구절절 쏟아 내려 하자 벨라는 손을 뻗어 그만하라는 듯 펼쳐 보였다.

"오츠너 숲 경계의 맹지 문제라면 제 아버지 다비드 엘 아르티드께서 후작의 권한으로 퇴거 명령을 내리고 끝낸 것으로 되어 있지 않나요?"

벨라는 눈썹을 찡그렸다.

"오히려 해당 토지의 주인에게 토지 임대료의 50배에 달하는 손해 배상을 하라고 결론 내리신 거로 알고 있는데."

그자의 눈동자가 잠시 흔들렸다.

"제 사건에 대해 잘 알고 계셨군요. 그렇다면 그 판결이 얼마나 부당한 것인지도 잘 아시겠네요. 그 전대 후작님이신 토레스 엘 아르티드 님께서 언급하신 임산물 촉진안의 조례에 의하면……."

또 그자가 장황하게 설명하려 하자 벨라는 고개를 저었다.

"아뇨. 할아버지께선 그런 조례안을 발표하신 적이 없어요. 그 증거라고 제시된 문서는 종이가 오래된 종이였을 뿐 근래에 위작이라 결론지어진 것으로 아는데요?"

벨라는 전혀 휘둘리지 않았다.

"아버지께서 결론지으신 그 문건은 토를 달 필요 없이 완벽하게 완결 지어졌습니다. 그러니 혹시라도 그 사건을 어떻게든 뒤집어 보려는 속셈은 집어치우고 토지 주인에게 손해 배상금이나 빨리 넘기세요."

그자는 벨라가 자기 생각과는 달리 상세한 내용까지 알고 있자 입을 떡 벌렸다.

"그…… 그건……."

"쓸데없는 일로 제 앞길을 막으시면 그 또한 벌금형에 처할 겁니다."

벨라는 단호하게 말했다.

"이런 악의적인 소송을 반복하지 못하도록 제 아버지께서 제안하신 법률안이 아직도 책상 서랍에서 잠들어 있을 거예요."

그녀는 고개를 돌렸다.

“밀로 보좌관, 법관 스티븐스 씨에게 그 오래된 법률안을 다시 검토해 달라고 하세요.”

벨라의 말에 법률 쪽 담당자인 밀로 보좌관이 고개를 숙였다.

그 모습을 구경한 사람들이 숙덕거렸다.

“아르티드가에서는 후작위만 받으면 똑똑해진다더니 그 비결이 뭘까요?”

“언제 그 많은 기록을 일일이 찾아보신 거야? 워낙 소동을 벌여서 쌓인 자료도 많았을 텐데.”

“어린 후작님이라고 우습게 보고 다시 이야기를 꺼낸 것 같은데 고소하다. 되로 주고 말로 받게 생겼네.”

루카스는 그 모습을 보며 희미하게 미소를 지었다.

머리 나쁘다고 빅터가 놀릴 때가 엊그제 같은데 어느새 다비드 후작이 그러하였듯 자신의 영지에서 일어난 모든 일을 세세히 살펴볼 마음의 너비를 갖추고 있었다.

더 이상 그가 가르쳐야 할 어린 숙녀가 아니었다고 감탄하던 차에 빌레이틴 레스토랑에 도착한 벨라는 체통도 잊고 테이블에 고개를 기댄 채 헐떡거렸다.

“배고파아아…….”

루카스는 미간에 힘을 주며 벨라를 지그시 째려보았다. 그 눈빛이 뜻하는 바를 알기에 벨라는 허리를 벌떡 일으켜 꼿꼿하게 앉았다. 그러나 그것도 잠시, 다시 시들시들하게 테이블에 고개를 엎었다.

“오늘도 힘든 하루였다고요. 먼저 먹으면 안 돼요?”

벨라의 애원에 루카스는 고개를 저었다.
“상대는 황태자 전하입니다. 그분이 오시기 전에 무언가를 먹고 있는 것은 예의가 아닙니다.”
“몰래 한 잔만. 히힝…….”
“예법을 누구에게 배우셨습니까?”
루카스가 무표정한 얼굴로 물었다. 벨라는 마지못해 고개를 들고 말했다.
“루카스.”
“저는 이런 예법을 가르친 적이 없습니다.”
벨라는 뭉그적거리며 허리를 펴고 앉았다.
“에혀.”
한숨을 길게 내쉬는 벨라에게 루카스는 또 고개를 저어 보였다.
“후작답게.”
루카스의 말을 벨라는 천천히 따라 했다.
“후작답게…….”
그러더니 루카스를 보며 싱긋 웃었다. 루카스는 무표정한 얼굴로 강조하여 말했다.
“이제는 성인입니다. 어리광은 졸업하실 때가 지났지 않습니까?”
해가 저물어 온통 어둡고 깜깜한데 제국에서 최고로 손꼽히는 식당 중 하나인 빌레이턴 레스토랑의 풍경은 밤이라서 볼 수 있는 또 다른 아름다움이 있었다.
은은하게 떨어지는 조명과 촛불의 반짝임 사이로 벨라의

보라색 눈동자가 진한 여운을 머금고 빛났다.

벨라가 즐겁게 웃었다. 웃을 상황이 아닌데 뭐가 그리 즐거운지 알 수 없었다. 루카스의 미간이 좁혀지자 벨라는 눈빛을 반짝이며 말했다.

"루카는 내가 잘하고 있을 땐 오히려 더 멀리 거리를 누잖아요. 루카가 가장 싫어하는 실수를 하는 척이라도 해야 관심을 가져 주니 그렇죠."

그녀의 말에 루카스는 또 그녀에게 말려들었구나 하는 생각에 눈을 감았다.

"루카가 오랜만에 잔소리해 주니까 너무 좋아요."

루카스는 그 말에 애너벨 후작 부인의 미소가 아련하게 떠올랐다. 미소가 아름다웠던 분이었다.

'루카가 오랜만에 잔소리해 주니까 너무 좋네.'

방학 때면 후작저에 초대를 받아 1, 2주가량 머물렀다. 그저 흉악한 사건에 휘말린 어둡고 까칠한 평민 소년이었을 뿐인데 그녀는 마치 이모 집에 놀러 온 조카를 대하듯 스스럼없이 대해 주었다.

'늘 무심한 척하더니, 빈틈을 보여 주니까 이렇게 다가와 주네? 내게 빈틈이 많아서 다행이야.'

애너벨 후작 부인은 루카스의 참견에 오히려 활짝 웃어 주었다.

잘해 주는데도 괜한 오기와 치기로 다가오지 않길 바라며 퉁명스레 말하곤 했다. 그런데도 그녀는 그 사소한 불만도 귀담아듣고 다음번에 올 때는 배려해 주었다.

잠자리가 불편하지는 않은지, 음식이 입에 맞지 않는지, 심심해하지는 않는지…….

그녀와 있으면 주변이 저절로 밝아졌다.

후작이 미래의 장인이 될 남작가에 혼담 때문에 방문했을 때 실은 첫째인 마리앤과 이야기가 오갔었다. 그런데 후작은 언니의 뒤에 서 있던 애너벨에게 첫눈에 반해 버리고 말았다고 들었다.

왠지 그 느낌을 알 것 같았다. 그녀가 웃으면 주변이 환하게 밝아지는 기분이 들었다.

루카스는 조용히 다비드와 애너벨의 장점만을 모아 놓은 것 같은 그녀를 바라보았다.

9시가 다 되어서야 황태자 일행이 도착했다.

"어쩔 수 없이 늦었다. 공무를 보느라 그런 것이니 신경 쓰지 말도록."

저도 모르게 상관이 부하에게 말하듯 벨라를 보자마자 한마디 툭 내뱉던 칼리아스는 잠시 멈칫했다. 나름 공식적인 첫 데이트인데 이미 레스토랑 정원의 야외극장에서 벌어지는 심야 연극은 시작한 지 오래였다.

'우아하게 칼질하며 연극 구경이라도 하려고 했는데 늦은 주제에 상관같이 말하다니.'

칼리아스의 얼굴이 새빨갛게 달아올랐다.

황태자의 보좌관 에클레르는 황태자의 눈치를 살피며 안절부절못하다가 입 모양으로 칼리아스만 알아볼 수 있게 말했다.

'낭.만.적.으.로! 전하는 낭.만.이.쥐.뿔.만.큼.도.없.습.니.다!'

감히 황태자에게 쥐뿔이라니.

칼리아스가 금안을 일렁이며 에클레르를 노려보자 에클레르는 냉큼 꼬리를 내리며 헛기침을 했다.

실은 연습을 내내 하고 왔다. 감정을 다스려야 손바닥에 불이 나지 않을 테니 냉정해지려고 거울을 보며 몇 번이나 인상을 썼는지 모른다.

'마인드 컨트롤!'

그깟 후작 나부랭이 하나 만나는데 이렇게 정신줄을 놓지 않으려고 인내심 연습까지 해야 하다니!

칼리아스의 이마에 흐르는 땀방울 하나를 발견한 에클레르는 다시금 입 모양을 벙긋거리며 칼리아스에게 훈수를 뒀다.

'앉.으.라.고.하.세.요! 앉.아!'

사람 벌세우는 것도 아닌데 앉으라는 말조차 잊어버린 칼리아스는 벌써부터 벨라를 보자마자 멍해져 있었다. 유독 벨라 곁에서 조금만 방심해도 인간 화염 드래곤이 되는 그는 바짝 긴장했다.

나름 용기를 내고 또 내서 건 첫 데이트 신청이었다. 이날을 위해 아버지 테오도르 황제와 황태자 자리를 놓고 실랑이까지 벌이지 않았던가.

인스펙티오 공국을 등지면서까지 얻어 낸 벨라와의 데이트였다. 내심 데이트만 하다 말기를 바라는 황제에게 보란 듯이 증명해 보이고 싶었다. 벨라를 만나도 화염 따위는 잘 조절할 수 있다는 사실을 말이다.

칼리아스는 벨라에게 당장에라도 데이트 신청을 하고 싶었다.

무인도에서는 매일같이 볼 수 있었는데 페로하트로 돌아온 후로 영 얼굴을 볼 수 없자 그는 초조해지고 신경이 날카로워졌다.

'벨라 님을 만나시더라도 지금처럼 계속 성스러운 불로 불미스러운 사고를 일으키시면 만날 수 없게 됩니다.'

그런 그를 에클레르가 설득했다.

'미래를 위해서라도 마인드 컨트롤에 힘쓰시고 그동안 밀린 황태자 업무를 처리하십시오. 제어가 잘 될 때 가서 데이트 신청을 하시면 됩니다.'

그랬더니 칼리아스는 에클레르에게 특정 단어를 수시로 외쳐 달라 말했다.

'수영 강습!'

에클레르로서는 대체 수영 강습이 뭐길래 그 말만 하면 칼리아스가 코피를 터뜨리거나 화염을 내뿜는지 이해 불가였지만, 어쨌든 황태자의 뜻이니 부지불식간에 외쳐야 했다.

더는 수영 강습이란 말에 흥분하지 않고도 잘 넘어갈 수 있게 될 때까지 참고 참아 이제야 데이트 신청을 했다. 그런데 하필이면 제국의 정세가 좋질 않아서 오늘조차 급한 일을 처리해야만 했다. 그래서 결국, 약속 시간에 30분이나 늦게 나타난 것이다.

꼬르륵.

칼리아스가 본론을 꺼내기도 전에 벨라의 배 속에서 들려오는 아우성에 일단 식사를 먼저 하기로 하였다.

"우와아! 애피타이저다!"

벨라는 눈에 띄게 기뻐하며 물개 박수를 쳤다. 루카스는 인상을 쓰고 또 벨라에게 고개를 저어 보였다.

벨라는 입술을 삐죽거리고는 우아한 귀부인의 자세로 애피타이저를 먹었다. 배가 고파서 눈이 뒤집힐 지경이었으나 귀족답게 딱 한 입만 먹고 내려놓았다. 물론 그 한 입이 절반 이상에 해당했다. 그러고는 루카스 보란 듯한 시선을 그에게 던졌다.

"입맛에 맞나? 특별히 신경 써서 예약을 잡았지."

칼리아스는 별것 아닌 것처럼 말하며 다음 음식을 기다렸다.

훅…… 후욱…….

오랜만에 보는 벨라는 더욱 아름다워졌다. 머리 스타일도 바뀌었고, 옷 입는 방식도 변했다. 무엇보다도 자신감 있고 도도해 보이는 표정이 더욱 그녀를 우아해 보이게 만들었다.

그의 눈에는 벨라가 물개 박수 치는 것도 보이지 않았고 애피타이저를 먹고 내려놓는 손이 놓기 싫어 순간적으로 부들부들 떨리는 것도 전혀 보이지 않았다.

그저 시선이 마주치자 내보인 그녀의 환한 미소에 정신이 아득해질 뿐이었다.

정신을 차려 보니 메인 음식이 나왔다. 연한 송아지 고기로 조리된 일종의 스테이크였다. 조금 평범해 보이는 외양에 칼리아스는 적잖이 실망했다. 그러나 벨라가 그것을 썰어 한입 입에 넣자마자 감탄사를 퍼부어 댔다. 그 모습을 보는 순간 기분이 좋아졌다.

"와! 이런 맛이! 대체 송아지 고기에 무슨 짓을 한 것일까요? 이 독특한 풍미와 식감이라니!"

벨라의 말에 칼리아스는 미소를 지었다.

"그러니 이곳을 첫 데이트 장소로 정했지. 아무리 황제가 요청해도 알려 줄 수 없다는 비법 요리니까. 그러한 자부심으로 3대를 이어 온 레스토랑이니 아르티드 후작도 마음껏 드시오."

칼리아스의 말에 에클레르가 인상을 쓰며 고개를 저었다.

대체 이게 무슨 데이트 하는 연인들의 대화란 말인가.

'좀.더.부.드.러.운.표.정.으.로.말.씀.하.십.시.오.'

에클레르가 열심히 입을 벙긋거렸다. 칼리아스는 그 입 모양을 보고 알아듣고는 인상을 팍 썼다.

'지금도 입꼬리가 바르르 떨릴 지경인데 여기서 어떻게 더 부드러운 표정을 지으란 말인가.'

그는 지금 자신의 표정이 대역죄인 목이라도 치러 나온 듯하다는 것을 모르고 있었다. 그는 너무 긴장한 나머지 전투적으로 식사를 하고 있었다.

에클레르는 갑갑하여 제 가슴을 주먹으로 탕탕 쳤다.

허구한 날 여자 문제로 염문을 뿌리고 다니는 카이런 황자와는 달리 칼리아스는 지금까지 여자 문제를 일으킨 적이 단 한 번도 없었다. 그것이 장하다 여겨졌으나 지금은 심각한 결함으로 느껴졌다.

'연애를 몰라도 너무 모른다!!'

에클레르는 벽에 머리라도 박고 싶었다. 그간 그렇게 많은 충고를 했는데 황태자의 표정을 보니 다 잊어버린 듯했다.

하지만 칼리아스는 그 나름대로 노력하고 있었다. 식사하며 그동안 연습한 연인들의 대화법을 실전에 옮기려고 기회를 엿보고 있었다.

여자들은 외모에 관심을 보이면 좋아한다고 에클레르가 말했다. 특히나 머리 스타일의 변화라든가, 화장법의 변화, 향수 따위의 변화를 알아차려 주는 것을 기뻐한다고 했다.

칼리아스는 벨라의 먹는 모습을 물끄러미 바라보았다. 정말 맛있나 보다. 행복해하며 한입 먹는 모습이 귀여웠다.

몇 점 먹지도 않은 칼리아스와는 달리 벌써 고기 단면에 남은 소스까지 싹싹 발라 다 먹어 가는 벨라를 보며 그가 말했다.

"식탐이 있는 모양이군."

헉.

에클레르의 안색이 파랗게 질렸다.

"식탐이 있어도 그대가 부리는 건 귀엽다."

칼리아스가 하는 말에 에클레르는 다 틀렸다고 생각했다.

외모 칭찬을 하랬더니 그 말은 꺼내지도 않고 벨라에게 식탐을 부린다고 말하다니.

'큰일이다.'

벨라가 화를 벌컥 내며 일어나서 나가 버려도 할 말이 없다고 생각했다.

다행히 연극에 정신이 팔려 벨라는 그쪽을 쳐다보느라 황태자의 말을 제대로 알아듣지 못한 눈치였다.

에클레르는 인상을 팍 구겨 가며 칼리아스에게 손짓 몸짓을 다 해 조언을 했다.

칼리아스는 저편에 에클레르가 손가락으로 입술을 가리키고 귀를 가리키는 것을 보았다. 그러고는 벨라가 안 보는 사이 에클레르에게 되묻듯 자신의 입술과 자신의 귀를 가리켰다.

평소 안 쓰던 립스틱 색이라고 에클레르는 열심히 눈치를 줬다. 그리고 벨라가 차고 나온 귀걸이는 데이트 신청을 하며 칼리아스 이름으로 보낸 귀걸이이니 생색을 내라고 몸짓을 해 보였다. 칼리아스가 고개를 끄덕였다.

'말실수로 까먹은 점수는 다른 말솜씨로 만회하면 된다.'

"귀가 막힌 게로군, 황태자가 말하는데 어딜 바라보는가!"

칼리아스가 벨라에게 호통을 쳤다.

어헉!

에클레르의 얼굴이 하얗게 질렸다.

"나만 바라보아라. 그것이 첫 데이트에 대한 그대의 예의다."

버럭대는 모습에 벨라는 놀란 눈을 깜빡이다가 이내 미소 지으며 말했다.

"죄송합니다, 전하. 연극의 클라이맥스 구간이라 그만……."

"전에도 말한 것 같은데 나는 신파조의 사랑 놀이 따위 별로 좋아하지 않는다. 그런 나약한 감정을 표현하다니 정신 건강에 해로울 뿐이다."

에클레르는 자신의 손수건만 마구 물어뜯었다.

'아니, 그럼 데이트하러 나온 이유가 뭔데?'

에클레르는 악악 소리를 지르며 칼리아스에게 따지고 싶었다. 저 성질머리로 잘도 연애란 걸 하겠다 싶어 눈앞이 캄캄해졌다.

물론 이해는 한다. 황태자이지만 황제에게 사랑받지 못한 그는 사랑을 받아 본 적이 없어서 사랑을 베풀 줄도 모른다. 그가 본 사랑이란 늘 일방적인 구애였지 서로 주고받은 것이 아니었다.

'그래도……, 이건 너무하잖아!'

"하지만, 그대가 좋아한다 하니, 나도 생각을 다시 해 보겠다. 그대가 좋아하는 것이면 나도 좋아하겠다."

칼리아스는 그 말을 하며 얼굴이 붉어졌다. 칼질을 하다 마는 것이 아무래도 손이 오그라드는 모양이었다.

'오. 신이시여! 왜 우리 황태자 전하를 전투 실전 연습에만 굴리셨습니까? 연애결혼 하고 싶다 하여 어렵게 얻은 이 교제의 기회를 저 모양 저 꼴로 만들도록 왜 한눈 한 번 안 팔게 하셨습니까?'

그 모습을 보며 에클레르는 신을 원망했다.

'코흘리개에게 연애를 시켜도 저것보다는 잘할 것 같아!'

그래도 손에 불이 붙지 않는 걸 보니 나름 마인드 컨트롤은 되고 있는 모양이었다.

'그래……, 마인드 컨트롤 잘하고 계시니 그것만으로도 칭

찬을 퍼부어 드리자.'

에클레르는 비장한 각오를 하며 주먹을 움켜쥐었다.

디저트까지 먹으며 벨라는 행복한 미소를 지었다. 9시까지 기다리면서까지 먹을 만큼 가치가 있는 음식이었다. 게다가 황태자가 방문한다 하니 그야말로 극상의 것만 내왔다. 심지어 황태자가 사용한 식기는 가보로 삼아 전시하겠다고까지 했다.

하지만 디저트가 왠지 아쉬웠다. 한 숟가락만 더 먹고 싶은데 그랬다가는 루카스가 눈총을 줄 것 같아서 벨라는 눈치를 살피고 있었다. 그런 그녀의 입술에 크림이 살짝 묻어 있었다. 그 작은 얼룩을 제일 먼저 본 것은 칼리아스였다.

"벨라."

칼리아스가 그녀를 부르는 소리에 벨라는 고개를 들었다.

"입술에 뭐가 묻었군."

자연스레 칼리아스의 손이 벨라의 얼굴로 가까이 다가갔고 그 모습을 본 에클레르의 눈이 반짝반짝 빛났다.

'드디어 시작하는 연인다운 모습이 연출되는 모양이구나!'

이제 저 손으로 그녀의 얼굴을 잡고 엄지손가락으로 입술을 살짝 닦아 준 다음 고개를 숙여 설레는 첫 키스를 하면 되는 것이다!

그간 열심히 가르친 연애 과외가 효과를 발휘하나 보다 싶어 그의 가슴이 뭉클해졌다.

"거울을 달라 하여 보고 닦아."

칼리아스의 말에 에클레르가 그만 그 자리에 힘없이 무릎을 꿇고 말았다.

헉…… 헉……!

고구마 백만 개를 집어 먹은 듯 목이 메어 와 가슴을 움켜쥐었다.

에클레르는 칼리아스의 지능을 의심했다.

'신은 우리 전하에게 공부 머리만 주고 연애 머리는 주지 않은 모양이다.'

굳이 이 레스토랑을 첫 데이트 장소로 잡은 이유는 레스토랑이라 하지만 정원을 공원처럼 잘 꾸며 놓은 탓이었다. 야외극장도 있고 인공으로 조성한 폭포와 분수도 있었다.

연인들이 달빛을 받으며 손잡고 돌아다니는 데에 최적의 장소였다. 도심이 아니었으니 일반인들의 눈에 띌 일도 없었고 이곳을 이용하는 이 모두가 지체 높은 신분이어서 격조도 높았다.

그런데 밥을 다 먹고도 칼리아스는 그녀를 멀뚱멀뚱 바라만 볼 뿐 도통 일어나서 걸을 생각을 하지 않고 있었다. 그저 테라스 아래로 보이는 정원의 풍경만 둘러보고 있었다.

에클레르는 머리를 쥐어뜯었다.

'연애할 줄 모르니까 교습해 달라고 했겠지만 저게 뭐야!'

차 한 잔을 앞에 두고 칼리아스는 그저 침묵 속에 있었다. 지루해진 듯 벨라는 다시 야외극장 쪽을 바라보았다. 연극은 거의 끝나 가고 사람들도 슬슬 자리에서 일어나 돌아가고 있었다.

둘 사이에 어색한 시간이 흐르더니 침묵을 깨고 칼리아스가 입을 열었다.

"요즘 국제 정세 돌아가는 게 말이야……."

에클레르는 귀를 틀어막으며 고개를 마구 저었다.

'이건 아니야. 정말 아니야!! 하필이면 데이트하러 와서 일 이야기라니!'

그렇게 수없이 연습을 시켰건만, 칼리아스는 그의 조언대로 한 것이 단 한 가지도 없었다.

대체 데이트를 하러 온 건지, 정치적 뜻을 같이하는 동지를 구하러 온 건지 에클레르도 헷갈리는데 벨라는 오죽할까.

'정말 황태자 전하께서 아르티드 후작을 좋아하기는 하는 걸까?'

그는 깊은 회의에 빠져들었다.

'정치적 동반자를 구해서 앞으로 정치계를 헤쳐 나가기 위해 동료 같은 여인을 황태자비로 삼으려는 빅픽처인가?'

에클레르의 머리카락이 쥐어뜯기다 못해 뽑혔다. 그의 머리는 이미 원형 탈모투성이였다.

'아니 그럼 그냥 정략결혼이나 할 것이지 연애하겠다고 과외해 달라고를 왜 요청한단 말인가.'

칼리아스를 위해 세운 수많은 연애 전략과 연애 팁, 장소 물색에서부터 대화법까지 신경 써서 가르쳤다고 생각했다.

'배우기는 개뿔! 본성대로 하고 행동하고 말하고 있을 뿐이잖아!'

실은 지금 칼리아스는 되는대로 마구 말하고 있었다.

머릿속이 백지상태였다. 실은 기절 직전이다. 손에 붙들린 찻잔의 찻물이 끓었다 식기를 반복하고 있었다. 손에 곧 불이 붙을 것 같았다.

여자 보기를 돌같이 하고 살아온 그였다. 그런데 벨라는 돌로 보이지 않는다.

'그놈의 무인도 때문이다.'

자꾸 그녀만 떠올리면 바닷가와 그곳을 뛰놀던 그녀의 모습이 떠올랐다. 그리고 자동으로 흥분했다.

'이게 말이 되는가!'

모기가 더럽게 많고 인간의 손길이 닿은 것이라곤 거의 없는 야생의 섬에서 죽도록 고생하고 왔다. 두 번 다시 겪고 싶지 않은 일이었다. 그런데 왜 시일이 지날수록 머릿속에서 자체 필터 기능을 거쳐 아름다웠던 광경만이 재생되고 또 재생되는지 이유를 알 수 없었다.

코코넛 게를 함께 배불리 먹고, 물놀이나 한참 하다가 새하얀 모래사장에서 모래찜질하던 기억이 새록새록 되살아났다.

'그래서 더 이렇게 애틋했는가.'

무인도에 여자라고는 벨라 하나였다.

'치마만 두르면 그 어떤 여자도 예뻐 보일 상황에 그저 함께 있었기에 이리 특별한 환상이 생긴 것인가?'

그녀를 떠올릴 때마다 남들에게 보여 주기 민망한 누드화집을 들여다보는 것 같은 떨림이 있었다. 예쁘고 아름다운데 남들 보여 주기는 부끄러운 기억들이 떠올랐다.

심지어, 그냥 그녀는 자기 혼자 즐겁게 뛰어다니며 놀았을 뿐이다. 그런데 이상하게 그 광경을 기억한다는 것이 부끄러웠다.

'난 아무 짓도 안 했는데 대체 왜!'

찻물이 부글부글 소리를 내며 맹렬하게 끓어올랐다.

헉.

칼리아스는 불붙기 전에 얼른 찻잔을 잡은 손을 떼었다.

'에이 씨. 데이트는 왜 해야 하는 거야. 이건 시간 낭비야.'

칼리아스는 미간을 찡그렸다.

'그냥 결혼해 버리면 안 되나? 중간 과정 다 생략하고 바로 청혼해 버릴까? 연애는 살다가 하면 되지 않나?'

칼리아스는 품 안에 든 반지 케이스를 떠올렸다. 그리고 고개를 들었다.

저 멀리서 에클레르가 칼리아스의 표정을 재빨리 읽어 내고는 두 팔을 엑스 자로 교차하며 입으로 수없이 '절.대.안.됩.니.다.'를 외치고 있었다.

'내가 널 마음에 두고있 으니까, 그냥 당장 나랑 결혼해. 까짓것. 중간 과정 꼭 있어야 하나?'

칼리아스는 끊임없이 번뇌했다.

'내가 마음에 들었으니 아르티드 후작, 그냥 내 반려가 되면 된다. 내 옆에 있어라. 어릴 때 청혼했으니까 또 할 필요도 없는데 데이트에 들이는 정성이 어디야?'

그리 생각하는 칼리아스를 향해 에클레르는 혼신의 힘을 다해 온몸을 이용해 엑스 자를 그려 보였다.

'첫 데이트에 바로 반지 주고 청혼은 정말 아닙니다! 키.스.라.도.해.보.고.데.이.트.했.다.하.든.가.욕.나.오.게.시.리.'

복장이 터져서 에클레르는 홧김에 입을 벙긋거리다가 이성을 되찾고 자신의 입을 틀어막았다. 아무래도 황태자 모욕죄로 사형장에 끌려가는 것 아닌가 싶었다.

그러나 칼리아스는 심각한 고민에 빠져 그를 보지 않고 있었다.

잠시 칼리아스가 벌떡 일어나 어디론가 사라졌다.

벨라는 남은 차를 홀짝이며 그가 돌아오기를 기다렸다.

한참 후 돌아온 칼리아스는 벨라의 손목을 덥석 잡았다.

"어?"

벨라의 눈이 휘둥그레지는데도 아랑곳하지 않고 칼리아스는 그녀를 데리고 아래층 정원으로 내려갔다.

"말 타고 달리는 것 좋아하나?"

칼리아스의 말에 벨라는 왜 그걸 물어보나 싶어 그를 빤히 쳐다보았다.

"명색이 첫 데이트인데, 그대나 나나 제국에서 진 책임이 막중하여 이 늦은 시간에 만나야 하는 것이 아쉽다. 그러니 둘만 한적하게 말을 타고 근처 한 바퀴를 돌아보는 것도 좋을 듯해."

그러더니 칼리아스 전용의 하얀 말에 벨라를 태우려 했다.

"이건 황태자 전하만 탈 수 있는 전용 말인데 제가 어찌 감히 탈 수 있겠습니까?"

벨라가 사양하자 칼리아스는 웃으며 말했다.

"나도 탈 것이다."

"네?"

벨라가 눈을 크게 뜨며 되묻자 그가 말했다.

"첫 데이트인데 설마 따로 말을 타고 나란히 앞만 바라보며 가자고? 그러면 데이트의 의미가 없지."

벨라의 손만 잡아도 불이 확 붙는 칼리아스였다.

그런데 그가 자신의 전용 말을 둘이서 타고 한 바퀴 달리자고 했다.

'이러다 통구이 되는 거 아닌가?'

그런 걱정도 잠시, 칼리아스는 벨라의 손을 덥석 잡고 말에 태웠다. 칼리아스의 이마에 땀방울 몇 개가 반짝거렸다. 벨라가 올라타는 동안 다행히도 그의 손에 불은 붙지 않았다. 안도의 한숨을 쉰 그는 천천히 자신도 말 위에 올라탔다.

그의 가슴이 벨라의 등에 닿았다. 이렇게 황태자와 가까이서 접촉해 본 적이 없었다. 낯선 긴장감 속에 칼리아스는 부드럽게 웃으며 말했다.

"달릴 것이다. 나의 레이디. 꽉 잡아."

하얀 말은 가볍게 두어 걸음 내딛더니 이내 점점 속도를 올려 달리기 시작했다. 호위 인력들은 그들의 첫 데이트를 위해 그들의 눈에 보이지 않게 나뭇가지를 잔뜩 뒤집어쓴 채 멀리서 개미처럼 따라왔다.

"저쪽은 신경 쓰지 말고, 오로지 나만 신경 써라."

칼리아스가 그녀의 귓가에 속삭였다.

연애 세포 제로인 줄 알았던 칼리아스가 제법이었다. 갑자기 그의 태도가 휙 바뀌자 벨라는 그저 놀라울 뿐이었다.

'레이디라니! 티베리를 본보기로 삼은 걸까?'

밤길이라 어두울 줄 알았다. 하지만 산책길 주변으로 가로등이 켜져 있었다. 가로등 불빛이 수증기에 뒤섞여 몽환적인 분위기를 자아내고 있었다.

밤의 숲이 풍기는 진한 나무 향기와 고즈넉한 공기, 눈에 익숙하던 모든 사물이 낯설게 보이는 신기한 마법과 함께 묘한 설렘을 불러일으켰다.

그녀를 감싸고 말 고삐를 쥐고 있는 칼리아스의 너른 가슴은 따뜻하고 편안하게 느껴졌다. 초반의 낯설고 불편한 느낌도 잠시, 그가 귓가에 속삭였다.

"불편하다면 솔직히 말해라. 나는 여자에게 서툴다. 다른 말로 하자면, 너 이외에 다른 여자에게 관심을 가져 본 적이 없다. 모두 그대가 처음이어서 벌어지는 일이니 서운하다면 서운하다, 좋으면 좋다 꼭 말해 주기를 바란다."

그의 목소리가 떨렸다.

"사실 지금도 어찌해야 할지 잘 모르겠다. 전투와 정쟁에는 익숙한데 데이트는 단 한 번도 해 본 적이 없어 어떻게 해야 여자들이 좋아하는지 잘 모른다. 이런 내가 우습겠지만, 이게 솔직한 내 모습이다. 다만 네게 매력적으로 보이고 싶은 것은 사실이다. 그러니, 내가 네게 매력적인 남자가 될 수 있게 도와 달라."

아마도 보나 마나 칼리아스는 목덜미까지 새빨갛게 달아올라 있을 것이다. 용케도 불붙지 않고 잘 참는 듯 그는 안간힘을 다해 노력하고 있느라 빳빳하게 굳어 있었다.

"네가 도와주면, 나는 그리될 수 있다."

그의 떨리는 고백에 벨라는 피식 웃었다.

어쩐지 그런 칼리아스가 귀엽게 느껴졌다. 사랑한다는 말도 아닌데 벌써부터 그리 떨 필요가 있을까 싶었지만, 그만큼 서툰 진심이 가까이 다가왔다.

그도 자신과 마찬가지로 인간관계가 서툴 것이다. 그러나 노력한다 하였다.

문득 벨라는 지난 삶의 연애를 떠올렸다.

불붙는 사랑인 줄 알고 빠져들어 재산 잃고, 사람 잃고, 인간에 대한 신뢰마저 잃어 가며 끊임없이 추락해 가던 자신의 모습이 주마등처럼 눈앞을 지나쳐 갔다.

'나도 서툴렀었지.'

뜨겁게 갈망하는 것이 사랑인 줄 알았다. 한눈에 반하는 격정적인 사랑만이 진실한 사랑인 줄로 믿었다.

'하지만 그 결과가 무엇이었던가?'

어쩌면, 지독한 허무를 맛보았기에 지금의 그녀는 쉽게 사랑에 빠질 수 없는 것인지도 모른다.

아르티드가의 고용인들을 행복하게 해 주기 위해 회귀했다고 생각했다.

제대로 된 사랑하는 법을 배우기 위해 돌아와 노력하며 지나온 일들을 다시 떠올렸다.

칼리아스의 공식적인 첫 데이트 신청이 부담스러웠다.

그래서 거절할까 싶었다.

인스펙티오 공국과의 파혼 때문에 아직 정계가 어수선할 때 데이트를 하여 더 사람들의 입방아에 오르내리게 될 것이 난처했지만 과연 자신이 칼리아스를 사랑해도 될까 하는 궁금증이 일었다.

아직까진 칼리아스를 보면 심장이 뛴다든가, 그렇게 끌리지는 않는다. 힘든 일을 함께 지나쳐 온 동지애의 느낌이 강할 뿐이었다.

그래서 망설이고 있는 사이, 루카스가 적극 그녀에게 권했다.

'제국 최고의 신랑감입니다. 아마 다비드 후작님이셨어도 권했을 겁니다. 데이트 신청을 받으십시오.'

루카가 그 말을 하는데 왜 그리 서운하게 들리는지 벨라는 자신의 마음을 잘 이해하지 못했다.

'사랑하지 않아도 조건이 좋으니까 받아들이라는 거예요? 그러면 정략결혼과 뭐가 다르죠?'

벨라가 물었을 때 루카스는 말했다.

'황태자 전하께서 후작님을 마음에 담아 두신 지가 오래입니다. 이제 그 결실을 보아도 될 때입니다. 황태자 전하의 호감은 일시적인 것이 아니었고 꾸준히 아가씨를 향해 있었습니다. 그러므로 정략결혼이라 할 수 없습니다.'

'내 마음이 아직 이렇다 할 만큼 끌리지 않는데?'

'그것은 몇 번 만나 보신 후에 결정하셔도 늦지 않습니다.'

벨라는 어두운 눈빛을 하고 고개를 잠시 숙였다.

'아직도 루카는 나의 후견인으로서 좋은 혼처를 구해 주겠

다는 생각밖에 없는 걸까.'
벨라는 혼자 흥얼거렸다.
"아직은 꽃이 아니어도 좋아라……."
'황태자의 사랑도 언젠가는 꽃이 되어 화려하게 만개하는 날이 있겠지. 하지만 루카스는 언제 누구를 사랑하고 누구를 위해 꽃이 되어 필까……?'
그에게는 오로지 책임감만이 무겁게 얽혀 있는 것 같아서 벨라는 묘한 서글픔을 느꼈다.
칼리아스는 달리던 말을 멈추었다. 벨라는 멍하니 어둠 저편을 바라보고 있었다. 칼리아스는 잠시 고민을 했다.
'루카스 버틀러 경이 말한 키스 타이밍이 지금인가?'
식은땀이 칼리아스의 이마에서 한 방울 흘러내렸다. 아직도 정신을 못 차리겠다. 그의 가슴에 안겨 있다시피 한 자세의 그녀는 더욱더 가슴을 두근거리게 했다.
레스토랑에서 식사 후 칼리아스가 잠시 자리를 비웠을 때 루카스가 그의 뒤를 따라왔다. 뭘 해야 할지 몰라 쩔쩔매고 있는 칼리아스에게 루카스가 말했다.
'벨라 아가씨는 공황 장애가 있습니다. 그래서 긴장하거나 당황했을 때는 누군가를 안고서 진정될 때까지 상대의 온기를 느끼고 싶어 하는 경향이 있습니다.'
'그 말을 해 주는 이유는 뭔가?'
칼리아스가 루카스를 경계하며 인상을 찡그리자 루카스는 특유의 높낮이 없는 톤으로 그에게 말했다.
'첫 데이트에서 아가씨의 호감을 얻고 싶으시다면 스킨십

부터 하십시오.'

그 말에 칼리아스가 버럭댔다.

'첫 데이트에서 누가 스킨십부터 나간다고 하던가? 그런 말은 들어 본 적이 없네! 나는 그렇게 여자에게 연연하는 타입도 아니거니와, 그렇게 하여 숙녀를 놀라게 하고 싶지 않아!'

칼리아스의 말에 루카스는 고개를 저었다.

'무슨 스킨십을 생각하셨기에 화를 내십니까? 손을 잡는 것도 스킨십입니다만, 이미 전하께서는 저희 후작님의 손을 여러 차례 잡아 보지 않으셨습니까?'

칼리아스는 그때마다 손에서 불이 나서 뭔가 태워 먹은 끔찍한 기억들이 떠올라 당장에라도 이불킥이 하고 싶어졌다. 지금 벨라 앞에서 또 불놀이 대잔치를 벌이라는 것인가 싶어 짜증이 났다.

'스킨십을 잘 못하는 게 전적으로 나의 노력 부족은 아니지 않은가! 손잡을 때마다 무슨 일이 벌어졌는지 버틀러 경도 보지 않았는가?'

그의 말에 루카스는 다시 천천히 대답했다.

'아르티드 후작님을 총알과 포탄이 떨어지는 밤바다에서 지켜 주셨을 때를 떠올리십시오.'

'으응?'

'황태자 전하께서는 그날 밤, 난파한 우리를 집중포화로부터 지켜 주셨습니다. 그때는 왜 사람에게는 불이 붙지 않았던 것입니까?'

'그야…… 그건…….'

말을 더듬는 칼리아스에 루카스가 대답했다.

'지키고자 하는 마음. 그 마음으로 저희 아가씨를 대하여 주십시오.'

'그게 지금 이 상황과 무슨 관계가 있지?'

'아가씨는 승마를 꽤 좋아합니다. 전하의 전용 말에 태우시면 저절로 스킨십이 될 겁니다.'

긴가민가하여 벨라를 자신의 전용 말에 태우기는 하였으나 이게 잘 될까 싶었다.

'……그리고 진도를 급히 나가겠다 생각하지 마시고, 스킨십을 꾸준히 늘려 가시면 전하의 성스러운 불도 자연히 잘 조절될 것이고, 아가씨께서도 점점 전하께 마음을 여실 겁니다.'

의외로 자신의 품에 안기다시피 한 벨라는 별 거부감을 보이지 않았고, 말이 빠르게 달리자 기분 좋아하는 것이 눈에 보였다.

'오호라? 에클레르의 조언보다 이게 잘 먹히네?'

칼리아스의 눈빛이 빛났다.

그녀를 세상의 집중포화로부터 지켜 준다고 생각하니 더는 그녀를 생각해도 불길이 일지 않았다.

이상한 일이었다.

자신의 가슴에 안긴 그녀의 부드러운 등의 감촉이 그의 마음을 설레게 했다.

'이렇게 흥분해서 두근거리는데도 불길이 일지 않아!'

게다가 루카스는 해야 할 적절한 말도 코치해 주었다.

루카스가 제안했다.

'즉석에서 생각나는 대로 말씀하지 마시고, 할 말을 미리 외워 가십시오. 이런 말은 어떻습니까?'

칼리아스는 루카스의 말에 귀 기울였다.

'나는 여자에게 서툴다. 다른 말로 하자면, 이외의 다른 여자에게 관심을 가져 본 적이 없다. 모두 그대가 처음이어서 벌어지는 일이니 솔직한 감정을 이야기해 달라.'

칼리아스는 짧은 시간 동안 루카스가 해 준 말을 달달 외웠다.

'……전투와 정쟁에는 익숙한데 데이트는 해 본 적이 없어 어떻게 해야 여자들이 좋아하는지 모른다. 다만 네게 매력적으로 보이고 싶다…… 라고 말씀하시면 후작님께서 기뻐하실 겁니다.'

외운 대로 하자 벨라의 표정이 눈에 띄게 부드러워졌다. 그 말이 잘 먹힌 것 같아서 칼리아스는 뿌듯한 미소를 지었다.

'하긴, 어릴 때부터 곁에서 후견인으로서 지켜보았으니 벨라에 대해서는 손바닥 읽듯 훤히 알겠지. 앞으로는 버틀러 경에게 조언을 구해야겠군.'

칼리아스는 신났다.

자신의 품에 있는 벨라를 힐끔 쳐다보았다.

'당장 키스해, 말아? 아차. 오늘 급하게 진도 나가지 말라고 조언했지?'

벨라에게 오늘 막무가내로 키스할 작정이었는데 루카스의 말을 들어 보니 그것은 간단한 이런 스킨십을 좀 더 자주 해 본 후에 하는 것이 더 좋을 것 같았다.

루카스가 칼리아스에게 당부했었다.

'아가씨는 어려서부터 외롭게 자라서 밝은 척하지만 마음이 무척 외로운 분입니다.'

'나도 그러한데…….'

'갑자기 다가서는 것보다는 천천히 신뢰를 쌓아 가며 마음을 얻어야만 진심으로 아가씨의 마음을 얻을 수 있습니다.'

루카스 말대로 하니 천천히 그녀에게 다가갈 자신이 생겼다.

'어쨌거나, 내 품에 가두는 데에 성공했어.'

침대에서 나신의 여성이 이불을 끌어당겨 몸을 가리면서 돌아누웠다. 검고 긴 곱슬머리가 물결처럼 흘러내렸다.

그런 그녀의 등을 끌어안아 주며 곁에서 머리카락을 쓸어 주는 이가 있었다. 한쪽 팔을 베개에 괴고 다정스레 바라보는 그는 티베리였다.

"아, 기분 좋아."

릴리스 대공녀는 작게 킥킥거리며 티베리의 욕심 많은 초록색 눈을 들여다보았다.

"나인 줄 어떻게 알았지?"

그녀는 두 팔을 그의 목에 휘감았다. 티베리의 손이 그녀의 등을 부드럽게 쓸어내려 척추 마디마디를 더듬었다.

"그야, 내게 수호천사가 몰래 존재할 리는 없으니까. 우연이라 치기엔 절묘한 순간의 도움이었고, 아버지 마르쿠스 재상님께서 어디선가 뭉칫돈을 가져다 쓰셨는데 그게 페로하트의 그란첼 백작일 리는 없으니까 당연히 나는 그 윗선을 생각했던 거지."

티베리가 그녀의 귀에 속삭이더니 그녀의 귓불을 살짝 깨물었다.

"꺅."

릴리스 대공녀의 금색 눈동자가 반짝였다.

"당신은 영리해서 좋아. 보통은 무딘 사람들투성이여서 내가 물심양면으로 도와줘도 그 사실조차 깨닫지 못하는 이가 대부분인데. 별로 도와주지 않은 자가 찰떡같이 알아듣고 나를 찾아오다니 얼마나 설렜는지 몰라."

"제피르를 몰락시킨 것도 당신이겠지?"

티베리의 입술이 그녀의 귀밑에 닿을락 말락 하며 속삭였다. 릴리스는 그의 가슴을 가볍게 꼬집었다.

"어머. 그때 나는 코흘리개였다고. 번지수가 달라도 한참 달라. 연배가 다르잖아. 연배가. 아무리 내가 세계의 경제를 좌지우지한다고는 해도 그것까지는 힘들어."

그러자 티베리의 눈이 휘어지듯 미소를 머금었다.

"그럼 당신 어머니의 실력이겠군. 그래서 칼데이라 대공에게 견제당한 거지?"

그러자 릴리스 대공녀는 붉은 입술을 삐죽였다.

"골치 아프다니까. 내 아버지라는 사람. 노인네가 도통 속을 모르겠다니까. 정신줄을 놓은 거 같기도 하면서도 어떨 때 보면 음침하기 짝이 없는 인간이지. 잘한다 잘한다 부추기다가 뭐가 심사를 뒤틀리게 했는지. ……아니면, 제피르가 제거된 식으로 자신도 제거당할까 봐 미리 차단한 건지도 모르고."

티베리의 입술이 그녀의 붉은 입술 위에 가볍게 내려앉았다.

"잘 모르는 사람들이야 여색이나 밝히고 도박에 미친 광인이라 생각하겠지. 정치에는 일절 관심 없고 말이야. 하지만 페로하트 황가의 혈통이 아니라고 존재를 부정당한 순간부터 진정한 이 세상 전체의 황제가 될 꿈을 꾸었던 거로군."

티베리의 말에 릴리스는 킥킥거리며 웃었다.

"이봐 이봐. 이렇게 속내를 잘 읽어 내니까 어머니가 버려진 거라고. 당신도 내게 버려지고 싶지 않으면 적당히 눈치 없게 지내."

"명심하겠습니다. 레이디."

그렇게 말하며 티베리는 그녀의 귀밑에서 쇄골로 이르기까지 가볍게 입 맞추며 그녀를 자극했다.

"으응."

관능적인 그의 입맞춤을 받으며 릴리스는 허리를 살짝 비틀었다.

"기왕 밀어 주는 김에, 나를 확실하게 밀어 달라고."

티베리가 입 맞추다 말고 그녀에게 속삭였다.

"투자할 가치가 있는 사람이잖아?"

그러자 릴리스는 그의 눈동자를 빤히 바라보다가 코웃음 치듯 고개를 돌렸다.

"좀 귀엽게 봐 주니까 벌써 기어오르려고 하네. 실망이야."

릴리스 대공녀는 티베리의 손을 '탁' 쳐 내며 몸을 일으켰다. 주변에 있는 줄도 모르게 숨어 서 있던 시녀들이 재빨리 달려 나와서 그녀의 몸에 옷을 걸쳐 주었다.

그러나 입으나 마나 하게 속이 다 비치는 옷이어서 그녀의 몸 윤곽이 적나라하게 드러났다. 그녀가 앉으려고 하자 시녀들이 일사불란하게 움직여 의자를 빼 주고 부채질을 해 주며 마실 것을 내왔다.

묘한 향을 풍기는 그 차를 릴리스 대공녀는 한 모금 들이켰다. 그사이 시녀들이 그녀의 머리카락을 재빨리 다듬어 아름답게 장식하기 시작했다.

그 모습을 재밌다는 듯 바라보며 턱을 괸 채 티베리가 말했다.

"기어오를 놈이란 걸 알면서 왜 기어오를 기회를 줬어?"

릴리스 대공녀는 모른 척하며 차를 더 마실 뿐이었다.

티베리는 느른하게 몸을 틀어 머리맡의 협탁에 놓인 과일 바구니에서 포도를 따서 입에 넣었다.

"내가 언제?"

릴리스 대공녀의 말에 티베리는 버터 바른 미소를 지었다.

"주변국의 군대를 움직인 사람, 나의 날개 없는 수호천사님 아니신가?"

티베리가 초록빛 눈동자를 가늘게 휘며 말했다.
“아무리 이전에 맺은 밀약이 있다고는 쳐도, 적절하게 나를 도와주지 않았다면 망했을 텐데, 나에게 재기의 기회를 준 거 나의 천사님 아니시냐고 말이야.”
릴리스 대공녀는 차를 마시다 말고 코웃음을 쳤다.
“우리 칼데이라 공국은 군대가 없어. 주변국의 군대를 용병처럼 빌려 쓰는데 어찌 그 군대를 내가 움직이겠어?”
티베리는 조용히 큭큭 웃었다. 그러고는 포도 껍질을 휙 던졌다.
“사실상 플란네르의 편을 든 우방국들은 따지고 보면 칼데이라 공국에 군대를 빌려주는 곳들 아닌가요, 나의 천사님?”
창밖으로 보이는 푸른 하늘과 평화로이 떼 지어 날아가는 흰 비둘기 무리가 어쩐지 다 연막 같아 보였다.
“칼데이라 공국이 주변국의 군대를 빌리는 게 아니라, 주변국의 군대가 실은 칼데이라 공국의 소유라면?”
릴리스 대공녀는 그 말에 티베리를 흘겨보며 미소 지었다.
“증거 있어? 증거부터 가져와.”
티베리는 다시 포도를 하나 따서 씹으며 웃었다.
“증거? 살아 있는 것이 증거가 될까?”
그러자 릴리스 대공녀가 웃음을 참지 못하고 웃으며 차를 내려놓았다. 사레가 들렸는지 잔기침을 콜록거렸다. 그러자 바로 시녀들이 수건을 들고 와 릴리스 대공녀의 주변을 열심히 닦고 차를 새로 따랐다.
그 모습을 보며 티베리는 상체를 일으켰다. 그의 보기 좋은 등 근육이 움직이는 것을 릴리스 대공녀는 황홀하다는 듯 바라보았다.

"증거는 하나도 없지. 하지만 나의 천사님께서 그리 허술하게 진행하셨으려고. 하지만 그렇게 생각하면 상당히 많은 부분의 아귀가 맞아떨어져 들어가지."

릴리스가 깔깔거리며 말했다.

"당신도 음모론을 믿어? 이 모든 세상의 돌아가는 일에 음모가 깔려 있다고 말이야."

티베리가 몸을 일으키자 시녀들이 달려가 그에게 가운을 입혔다. 그와 눈을 마주친 시녀 하나가 얼굴을 붉히며 고개를 돌리자 티베리가 윙크해 보였다. 시녀는 화들짝 놀라 얼른 손을 떼고 뒤로 물러났다.

"말도 안 되는 소리지. 어떻게 보이지 않는 손이 세상 돌아가는 것을 쥐고 흔들 수 있겠어?"

릴리스는 티베리의 윙크를 받은 시녀를 잠시 노려보았다.

"사람이 이렇게나 많은 세상에서, 사람들이 따르라 하면 곧이곧대로 따르냔 말이지."

시녀는 어깨를 움츠리고 덜덜 떨었다.

"나는 유난스레 딸을 아껴 주시는 아버지 때문에 여태 시집도 못 가고 조용히 살아갈 뿐인 힘없는 대공녀인걸."

릴리스의 말에 티베리는 그녀의 근처로 다가와 그녀의 머리카락을 한 줌 거머쥐었다.

"칼데이라 공국에서 플란네르의 편을 들어 군대를 빌려준 거라면, 동맹국들이 반격할 힘도 남아 있지 않은 플란네르의 방패막이가 되어 준 것이 이해 가능해지지."

그는 허리를 숙여 머리카락을 코에 가져다 대며 냄새를 맡았다.

"더러운 돈을 받아 주는 곳은 칼데이라 공국뿐. 그 어떤 탐관오리라도 은닉 재산을 들고 오면 세상이 조용해질 때까지 보관하고 있다가 동전 한 닢 비는 일 없이 오히려 불려서 되돌려 준다는 명성으로 유지되어 온 금융 사업 아니던가?"

그녀의 머리카락에 그가 느리고 진한 입맞춤을 했다.

"그러다 보니 세상의 어느 어두운 뒷골목 이야기도 가만히 앉아서 모두 들을 수 있는 자리에 계시지. 나의 천사님은."

그 별것 아닌 입맞춤이 어찌나 끈적하고 농염한지 릴리스는 눈을 가늘게 내리감으며 탄식을 내뱉었다.

"어차피 당신도 필요에 따라 나를 선택한 것 알아. 당신이 원하는 것을 해 줄 테니 당신도 내게 원하는 것을 줘. 우리는 그저 순수할 수만은 없잖아? 나의 천사?"

의미심장한 미소를 짓고 있는 릴리스에게 티베리가 말했다.

"그래, 어디에 위기를 만들어 줄까? 무엇을 마비시켜 줄까?"

그의 말이 재밌다는 듯 릴리스는 깔깔거리며 웃었다.

"당신이 내세우는 가격이 설령 동전 한 닢일지라도 그 가격에 땅이든 뭐든 팔아야 할 만큼, 어떤 곳을 들쑤셔 줄까? 헐값에 뭐든 살 수 있게 해 드리지."

티베리는 정중하게 팔을 뻗었다가 자신의 가슴에 손을 얹으며 말했다.

"말씀만 하십시오. 저는 당신의 충실한 종입니다."

"교착 상태이긴 해도 전시 상황인데 이렇게 휴가를 자주 써도 되겠습니까?"

라울린은 벨라의 눈치를 보았다.

"괜찮아요, 라울린. 어차피 그 휴가 미리 빼 쓰고 나중에 휴가 없이 일할 건데 공짜 아니잖아요."

"그래도, 후작님……."

"즐길 수 있을 때 즐겨요. 마침 전장에서 들려오는 소식도 없고. 헤어져 있었던 시간이 길었는데 휴가 시간은 모두 캐시와 카라만을 위해 써요. 다른 생각 하지 말고."

라울린은 망설이는 표정이었다. 벨라는 웃으며 고개를 저었다.

"성대한 결혼식을 생략했으니 휴가라도 맘 편히 다녀와요."

"안 한다는 게 아니잖습니까? 전쟁이 끝나면 올리기로 미뤄 뒀을 뿐, 자리를 비웠다가 또 미처 발견하지 못한 비밀 통로로 자객이라도 들어온다면……."

머뭇거리는 라울린에게 벨라는 어깨를 으쓱해 보였다.

"라울린 혼자 나를 지켜요? 라울린이 휴가 갔다 해서 뻥 뚫려 버릴 경호 체계면 아르티드가의 경호 수준은 형편없는 것이게요?"

"그건 그렇지만……."

벨라는 라울린의 등을 떠밀었다.
"미키가 있잖아요. 양말로 사람 잡는 미키가. 걱정하지 말고 다녀와요."
등 떠밀려서 나가는 라울린의 표정은 탐탁지 않았지만 밖에서 기다리고 있던 카라의 표정은 뛸 듯 기뻐 보였다. 처음에는 마스크로 늘 얼굴을 가리고 다니던 카라였지만 어느 순간 밝아졌다. 벨라는 카라의 모습을 보며 미소를 지었다.
처음 포르위네에 온 카라는 늘 주눅 들어 있고 마스크로 가린 얼굴조차 남들 앞에 보이고 싶어 하지 않았다. 그런 카라에게 벨라가 몰래 속삭였다.
'카라, 왜 얼굴을 가리고 다니니?'
'제 얼굴은 괴물 같아서 사람들이 보면 싫어해요.'
'정말? 이상하다. 너는 사람을 보면 깨물고 싶니?'
'아니요. 저는 개가 아닌데요.'
'네 주변에서 유령이 나타나니?'
'아니요. 그런 적 없는데요.'
'그럼 가리지 않아도 되는데?'
벨라의 말에 카라는 한사코 고개를 저었다.
'아니에요. 제가 얼굴을 드러내고 있으면 사람들이 얼굴을 찡그려요. 불쌍하게도 쳐다보고요. 저는 그 시선이 싫어요.'
'음, 카라야. 너는 꼭 얼굴을 드러내고 다녀야겠다.'
'상처받기 싫어요. 그런 시선 받고 싶지 않아요.'
벨라는 카라의 눈높이에 맞춰 한쪽 무릎을 꿇고 앉아서 카라의 어깨에 손을 얹었다.

'너는 수술을 몇 번 더 받아야 하지만 곧 다른 사람과 같은 평범한 얼굴이 될 거란다. 사람들은 네 얼굴을 이전에 본 적이 없어서 놀라서 그러는 거지만 익숙해지면 아무도 놀라지 않을 거야.'

카라는 어리둥절한 눈빛을 했다.

'익숙해질 기회를 네가 다른 사람들에게 주렴. 그리고 그 기회를 네가 줬는데도 누군가 뒤에서 수군거리고 너에 대해 좋지 않은 이야기를 하거든, 그 사람은 너도 외면해 버려.'

도통 무슨 소리인지 알아듣지 못하겠다는 표정의 카라에게 벨라가 말했다.

'난 말이야, 아주 부자라서 너의 얼굴이 평범해질 때까지 몇 번이고 수술시켜 줄 거야.'

벨라는 일부러 힘주어 굳세게 말했다.

'그런데 부자라서 내 주변에는 나를 해치려는 사람들도, 나를 속이려는 사람도 많아. 항상 조심해야 해. 그런 사람들을 가려내는 것이 너무 힘들어.'

잠시 어두웠던 벨라의 보랏빛 눈동자에 이내 환한 미소가 담겼다.

'네가 모든 수술을 잘 이겨 내고 나면 아빠의 얼굴이랑 엄마의 얼굴을 반씩 닮은 예쁜 소녀가 될 거야. 그때는 누구나 널 좋아할 거야. 앞으로 너를 얕보거나 시비 거는 사람은 잘 기억해 뒀다가 거르렴.'

벨라는 카라의 어깨를 가볍게 토닥여 주었다.

'네가 예쁠 때만 좋아해 주는 사람은 너한테 필요 없는 사

람이야. 알았지?'

그 뒤로 카라는 마스크를 쓰지 않았다. 여전히 사람들의 시선은 쏟아지고 그 시선을 받는 것을 불편해했으나 더 어두운 곳에 숨어 지내지 않았다.

벨라가 그렇게 말하는 것을 곁에서 직접 보았던 캐시로부터 그 일을 전해 들은 라울린은 벨라를 볼 때마다 그 말이 떠올라 코끝이 찡해졌다.

"바닷가! 바닷가!"

카라가 신나서 소리치며 캐시와 라울린의 손을 잡고 하늘로 날아오를 듯 깡충 뛰었다.

멀리는 가지 못하고 수도에서 가까운 바닷가의 별장을 빌려 놀러 가는 라울린 일가족의 모습을 보며 벨라는 혼잣말처럼 중얼거렸다.

"아. 나도 묻어가고 싶다. 일만 하려고 후작이 된 건가."

벨라는 자신의 목에 걸린 일그러진 진주로 만든 목걸이를 바라보았다.

"오늘 저녁에도 황태자 전하와의 데이트 일정이 있잖습니까, 후작님. 후딱 해치우고 가셔야죠."

리체가 서류 더미를 산처럼 쌓아서 들고 와 벨라에게 눈짓을 했다.

"오늘의 서명하실 분량입니다. 꼼꼼하게 확인 부탁드립니다."

"으에……."

벨라는 쳐다만 봐도 질린다는 듯 혀를 내밀었다. 그 모습에 리체가 한마디 했다.

"참고 문헌이나 지표 자료는 루카스 버틀러 경께서 보고 요약해서 결론만 간단히 첨부한 겁니다. 버틀러 경 아니었으면 분량이 열 배는 되었을 겁니다."

벨라는 진저리를 치며 고개를 저었다.

"이게 뭐가 간단해!"

루카스가 조용히 있다가 뒤에서 한마디 했다.

"후작님! 혀!"

"네……!"

벨라는 혀를 쏙 집어넣고 오늘의 결재 건을 꼼꼼히 훑어보았다.

루카스는 도끼눈을 뜨고 벨라의 혀 내미는 버릇을 점검했다.

칼리아스는 바닷가 조용한 별장의 불 켜진 테이블에 앉아 턱을 괴고 밤바다 풍경을 바라보고 있었다.

벨라가 최근 샀다는 이 바닷가의 별장은 캐시와 라울린이 데려온 일행으로 인해 맞은편에 있는 별관이 소란스러웠다.

거리가 멀리 떨어져 있지만 먹고 마시고 신난 목소리가 칼리아스의 귀에까지 들려왔다.

벨라가 라울린 일행을 부러워하더라는 말을 리체로부터 전해 듣고 재빨리 데이트 장소를 별장으로 바꿨으나 벨라의 공식 일정이 아직 덜 끝났는지 그녀를 기다려야 하는 입장이었다.

수도에서 그리 멀지 않은 이 바닷가는 개발의 가치가 별로 없어서 묵혀진 곳을 벨라가 사들이고 그럴싸하게 꾸며 놓은 곳이었다.

'일껏 사서 지어 놓고 그 첫 이용자가 본인이나 내가 아니고 일개 기사단장 대리와 그 부인이라니!'

칼리아스는 심드렁하게 턱을 괴고 바라보는 중이었다. 포도주 한 잔에 간단한 안줏거리가 곁들여진 테이블은 커다란 통나무를 깎아 대충 만든 것이고, 자연목을 그다지 가공하지 않고 지어진 이 별장은 별장이라기보다 민간 숙박업소 같은 느낌이었다.

칼리아스도 고된 일에 시달리는 중이라 시간을 내어 먼 곳까지 갈 수가 없는 처지였다. 마지못해 오기는 왔으나 데이트 장소로는 격이 떨어진다 생각하여 그다지 마음이 동하지는 않았다.

해가 지평선으로 저물어 가고 있었다.

유명한 항구 둘을 끼고 안으로 굽이치는 작은 만 같은 이곳은 침전물이 많아 해수욕하기도 적당하지 않았고 아름다운 꽃이나 풀이 만발한 것도 아니어서 이제 막 가져다 심은 나무와 화초가 덜 자라 엉성해 보이기까지 했다.

"아빠아! 고기 잡았어?"

어린 소녀의 목소리가 들렸다.

붉은색과 노란색으로 물든 구름이 점차 보라색, 진청색으로 진하게 변해 갔다. 산 그림자가 드리운 바닷가는 회색에 가까운 연보라색 그림자로 물들었다. 잔잔하게 물결치는 바닷물 표면은 분홍색과 은색의 섬광이 서로 얽혀 아롱지고 있었다.

"꺅!"

"그걸 놓치면 어떻게 해! 캐시, 잡아! 잡으라고!"

사람 몇 명 없는 곳에 그들 목소리로 해안이 쩌렁쩌렁 울렸다.

"으앙! 나 넘어졌어!"

"혼자서 일어나! 일어날 수 있어!"

해를 등지고 있는 못생긴 나무들은 비틀려 무리 지어 있다가 군청색 긴 그림자를 남겼다. 그것은 분홍색 바다와 선명한 색상 대비를 이루었다.

"잡았다!"

살랑이는 바닷바람이 제법 시원했다.

"애개! 내 손가락보다 작아!"

풍덩 소리와 함께 시끄럽게 떠드는 소리로 인해 칼리아스는 느리게 다시 눈을 떴다.

감히 황태자가 와 있는데 그에게는 신경도 쓰지 않고 자기들끼리 노는 시건방진 아르티드가의 고용인들 때문에 칼리아스는 콧방귀를 뀌었다.

지금 정국이 불안정하여 사흘째 세 시간도 못 자고 업무만 바쁘게 처리하다 온 그였다.

이 데이트 시간도 눈치 보며 뺀 시간인데 벨라를 기다리며 보내려니 짜증스러웠다. (벨라가 자신을 기다린 것은 기억나지도 않는다.)

칼리아스는 슬그머니 업무 관련 문서를 끄집어내어 들여다보았다. 에클레르 보좌관이 그런 그를 보고 한사코 말렸다.

"전하, 업무는 잠시 접어 두십시오. 만날 때마다 늘 아르티드 후작에게 훈계조로 일장 연설이나 늘어놓기 일쑤인데 차라리 소네트를 읽으며 로맨틱한 대화를 이끄는 연습을 하십시오."

벨라와 연애를 하면 없던 연애 세포가 생길 줄 알았으나 정말이지 칼리아스의 연애 세포는 누군가 태어나기 전부터 농약이라도 뿌렸는지 절대로 자라나질 않았다.

'푸하…… 이래 놓고 맨날 나만 달달 볶지…….'

에클레르는 가슴 한편에 고이 묻어 둔 사직서를 지금이라도 내밀고 싶은 마음이 목구멍까지 차올랐다.

[퇴직 사유: 연애 감각이 쥐꼬리만큼도 없는 상사의 삽질을 보기 괴로워서.]

가르쳐 준 것도 맨날 제멋대로 망쳐 놓으면서 좋은 연애 조언을 해 달라고 졸라 대니 피가 마를 지경이었다.

그런 에클레르의 마음도 모르고 칼리아스는 업무 문서를 심각한 표정으로 들여다볼 뿐이었다.

오늘도 군제 개혁안 때문에 국회에서 한바탕 파란이 일었다.

플란네르를 거의 함락시킬 뻔했으나 신무기인 기관 단총의 힘으로 도로 물러 나와야만 했던 아픔이 있었다.

기관 단총의 파훼법에 대한 많은 논란도 있었다.

'기관 단총은 근접전에는 위력적이나 형편없는 적중률 때

문에 방어에나 유리하다.'

'돌파용으로는 그다지 쓸모가 없다!'

'그래도 그들의 무기를 우리도 연구해서 주력 무기로 써야 한다!'

벨라가 칼리아스에게 조언하기를 기관 단총 다음에 나올 무기는 장갑차라 하였다. 그녀의 말대로 총탄이 무수히 쏟아지는 곳에서는 장갑차를 몰고 가서 돌파하는 것이 옳을지도 모른다.

문제는 지형적인 문제였다. 장갑차는 무거워서 조금만 움직여도 고랑에 빠져 움직이지를 못했다.

벨라가 예견했던 대로 말을 타고 돌격해 달려 나가 적을 베던 시대는 갑작스럽게 종말을 맞이했고 참호에 숨어 총만 쏘는 지지부진한 대치전이 이어졌다.

'효율적인 돌격을 해야 한다.'

칼리아스는 강박증처럼 그 주제를 곱씹었다.

제국의 세 기둥이라 불리던 가문에서는 아무래도 기득권을 놓치기가 싫었던 모양이었다.

'우리의 방어력을 높여 주면 우리는 어디든 돌파할 수 있다. 우리는 장갑차처럼 무력하지 않을 것이다.'

해당 가문의 가주들이 주장했다.

적당한 정도에서 의견이 충돌해야 뭘 해 볼 텐데 그들은 귀를 닫고 자기들 주장만 반복했다. 아무리 시대가 변했다고 말하여도 자신들의 구시대 전법이 장비만 업그레이드되면 유효하다는 식으로 우겼다. 그들로 인해 회의 자체가 진행되지 못하고 마비되어 가고 있었다.

하아…….

칼리아스는 하늘색 머리카락을 손으로 두어 번 쓸어 올렸다.

뭘 하자고 중재하는 것이 아니라, 격분해 회의장을 뛰쳐 나간 세 가문의 가주들을 설득해 회의장으로 데려오는 것으로 모든 힘을 소모하고 있었다.

'이러다 망하기 딱 좋지…….'

해가 다 저물어 이제는 연보라색 띠구름만 지평선 쪽에 약간 남았다. 하늘을 가득 채운 진남색 하늘을 바라보며 그는 한숨을 내쉬었다.

'기득권을 놓는다는 것은 그리도 힘든 일인가 보다.'

그들은 앞다투어 항쟁 불사를 외치며 자신들을 주력으로 써 달라고 우겼다.

'이봐. 그런다고 총알이 당신들을 못 뚫을 줄 아나.'

칼리아스는 이를 뿌득 갈았다.

플란네르에 가서 그 군제 개혁의 현장을 눈으로 똑똑하게 보고 왔다.

'정상적인 상황이었으면 플란네르 아델항 상륙 작전을 시도해 보지도 못했을 거면서!'

자신이 살아 돌아온 것도 기적이고 그 구식 군대로 플란네르를 함락 직전까지 몰고 간 것도 기적이었다.

'그까짓 기관 단총 하나 생겼다고 그놈들의 전세가 순식간에 역전된 줄 아나?'

칼리아스의 이 가는 소리가 심상찮았다. 그의 이가 부러

질까 봐 에클레르는 눈치를 살폈다.

'티베리의 형들이 반란을 일으키는 바람에 가능했다고! 행운을 등에 업고 함락 직전까지 간 것을 실력으로 그런 줄 알다니! 이 머저리 같은 것들!'

칼리아스는 주먹이 으스러지도록 움켜쥐었다.

플란네르의 개혁은 뿌리부터 다져진 것이어서 페로하트 제국처럼 구습에 찌든 군대와는 차원이 다른 것을 분명히 체험했다.

그런데 그가 직접 보고 느낀 것을 페로하트에 와서 아무리 설명해도 페로하트의 배부른 돼지들은 이해하려고 들지 않았다. 그저 별 우스운 이야기를 다 듣겠다는 식으로 웃을 뿐이었다.

'제국의 세 기둥……! 깡그리 망해 버려라.'

칼리아스의 눈에서 금속광택이 번쩍거렸다. 그의 살벌한 얼굴을 보며 에클레르는 오늘도 칼리아스의 평생 소원인 첫 키스는 물 건너갔다고 생각했다.

'말이 제국의 세 기둥이지, 자신들의 기득권이 줄어들까 봐 개혁을 방해하는 어리석은 것들!'

칼리아스는 그들의 편을 은근하게 드는 테오도르 황제가 마음에 들지 않았다. 그가 묵인해 주니 그들이 그렇게 핏대를 세울 수 있는 거였다. 그만큼 테오도르 황제 역시 칼리아스를 경계하며 언제든 찍어 누를 틈을 노리고 있었다.

'아아. 외롭다.'

불어오는 밤바람에 칼리아스의 머리카락이 부드럽게 살

랑거렸다. 은근히 추워져 버린 공기에 그는 차디찬 포도주를 마실 생각이 사라져 버렸다.

'그래서 더욱더 빨리 연애에 빠져들고 싶은지도 모른다.'

칼리아스는 쓴 입맛을 다셨다.

'이렇게 외로운 날, 나를 감싸 안아 줄 따뜻한 존재가 이젠 늘 곁에 있었으면 좋겠다. 그녀를 특별하게 생각하는 마음은 이제 차고도 넘치니까 데이트 신청을 계속해야 할 필요가 있을까? 결혼하고 알콩달콩 살면 그게 연애 아니겠는가.'

칼리아스는 저도 모르게 머리를 긁적였다. 실은 연애를 생각하면 갑자기 바보처럼 버벅거리고 아무 생각이 없어지는 자신이 부끄러워서 어찌해야 할지도 모르겠다.

'연애 생략하고 그냥 바로 청혼해 버리고 싶은데…….'

연극이나 보러 가고 휴양지를 함께 돌고, 미식으로 유명세를 떨치는 근사한 식당에 함께 가고, 승마를 함께하고. 그거면 충분한 거 같은데 뭘 더 해야 하는지 모르겠다.

"늦어서 죄송합니다. 저만 먼저 서둘러 나왔습니다. 아가씨께서는 30분 정도 후에 도착하실 겁니다."

루카스가 나타나 정중하게 고개를 숙였다.

"한잔 들겠나?"

칼리아스가 포도주 잔을 살짝 흔들어 보였다. 하지만 실은 자신도 더 마실 생각은 없었다.

"아르티드 후작님께서 도착하신 후에 마시겠습니다."

루카스가 정중히 거절하자 칼리아스도 더는 권하지 않고

잔에 남은 한 모금을 마저 마셨다. 한기가 돌았다.

"오늘 벨라의 상태는 어떤가? 첫 키스 하기 적당한 날인가?"

칼리아스의 질문에 루카스는 고개를 숙였다.

"언제든 전하께서 원하신다면 가능합니다만 한 가지 당부드리고 싶습니다."

루카스는 벨라가 첫 데이트 후에 했던 말들을 떠올렸다.

'루카, 나는 과거의 기억 속에서 불같은 사랑을 겪어 보았어요.'

그녀의 일기장에 쓰였던 내용으로 미루어 보아 대충의 사연은 알고 있었다.

벤자민이 그녀를 이용해 재산을 빼앗으며 연기했던 불타는 사랑.

유진이 외롭던 그녀에게 다가가 모든 사랑을 다 줄 듯 홀려 남은 그것마저 다 털어가 버렸던 불타는 사랑.

'사랑에 빠졌을 땐 후회 없는 사랑을 하는 줄 알았어요.'

벨라는 씁쓸하게 웃으며 말했다.

'그것도 끝을 보고 난 후엔 다 부질없었어요.'

벨라는 그의 눈동자를 바라보며 말했다.

'그리고 붙잡지 못해 후회했던 사랑이 있었어요. 사랑인 줄도 모르고 지나 보내야 했던…….'

루카스는 촉촉하게 젖은 벨라의 눈시울을 바라보는 순간 그녀가 말하는 것이 무엇인지 깨달았다.

'회귀해서 처음 들은 목소리가 그 사람의 목소리였죠. 정말 기뻤어요.'

그 말을 들은 루카스는 얼른 화제를 돌렸다.

'의회의 부름은 내일 오전 8시이며 늦지 않게 도착하기 위해서는 6시 이전에 출발해야 합니다. 이만 벨라시아로…….'

'나를 자꾸 다른 곳으로 보내려 하지 말아요. 루카.'

벨라의 눈가는 붉게 물들어 있었다. 그녀의 입술이 바르르 떨렸다.

'자꾸 말 돌리고 못 들은 척하지 마요. 제발.'

벨라의 목소리는 울음을 참는 듯 잠겨 있었다.

'아버지를 대신해 나를 키워 준 사람에 대한 동경 같은 거 아니에요. 데일 것 같은 뜨거운 사랑만 사랑은 아니에요. 오랜 시간 함께하다 보니 물에 스며들 듯이 어느새 사랑하게 되었어요.'

벨라의 눈동자가 투명한 액체를 머금고 진보라색으로 반짝반짝 빛났다. 눈가와 코끝이 분홍색으로 물들고 손끝은 안타까이 옷자락을 움켜쥐고 있었다.

'루카, 당신을 사랑해도 될까요?'

루카스는 한동안 멍하니 그녀를 바라보았다. 금방이라도 흐를 듯 고인 눈물이 애처로워 다가가 닦아 주고 싶었다. 다가설 듯 말 듯 그는 잠시 손을 내밀까 말까 고민하다가 고개를 돌렸다.

'못 들은 것으로 하겠습니다.'

'루카!'

벨라가 원망스러운 목소리로 소리쳤다.

'다비드 후작님과 약속했습니다. 최고의 신랑감을 구해

드리겠다고 말입니다. 그 최고의 신랑감을 사랑하십시오. 그리고 아가씨께서는 지금 제국 최고의 신랑감의 곁에 계십니다.'

벨라는 미간을 찡그린 채 날카로운 목소리로 말했다.

'나를 위해 목숨까지 바치는 사람이 최고의 신랑감이 아니면 무엇이겠어요!'

그 말에 루카스는 무표정한 얼굴로 벨라를 빤히 쳐다보았다. 그 싸늘함에 루카스가 하려는 말을 예감한 듯 벨라는 한 발짝 뒤로 물러섰다.

'그건, 아가씨께서 겪으셨다는 과거의 저이지, 현재의 저는 아닙니다. 삶의 밑바닥까지 추락한 아가씨에게 자신의 생명이라도 나눠 주고 싶어 했던 것은 그 사람이지, 저는 단 한 번도 비뚤어진 길을 걸어간 적 없이 말 잘 듣고 성실하게 자라난 아가씨의 집사였을 뿐입니다.'

벨라는 눈물이 가득 고인 채 한사코 고개를 저었다.

'그 사람이 했던 것이 대단한 일이라 해도 제가 한 일은 아닙니다. 착각하지 마시길 바랍니다. 어떤 사연이 있었는지는 모르지만, 지금의 저는 그가 했다는 일들과 관계가 없습니다.'

쐐기라도 박듯 루카스는 말했다.

'저는 일개 집사입니다. 황태자 전하는 누가 보아도 아가씨께 흠뻑 빠져 있습니다. 제국 최고의 신랑감이 황태자 전하라는 것은 틀림없습니다. 그럼 이만.'

뒤돌아보지도 않고 루카스는 자리를 피했다. 그리고 뒷정리는 리체에게 부탁했다.

칼리아스가 벨라의 마음을 얻기 위해 무엇을 해야 할지 알려 달라고 했을 때 루카스는 그 조언자 역할을 리체에게 넘길까도 생각해 보았다. 친구이니 그녀도 해 줄 말이 많을 것이었다.

하지만, 곧 생각을 고쳐 자신이 해야겠다고 생각했다. 벨라가 무엇을 좋아하는지 그녀의 취향을 속속들이 알고 있기도 했지만…….

지금 루카스는 눈앞의 칼리아스를 바라보고 있었다.

칼리아스의 눈이 반짝반짝 빛났다. 루카스는 조용히 눈을 감고 자신이 감히 아가씨께 해 드리고 싶었던 것들을 부탁하자고 마음먹었다.

그녀를 아끼고 사랑하지만, 감히 표현할 수 없었던 그의 마음을, 칼리아스가 벨라에게 해 주는 것으로 위안을 삼기로 했다.

“아가씨께서는 화려한 이벤트보다는 손잡고 산책하는 것을 더 좋아하십니다.”

루카스는 칼리아스에게 말했다.

“전에 말씀드린 포도주는 준비하셨습니까? 먼저 식사와 반주를 곁들이시면서 아가씨께 포도주에 대한 유래나 특징들을 이야기하시는 것이 좋습니다. 그 후에 바닷가를 함께 손잡고 거닐어 보시는 것은 어떻겠습니까?”

지친 얼굴로 벨라가 도착한 것은 정확히 30분 후였다. 그 사이 해는 완전히 져서 사방에 짙은 어둠만이 내려앉았다.

"오셨습니까, 후작님?"

제일 먼저 라울린 일행이 마중 나왔고 별장에 딸린 관리 인력들 뒤로 황태자가 느릿느릿 걸어 나왔다. 그리고 맨 뒷줄에 먼저 출발한 루카스가 보였다.

벨라는 루카스의 시선을 피해 고개를 돌렸다. 카라가 벨라를 보자마자 두 팔을 벌리고 달려왔다.

"후작님!"

캐시가 깜짝 놀라 카라를 말려 보려 했지만 이미 벨라에게 덥석 안긴 후였다.

"카라, 재밌었니?"

안기는 것을 좋아하는 카라를 꼭 끌어안으며 벨라는 칼리아스를 힐끔 쳐다보았다. 캐시는 인사의 순서가 황태자가 먼저가 아니라 카라가 먼저가 된 것에 어쩔 줄 몰라 했지만, 벨라는 웃으며 칼리아스를 향해 인사를 건넸다.

"전하, 기다리시게 하여 죄송합니다. 보시다시피 요즘 다들 바쁘고 정신없는 시기라……."

칼리아스는 왜 이리 늦었느냐고 짜증 내고 싶었다. 미간을 찡그리다가 뒤에서 두 팔로 엑스 자 모양을 하며 입만 벙긋거리는 보좌관 에클레르를 보며 헛기침을 했다.
"그리 오래 기다리지 않았다. 신경 쓰지 말라."
바비큐 그릴을 꺼내 놓고 오늘 잡은 물고기며 소시지와 통구이용 고기 따위를 타지 않게 열심히 뒤집고 있던 라울린이 벨라와 황태자가 다가오는 것을 보며 반색했다.
"오셨습니까?"
라울린의 청보라색 눈이 어두운 밤에도 즐겁게 빛나 보였다.
"미안해요, 라울린. 가족끼리 오붓한 휴가가 되어야 하는데 불청객이 끼어서 말이죠. 음식이 모자라는 것은 아니겠죠?"
벨라의 말에 라울린은 즐겁게 웃으며 말했다.
"오히려 귀빈들을 모시게 되어 영광입니다. 저희끼리만 맛있는 것을 먹게 되어 죄송하던 차에 잘되었습니다. 모자라면 온 바다의 물고기라도 낚아서 대령하겠습니다."
급히 결정한 방문인데도 카라는 벨라가 오기만을 기다렸는지 그녀의 손을 잡아끌었다. 그러더니 가로로 길게 놓인 통나무 테이블로 데려가 뿌듯한 표정으로 자리를 내주었다.
"어머, 카라, 네 아이디어니?"
벨라는 테이블을 보며 감탄사를 내뱉었다.
탁자엔 큼직하고도 반짝이는 조개껍데기가 놓여 있고 그 위에 촛불이 얹혀 있었다. 그 주변엔 어린아이의 서툰 솜씨로 만든 꽃다발이 일렬로 놓이다가 조금씩 비뚤어진 채 앙증맞은 자태를 뽐내고 있었다.
그리고 커다란 나뭇잎 위에 포크와 나이프가 엉성하게 놓여 있었다.

"네! 제가 했어요! 엄마가 조금 도와주기는 했지만. 그렇죠, 엄마?"

카라는 그동안 못 부른 한을 풀기라도 하듯, 말끝마다 수시로 엄마를 부르고 눈이 마주치면 웃어 보였다. 아직도 사람들의 시선이 어색한 듯 움츠러들곤 했지만, 엄마와 아빠에게만은 움츠리지 않으려고 애쓰는 것이 눈에 보였다.

그 모습이 짠하기도 하고, 대견하기도 하여 벨라는 카라의 머리를 쓰다듬어 주었다.

별장의 고용인들이 하나둘 준비된 음식을 내왔고 라울린도 잘 구워진 바비큐를 먹음직스러운 크기로 잘라 테이블 위에 건넸다.

"와아! 냄새만 맡아도 군침이 돌아!"

수수하지만 풍족한 테이블 풍경을 보며 벨라가 기뻐하는 동안 칼리아스는 에클레르에게 손짓해 보였다. 그러자 에클레르가 술을 소중히 들고 나와 칼리아스에게 바쳤다.

"빈손으로 오는 것은 예의가 아닌지라, 150년 묵은 최고급 포도주를 준비해 왔다. 한두 잔씩은 모두 마실 수 있게 충분한 양을 가져왔지만 그래도 모자랄 것에 대비하여 89년 묵은 포도주도 잔뜩 가져왔으니 맘 편히 즐기도록."

벨라는 술에 대한 조예가 그리 깊지 않아 몰랐지만, 그것을 본 라울린이 화들짝 놀라더니 반색을 표했다.

"전하 덕에 이런 명품을 마셔 볼 날도 오는군요. 감사합니다! 이 영광을 길이 간직하겠습니다."

벨라는 눈을 크게 뜨고 있다가 가까운 자리의 루카스가

아닌 라울린을 향해 물었다.

"명품? 오래된 포도주가 좋다는 것은 알지만 그렇게 좋은 것인가요? 백 년 넘은 것은 마셔 본 적이 없어서……."

라울린은 포도주의 라벨을 가리키며 말했다.

"백 년 넘은 포도주 자체가 귀하지만, 저 브랜드의 포도주는 포도주 장인 중에서도 첫손에 꼽을 만하다는 전설의 장인이 만든 제품입니다. 게다가 150년 전이라면 포도 작황이 매우 좋았던 해의 포도주라 더 유명합니다. 이런 것은 돈이 있다 하여도 소유자가 안 판다 하면 마실 수 없는 것입니다."

"와!"

벨라가 감탄하자 칼리아스는 뭐 이런 걸 다 놀라워하냐는 듯한 표정을 지어 보였다. 그러고는 괜한 헛기침을 했다. 황태자의 손짓에 따라 에클레르는 소믈리에를 자처하며 돌아다니며 포도주 잔을 채웠다.

벨라의 잔에 검붉은 포도주가 본연의 아름다운 색채를 자랑하며 채워졌다. 신기한 듯 바라보는 벨라에 칼리아스는 여유 있는 미소를 지어 보이며 말했다.

"이런 유명한 포도주는 마시기 전에 향부터 음미해야 한다."

칼리아스는 가볍게 잔을 흔들어 그 향을 능숙하게 들이켰다.

"이 포도주의 장인이 만든 여러 포도주 중에서 이것은 유달리 은근한 숲 내음과 산딸기 냄새, 버섯 향 이 세 가지가 먼저 코점막에 와닿는다는 특징이 있지. 어느 시인은 이 향을 일컬어 비둘기가 물어 온 봄의 요정이라 표현했어. 아르티드 후작도 그리 느껴지는가?"

칼리아스의 말에 벨라는 눈을 감고 향을 들이마셨다. 정말로 아침에 숲을 산책할 때 나는 것 같은 은근한 향기가 느껴지는 것 같았다.

"그 뒤로 초콜릿 향과 박하 향 같은 것이 살짝 나지. 어때?"

벨라는 신기하다는 듯 고개를 끄덕였다.

"여러 가지 향을 더 느끼는 사람도 있다지만, 대부분은 그런 절대 후각을 가진 것이 아니니 우리는 이만 건배하고 늦은 만찬을 즐겨 볼까?"

칼리아스가 웃으며 잔을 내밀었다.

"나의 버베나 꽃 아가씨를 위하여."

칼리아스의 눈이 휘어지도록 부드럽게 가늘어졌다. 저 멀리서 에클레르가 벨라와 팔을 교차하여 러브샷을 시도해 보라고 입을 벙긋거리며 손짓 발짓으로 훈수를 뒀다.

칼리아스는 빰이 발그레하게 물들어 에클레르의 시선을 피했다. 그러자 에클레르는 포기하지 않고 그의 시선이 향한 쪽으로 후다닥 다가가 다시 빨리하라고 재촉했다.

칼리아스는 미간을 살짝 찡그렸다. 그러고는 아예 고개를 돌리고 못 본 척했다. 괜히 그런 짓 하다가 여태 불 조절을 잘 해 왔는데 그 노력이 허사로 돌아가게 할 수는 없었다.

"후작님! 이거 제가 잡은 거예요!"

카라가 접시에 소중히 담은 해산물을 가져왔다. 자잘한 크기의 생선구이도 있었고 게를 구운 것도 있었다.

"이 소중한 것을 내게 주는 거니?"

벨라의 말에 빰에 검댕이 묻은 카라가 자랑스럽다는 듯

미소를 지었다.

“소중하니까 후작님에게 제일 먼저 드리는 거예요.”

“정말 고마워! 맛있게 먹을게!”

카라는 뿌듯해하며 자기 엄마에게 뛰어갔다.

바비큐로 늦은 저녁을 대신하고 뒷정리 시간에 벨라는 한적한 모래사장 쪽으로 걸어 나왔다. 밤바다에서 들려오는 파도 소리를 들으며 흐트러지는 머리카락을 조심스레 모아 쥐고 걷는 그녀의 몇 걸음 뒤에 칼리아스가 따라 걸어오고 있었다.

“새로 지은 별장이라기에 화려한 것을 떠올렸는데 생각보다 수수하군.”

칼리아스의 말에 벨라는 뒤돌아 뒷걸음질로 나아가며 칼리아스를 쳐다보았다.

“수수하니 좋지 않아요?”

벨라의 말에 칼리아스는 진지한 표정으로 말했다.

“이런 별장은 귀족들 사이에서 놀림감이 되기 딱 좋다. 별장이 재산적 가치를 지닌 만큼, 좀 더 풍경이 좋은 곳에 규모 있게 지어야 나중에 싫증이 나서 되팔더라도 손해 보지 않는다.”

그다운 대답이어서 벨라는 피식 웃었다.

“내 조언이 마음에 들지 않는가?”

칼리아스의 말에 벨라는 눈웃음을 지으며 말했다.

“저는 가치보다 추억을 샀어요.”

“추억?”

“네. 우리 무인도에서 표류할 때 지었던 임시 가옥 기억나세요? 나뭇가지를 덩굴 식물의 줄기로 엮고 그 위에 바나나 잎을 얹어서 비나 간신히 피하던 그 집 말이에요."
벨라의 말에 칼리아스는 미간을 찡그렸다.
"지지리도 고생했던 그곳? 아르티드 후작은 여전히 그곳이 마음에 드는 모양이군. 나는 모기떼밖에 생각나지 않는데."
벨라가 함박웃음을 지었다.
"그래서 더 재밌지 않았어요?"
칼리아스는 고개를 절레절레 저었다.
"그야, 아르티드 후작은 모기 기피제를 듬뿍 발랐고 나를 비롯한 나머지는 늘 모자라게 발랐으니 아르티드 후작은 재밌을지 몰라도 나에겐 끔찍한 기억이었다."
"그랬나요?"
벨라는 그 말을 하며 푸흡 하고 웃음을 터뜨렸다.
'아…… 안 돼. 또 떠올려 버렸어.'
벨라는 웃다 말고 미간을 찡그렸다.
벨라가 모기에 물리지 않게 모기 쫓는 불을 밤새 피워 연기를 사방으로 부채질하던 루카스의 모습이 떠올랐다. 그는 항상 벨라를 최우선으로 챙겼다. 그리고 그 보살핌이 싫지 않았다.
언제나 정중하였고, 언제나 한결같았고, 언제나 극진하게 벨라를 위했던 루카스의 모습이 선명하게 떠올랐다. 어느새 눈가에 눈물이 핑 돌았다.
딴엔 결심하고 또 한 후에 그에게 고백한 것이었는데 대차게 까였다.

그다음 날 자고 일어나서 눈 뜨자마자 눈물이 줄줄 흘러내렸다. 의지로 멈출 수 있는 것이 아니었다.

'내 사랑은 항상 변함없는 당신이었노라고, 그렇게 고백했건만…….'

모든 시간과 노력을 그녀를 위해 쓰면서도 그의 벽은 언제나 견고하였고, 차갑게 거리를 두는 그가 너무나도 서운해서 일어나자마자 무릎에 얼굴을 파묻고 울었다.

'그건, 아가씨께서 겪으셨다는 과거의 저이지, 현재의 저는 아닙니다. 삶의 밑바닥까지 추락한 아가씨에게 자신의 생명이라도 나눠 주고 싶어 했던 것은 그 사람이지, 저는 단 한 번도 비뚤어진 길을 걸어간 적 없이 말 잘 듣고 성실하게 자라난 아가씨의 집사였을 뿐입니다.'

그의 말이 부서진 유리 조각처럼 가슴에 박혔다.

'그 사람이 했던 것이 대단한 일이라 해도 제가 한 일은 아닙니다. 착각하지 마시길 바랍니다. 어떤 사연이 있었는지는 모르지만, 지금의 저는 그가 했다는 일들과 관계가 없습니다.'

'왜 이렇게 한결같이 나를 밀어내는 것일까?'

못 이기는 척 넘어와 주면 서로 얼마나 좋은가.

'정말 내가 싫은 걸까?'

벨라는 이불이 흠뻑 젖도록 흐느껴 울었다.

'혈통 덕에 모든 것을 다 가지고 태어났다고는 하지만, 나는 그다지 똑똑하지도 않고, 눈물은 이렇게 많아서 마음 여린 것을 감추지 못해.'

주체할 수 없는 눈물이 흘렀다.
'그런 나약한 내가 싫었어? 그래서 몇 번이고 호감을 표시해도 못 들은 척 흘려 버리는 거야?'
벨라는 그동안 자신이 했던 실수들과 어리석었던 과거를 떠올렸다.
'루카처럼 자기 관리 철저한 사람에겐 나 같은 사람은 그저 귀찮은 존재일지도 몰라. 아버지에게 입은 은혜를 갚는다고 내게 충성하는 것일 뿐, 나란 사람은 별로라고 생각할 거야. 아마도.'
하늘이 무너지듯 슬펐다.
'대체 내가 뭘 잘못해서 가까워지지 않는 걸까?'
아무리 가까워지려고 노력해도 그는 항상 늘 평행선 건너에 있었다.
'무엇이 틀렸지?'
당일에는 그의 거절이 믿어지지 않아서 멍했는데 하루가 지나자마자 아, 차였구나 하는 생각이 현실적으로 다가와 깊은 슬픔이 밀려왔다.

그 기억을 떠올리며 벨라는 조용히 몸을 돌려 다시 앞을 보며 걸었다. 눈물 흘리는 모습을 칼리아스에게 보이면 대체 왜 울었느냐고 물어볼 것이고, 거짓으로 둘러대는 것도 자존심 상할 것이 뻔해 벨라는 눈물을 감추려고 손으로 쓰윽 닦았다.
"벨라!"

바로 뒤까지 따라온 칼리아스가 벨라를 불렀다. 벨라가 고개를 돌려 그를 바라보는 순간 그가 벨라의 입술에 자신의 입술을 포갰다.

화들짝 놀란 벨라는 뿌리치려 했다. 그런데 입술이 짓눌리기만 했지 그것은 키스라기보다 뽀뽀에 가까웠다. 당황한 벨라는 그의 어깨를 밀쳐 내려다가 손에 닿은 그의 어깨가 파르르 떨리는 것을 느꼈다.

서툴렀다.

어찌나 서투른지 키스할 때 고개를 살짝 비틀어야 하는 것도 몰라서 그의 코가 벨라의 코를 짓눌렀다. 벨라가 버둥거리자 키스 시도가 실패로 끝날까 봐 그는 벨라의 허리를 끌어안았다. 감겨 온 손도 축축하니 떨림을 감추지 못했다.

단지 열심이었다.

진지한 뽀뽀.

벨라는 순간 그가 연애라곤 생전 해 본 적 없는 초보라는 사실을 진심으로 깨달았다.

말로만 그런 게 아니고 정말로 첫 키스였다!

세상을 다 가진 황태자가, 한 여인에게 키스하며 이토록 긴장하여 거절당할까 봐 필사적으로 허리를 끌어당기고 있었다. 그의 숨결이 뜨겁게 다가왔다.

벨라는 살짝 입술을 열어 그의 호흡이 조금 더 편안해지도록 하였으나 그는 입을 굳게 다문 채로 긴장해서 입술끼리 도장 찍듯이 꾹 누르고 있을 뿐이었다.

숨 쉴 수가 없어서 코 좀 떼고자 벨라가 뒤로 고개를 젖히

자 그만큼 칼리아스는 더 상체를 숙였다.

그도 숨 쉴 수가 없었는지 참고 참았다가 결국은 입술을 떼고 거친 숨을 몰아쉬었다.

"사랑해, 벨라."

그의 두 뺨이 분홍색으로 물들고 부끄러워서 시선을 감히 바로 두지 못하면서도 그녀에게 능숙한 척하려고 애쓰는 모습이 빤히 들여다보였다.

"처음 본 순간부터 널 사랑했어."

숨을 참아서만이 아닌, 극도로 흥분하여 숨이 가쁜 채로 그가 말했다.

"사랑이란 감정이 처음이라, 이 감정의 정체를 깨닫는 데에 시간이 오래 걸렸어. 하지만 생각해 보니 난 널 처음 마주친 순간부터 사랑했던 거였어."

그의 입술이 떨렸다. 그리고 그의 눈이 그녀의 대답을 기다리듯 그녀의 입술만을 열렬하게 응시했다.

'왜일까?'

벨라는 눈을 크게 떴다.

'고백에 슬퍼지는 이 느낌은……?'

그가 자신을 좋아한다는 것은 이미 오래전부터 잘 아는 사실이었지만 이상하게 마냥 기쁘지만은 않았다.

'대신에…….'

벨라는 시선을 내리깔았다.

이 고백을 루카스로부터 받았으면 얼마나 행복했을까 하는 생각이 들었다.

그녀의 지난 사랑들은 모두 아팠다.

벤자민이 그녀를 절망케 했고, 유진이 그녀를 헤어 나올 수 없는 나락으로 밀어 넣었다.

'루카스는…….'

그 둘에 비하면 비교도 할 수 없이 좋은 사람이지만, 그저 좋은 사람으로만 남고 싶어 했다.

'아무리 구애해도 내 것이 되지 못하는 사람.'

벨라는 그 또한 심장이 찢어지는 아픔으로 남았을 뿐이었다.

'좋은 사람이면 뭘 해. 내게 상처 주기는 마찬가지인데.'

벨라는 저도 모르게 눈물을 글썽이고 말았다.

사랑. 그것이 대체 무엇이기에 이렇게 나를 아프게 하는 걸까?

"벨라……?"

칼리아스의 목소리에 벨라는 고개를 들었다.

그의 눈빛이 불안하게 떨리고 있었다. 순간 벨라는 자신이 글썽거리고 있다는 사실을 깨달았다.

그녀의 눈물이 칼리아스에 대한 서글픈 감정으로 비칠 수 있다는 사실에 그녀는 서둘러 눈물을 감췄다. 칼리아스는 마른침을 삼키며 그녀의 대답을 기다리고 있었다.

그 불안한 시선에서 벨라는 사랑 고백에 거절당하면 어쩌나 하는 갈등을 읽어 냈다.

"……감동했어요."

벨라는 미소를 지어 보였다.

"진짜로?"

칼리아스는 안도했는지 웃었다. 그 모습을 보며 벨라는 어쩌면 이것이 순리일지도 모르겠다는 생각을 했다.

사람들은 말했다.

내가 사랑하는 사람을 택하지 말고 나를 사랑하는 사람을 택하라고 말이다.

그래야 행복하다고 말했다.

사랑은 더 많이 사랑하는 사람이 지는 게임이어서, 손해 보지 않으려면 내 사랑은 접어 두라고들 조언해 주었다. 그 말을 해 준 이들이 술집 하데스에서 산전수전 모두 겪은 고급 창부들이어서 더욱 처절했다.

'사랑은 이렇게 상처를 남길 뿐인데 왜 이런 것에 번번이 빠져드는지 모르겠다.'

다만 영원히 내 편을 들어줄 것 같았던 루카스가 그녀의 고백을 거절한 것이 이전의 사랑에서 겪은 실연의 아픔보다 더 가슴에 사무쳤다.

벨라는 고개를 들었다. 눈물 머금은 눈으로 그를 바라보았다. 그의 눈빛은 자신이 없어 보였다. 아마도 그녀의 숨기지 못한 표정 때문일지도 모른다. 그는 확신이 필요해 보였다.

벨라는 그에게 다가가 고개를 살짝 옆으로 돌려 그의 코가 눌리지 않게 가벼운 입맞춤을 했다. 놀란 황태자의 눈동자가 커졌다. 그 눈을 바라보며 벨라는 미소를 띠었다.

잠시 입술을 뗀 후 흥분한 황태자에게 다시 부드럽게 입술을 맞대었다. 칼리아스는 엉거주춤하니 그녀의 허리를 끌어당겼다.

"저도 좋아해요."

벨라는 그렇게 속삭였다. 그 말에 칼리아스는 환하게 미소 지으며 다시 입술을 겹쳐 왔다. 이번엔 벨라가 그의 목에 두 팔을 감고 그의 목을 끌어당기며 적극적으로 키스하였다. 서툴게 입술을 대고 누르기만 하던 칼리아스는 벨라의 부드러운 리드에 점점 긴장을 풀어 갔다.

'이 사람이 루카스였으면 얼마나 좋았을까.'

벨라는 그와 키스하며 눈빛을 흐렸다.

아니야. 내가 택한 사랑은 세 번이나 실패했어.

'내가 선택한 사랑 말고, 나를 선택한 사랑에 내 몸을 맡기자.'

벨라는 울음을 삼키며 눈을 감았다.

한참의 키스 시간이 지나가고 저절로 자연스럽게 입술을 뗐을 때 그가 상기된 얼굴로 속삭였다.

"결혼하자."

벨라는 눈을 크게 떴다.

"결혼요?"

"그래, 결혼."

칼리아스는 흥분을 감추지 못한 목소리로 말했다.

벨라는 눈만 두어 번 깜빡이다가 조심스레 말했다.

"첫 키스 다음에 바로 프러포즈예요?"

그가 눈빛을 반짝이며 가볍게 고개를 끄덕였다.

벨라는 피식 웃으며 말했다.

"뭐가 그리 급해요? 아직 데이트도 제대로 못 했는데……."

그러자 칼리아스가 얼굴이 새빨갛게 달아오른 채 입을 열었다.

"실은, 매일 네 생각만 나. 헤어져 궁으로 돌아갈 때도 아쉽고, 보고 싶어져. 벨라. 내가 성급해 보일지도 모르지만, 하루빨리 너와 결혼해서 항상 너와 함께 있고 싶어."

그의 솔직하고도 순수한 대답에 벨라는 저도 모르게 미소를 짓고 말았다.

황태자에게 벨라가 첫사랑이라 그런지 그는 여자의 마음을 잘 몰랐다. 하지만 그것은 그것 나름대로 순수해 보여서 웃지 않을 수가 없었다.

처음이어서 설레는 그 마음에 벨라의 마음도 새하얗게 정화되는 기분이었다.

"그러니까 나와 결혼해 줘. 매일 아침 너와 한 침대에서 눈을 뜨고 싶다."

자신 있게 말해 놓고 그의 눈은 흔들리고 있었다.

태생이 바람둥이와는 거리가 먼 그는 벨라의 마음을 재차 확인하듯 초조하게 바라보았다.

"불안해요?"

벨라는 그의 눈동자를 바라보며 말했다.

"뭐…… 뭐가? 뭐가 불안해 보여?"

그렇게 말하면서 그는 말까지 더듬었다.

"황제 폐하께서 교제를 허락하셨을 뿐이지 결혼까지 허락하신 것은 아닌데 이렇게 급히 서두르셔야 하나요? 교제를 허락하시기까지도 심기가 많이 불편하신 듯 보였는데 결혼

허락을 받기엔 너무 이르지 않을까요?"

벨라의 말에 칼리아스는 고개를 저었다.

"아니, 아니……. 폐하의 허락은 내게 맡겨 줘. 반드시 허락을 받을 테니. 그리고……."

"그리고?"

벨라가 고개를 갸웃거리자 칼리아스는 더더욱 얼굴을 붉히며 말했다.

"하…… 하루빨리 너의 모든 것을 알고 싶어. 그대의 연인인 나보다도 그대의 주변 사람들이 그대에 대해 더 잘 아는 것이 싫다. 너에 대해서는 내가 가장 많이 알고 싶다. 그래서 나는…… 나는……."

"주변 사람들이요?"

"그대가 뭘 좋아하는지 나는 잘 모르는 것이 화가 난다. 그대의 보좌관도 그렇고 일개 집사 따위가 그대의 세세한 버릇까지 잘 아는 것이 싫다. 그대는 나만 알고 싶다. 나만 꼭꼭 숨겨 두고 나만 바라보고 싶다."

말을 꺼내 놓고 그는 너무 속에 있는 진심을 다 끄집어내 보인 것 같아서 시선을 돌렸다.

"루카스에게 제가 뭘 좋아하는지 물어보셨어요?"

벨라는 피식 웃었다.

'하긴 데이트 장소 선택이 꽤 융통성이 있다 싶었는데…….'

그가 보내왔던 여러 가지 선물도 꽤 무난했고 그가 주도하는 대화 주제가 벨라도 흥미를 느끼고 있는 것들이어서 데이트 시간이 지루하지만은 않았다.

'그게 루카스의 배려였구나.'

벨라는 헛웃음을 지었다.

'당신은 전혀 내게 호감이 없었나요? 그저 황태자 전하께 나를 보내고 싶을 뿐이었나요? 당신은 언제나 아버지와의 약속이 우선이었나요?'

벨라는 루카스가 서 있을 곳을 쳐다보았다.

'당신의 친절과 헌신이 그저 의무였을 뿐이었나요?'

슬픈 마음을 티 내서는 안 되었다. 눈앞에 있는 사람은 그녀의 말과 반응에 따라 천국에 오를 수도, 지옥의 나락으로 떨어질 수도 있었다.

벨라는 애써 웃으며 그의 목을 다시 두 팔로 감았다.

"고마워요."

벨라는 보라색 눈동자를 글썽이며 그의 금빛 눈동자를 바라보았다.

아직 대답을 듣지 못한 그의 눈동자에는 불안함이 남아 있었다.

벨라는 그의 어깨에 고개를 살짝 기대며 속삭였다.

"청혼할 때 버베나 꽃을 들고 와서 청혼하신다더니……."

"아…… 그건……."

칼리아스가 부끄러운 듯 말했다.

"정식으로 청혼할 때 가져오겠다. 오늘 가져오려고 했는데 에클레르가 절대로 미리 청혼하지 말라고 말렸다. 눈치가 보여서 들고 오지 못했지만……. 포르위네 성을 꽉 채울 정도로 전국의 버베나 꽃을 모조리 가져와서 꽃에 파묻히게 해 주겠어. 그때 청혼 반지를 주며 정식으로 프러포즈해도 되겠는가?"

벨라가 칼리아스를 빤히 쳐다보자 그의 얼굴이 더 붉어졌다.

"내…… 내가 성급하다는 걸 나도 이전엔 미처 몰랐다. 하지만 꼭 그대여야만 한다고 내 마음이 정해진 순간부터 결혼이 빨리하고 싶어서 조바심이 난다."

"제가 그렇게 마음에 드셨나요?"

벨라가 싱긋 웃으며 말하자 칼리아스는 용기를 냈다.

"왠지 그대는 나와 함께 있어도 어딘가 멀리 날아가 버릴 것 같은 느낌이 든다."

칼리아스는 마지막으로 자장가를 불러 주던 어머니의 모습을 떠올렸다.

잔잔한 미소를 띠고 부드러운 목소리로 노래하며 토닥여 주던 그 모습이 아직도 눈을 감았다가 뜨면 보일 것 같았다.

어머니의 목소리가 너무나도 따스해서 졸음이 솔솔 왔다. 어머니의 무릎에 머리를 베고 행복하게 잠들었다가 깨어난 후에 두 번 다시 어머니는 보이지 않았다.

'내 앞에서 부드럽게 웃고 있지만, 눈을 감았다가 뜨면 너 역시 사라질지도 모르지…….'

그 가슴 시린 느낌이 지금 벨라를 보아도 느껴지는 것만 같았다.

'세상에 영원한 것은 없으니까…….'

그렇게 죽고 못 살 것 같았던 줄리에타 황후와 테오도르 황제 역시 그저 지금은 데면데면하게 살지 않는가.

사랑이란 감정은 그토록 덧없는 것이어서, 사랑 따위 빠져들지 않기를 바랐지만, 결국엔 빠져들고 말았다. 벨라에게…….

'너만은 내 곁에서 오래오래 떠나지 말아라…….'

칼리아스는 벨라의 어깨에 고개를 파묻고 그녀의 체취를 흠뻑 들이마셨다.

'지금처럼 아름다운 모습으로 변치 말고 함께하고 싶다.'

벨라는 그런 칼리아스의 등을 가만히 토닥였다.

'나의 정착지는 당신인 건가요?'

그녀의 표정이 어딘지 모르게 슬퍼 보였다.

밤바다의 파도 소리만이 간간이 몰아쳤다.

—4권에서 계속

마지막은 다정하게 3

초판 인쇄 2019년 6월 18일
초판 발행 2019년 6월 28일

지은이 수레국화꽃말
펴낸이 신현호
편집부장 예숙영
책임편집 최은지
편집디자인 한방울
영업 · 관리 김민원 조인희
물류 이순우 최준혁 박찬수

펴낸곳 ㈜디앤씨미디어
출판등록 2002년 5월 1일 제117-90-51792호
주소 서울시 구로구 디지털로 26길 111 JnK디지털타워 503호
대표전화 (02)333-2513 팩스 (02)333-2514
전자우편 dncbooks@dncmedia.co.kr
디앤씨북스 블로그 http://blog.naver.com/dncbooks

ISBN 979-11-264-4808-1 (04810)
ISBN 979-11-264-4816-6 (세트)